C.M. MARIN

MELVIN

THE CHAOS CHASERS MC

Ins Deutsche übertragen
von Svenja Ohlsen

C.M. Marin
The Chaos Chasers MC Teil 6: Melvin

Aus dem Amerikanischen ins Deutsche übertragen
von Svenja Ohlsen

© 2021 by C.M. Marin unter dem Originaltitel
„Melvin (The Chaos Chasers MC Book 6)"
© 2023 der deutschsprachigen Ausgabe und Über-
setzung by Plaisir d'Amour Verlag, D-64678 Lin-
denfels
www.plaisirdamour.de
info@plaisirdamourbooks.com
© Covergestaltung: Sabrina Dahlenburg
(www.art-for-your-book.de)
ISBN Print: 978-3-86495-610-2
ISBN eBook: 978-3-86495-611-9

Kapitel 1

Melvin

Der Junge, der mit Chloe tanzt, sollte seine Hand besser nicht weiter nach unten gleiten lassen, wenn er nicht gerade Lust auf gebrochene Finger hat. Ich zucke ungeduldig mit der Hand, während ich mit dem linken Fuß in einem unaufhörlichen Rhythmus auf den Rasen trommle. Ich wünschte, ich könnte zu der provisorischen Tanzfläche hinüberlaufen und dem fraglichen Jungen eine verpassen. Doch ich belasse es dabei, innerlich aufzustöhnen und ihn in Gedanken zu vermöbeln.

Allerdings ist der Junge wohl auch kein richtiges Kind mehr. Wäre er eins, würde ich mich nicht aufregen. Ich würde sagen, dass er um die zwanzig ist. Wäre er noch ein Kind, so wäre ich das auch mit meinen fast zweiundzwanzig Jahren. Und Chloe ebenfalls. Aber sie ist kein Mädchen mehr. Sie ist zwar erst achtzehn, jedoch weit davon entfernt, noch ein Kind zu sein. Sie ist reif und verdammt klug. Süß ist sie auch. Ihre Stimme klingt sanft und rein, vor allem, wenn sie lacht, und ihre hellgrünen Augen haben das freundlichste Funkeln, das ich je gesehen habe. Sie hat sich zu einer hinreißenden jungen Frau entwickelt. Während ich jede ihrer Bewegungen aufnehme, von der Art, wie sich ihr Körper im Takt der Rockmusik wiegt, bis hin zu der Weise, wie ihr ganzes Gesicht jedes Mal aufleuchtet, wenn sich ihre Lippen zu einem Lächeln verziehen, kann ich sie nur als atemberaubend bezeichnen. Okay, vielleicht ist das nicht alles. Schmerzlich anziehend wäre eine andere, treffende Beschreibung.

Die leuchtende Schönheit, die sie ausstrahlt, hat nichts mit dem langen, ärmellosen goldenen Kleid zu tun, das sie trägt. Der seidige Stoff ist mit einer Art Gürtel verziert, der mit glänzenden Steinen und irgendeinem glitzernden Zeug besetzt ist. Ich habe keine Ahnung, wie man das nennt, und es ist mir auch völlig egal. Es schmiegt sich perfekt und aufreizend um ihre schlanke Taille. Ihr Charme hat nichts mit ihrem blonden Haar zu tun, das sie für diesen besonderen Tag hochgesteckt hat. Die glänzenden Locken lassen meine Finger wieder jucken, aber diesmal mit dem Drang, in ihre Mähne einzutauchen, während ich ihre rosigen Lippen in einem glühenden Kuss erobere. Nein, wie schön sie aussieht, hat nicht das Geringste mit schicken Kleidern, perfekt gestyltem Haar oder Make-up zu tun. Wenn sie nach einem morgendlichen Lauf in Leggings und einem schlichten Shirt im Club auftaucht, ihr Gesicht ungeschminkt ist und ihr Haar dringend gebürstet werden muss, ist sie genauso schön wie heute.

Ich wette, dass der adrette Typ, mit dem sie gerade tanzt, das alles auch bemerkt hat.

„Soll ich Vincent für dich in den Arsch treten?"

Wie ein Kind, das mit der Hand in der Keksdose erwischt wurde, wende ich reflexartig den Blick von Chloe ab und schaue nach links, wo Camryn sich zu mir setzt. Das Necken in ihrer Stimme passt zu dem schelmischen Lächeln, das ihre Lippen umspielt, aber beides hält mich nicht davon ab, den Dummen zu spielen.

Mein Blick fällt auf den leeren Teller vor mir, während ich versuche, unschuldig auszusehen. „Ich weiß nicht, wovon du sprichst, Süße."

Ich spüre förmlich, wie ihre grauen Augen mich von der Seite durchbohren. Könnte ich meine von dem blöden Teller losreißen, würde ich sehen, wie sie mich herausfordernd anstarrt und nur darauf wartet, dass ich eine weitere Notlüge von mir gebe.

„Sie spricht davon, dass du diesem armen Kerl in deinem Kopf wahrscheinlich schon den Arsch aufgerissen hast."

Kichernd ignoriert Ben die Tatsache, dass meine Aussage rein rhetorisch war, während er sich gegenüber von mir auf einen Stuhl setzt und ein paar Weintrauben von einem Tablett nimmt. Als er sich die Früchte in den Mund steckt, grinst er mich trotzdem von einem zum anderen Ohr an.

Vielleicht liege ich ja falsch, aber da ich nicht glaube, dass es hilfreich ist, ihm in die Eier zu treten, weil er mir die freie Sicht auf Chloe versperrt hat, murmele ich eine neue Lüge.

„Ich reiße niemandem in meinem Kopf den Arsch auf."

Nachdem er noch ein paar Trauben in den Mund gesteckt hat, hebt er seine Hände zu einer Entschuldigung, die nicht unechter aussehen könnte, selbst wenn er es versuchen würde, vor allem in Verbindung mit dem frechen Grinsen, das in sein Gesicht eingemeißelt zu sein scheint.

„Mein Fehler. Aber ein kleiner Rat", sagt er, ohne sich die Mühe zu machen, mich zu fragen, ob ich ihn hören will oder nicht. „Wenn du das nächste Mal nicht gerade jemandem in Gedanken den Arsch aufreißt, solltest du an deinem Pokerface arbeiten. Du bist genauso leicht zu durchschauen, wie jedes Mal, wenn du nach einem bestimmten Mädchen schielst."

„Ich schiele nicht …"

„Nicht nach einem bestimmten Mädchen." Er unterbricht meinen Satz und beendet ihn für mich, wobei seine blauen Augen vor Belustigung blitzen. „Verstehe. Mein Fehler, schon wieder."

Verflucht.

Aber es ist meine eigene verdammte Schuld. In den letzten Wochen bin ich immer unvorsichtiger geworden und habe jeden ihrer Schritte beobachtet. Jedes Mal, wenn sie in der Nähe ist, schaue ich ihr hinterher. Ich kann nichts dagegen tun. Meine Augen fliegen zu ihr, wie die Motten zum Licht, das sie anzieht. Dass sie kürzlich achtzehn wurde, muss einen Schalter in meinem Kopf umgelegt haben. Ich weiß es nicht.

Die Frage ist nun, wer sonst noch mein scheinbar unbändiges Interesse an Chloe entdeckt hat. Der ganze Club, wie es scheint. Scheiße, ich hoffe nur, dass Brent mich nicht dabei erwischt hat, wie ich bei jeder Gelegenheit den Körper seiner Tochter anschmachte. Das ist allerdings höchst unwahrscheinlich. Hätte er etwas bemerkt, wäre ich jetzt derjenige, der den Arsch aufgerissen bekäme.

„Wenn ich du wäre", sage ich zu Ben und neige mein Kinn über seine Schulter, „würde ich mir mehr Sorgen um den Typen da drüben machen, der mit deinem Mädchen spricht." Colleen ist eine schöne, temperamentvolle Brünette, die sich gerade mit einem etwas älteren Mann unterhält.

Bens Reaktion ist genau so, wie ich es beabsichtigt hatte. Er dreht sich so schnell in seinem Stuhl herum, dass es mich nicht wundern würde, wenn er sich dabei den einen oder anderen Muskel zerrt.

„Samuel ist einer meiner Kollegen", sagt Cam über den Mann, den Ben mit seinen Blicken zu töten versucht. „Er hat eine Schwäche für Literatur. Es grenzt an Besessenheit. Er kann nicht aufhören, darüber zu reden, genau wie Colleen. Ich bin sicher, die beiden könnten sich stundenlang über Bücher unterhalten."

„Stundenlang?" Ben quietscht und klingt dabei wie ein kleines Mädchen – oder wie ein sterbendes Tier, je nachdem. „Ja, nein, das passiert nicht, solange ich hier bin. Stundenlang, verdammt", murmelt er, bevor er sich wieder umdreht und seinen Blick suchend umherschweifen lässt, bis er ein sauberes Glas und eine Flasche Champagner in Reichweite entdeckt.

Er fängt an, das schäumende Getränk einzuschenken, während er immer noch darüber schwadroniert, dass – ich zitiere – die Literatur versucht, sein Leben zu ruinieren. Ich fühle mich fast schlecht. Fast.

„Sich deswegen zu betrinken, ist ein bisschen über-trieben, findest du nicht?" Cam ist anscheinend in der Stimmung für Neckereien.

Ben hebt das Glas und erklärt ihr: „Das ist für meine schöne Frau. Ich gehe jetzt rüber und stelle mich dem Buchtypen vor, aber ich brauche einen Vorwand, richtig? Ich kann ja nicht einfach wie ein eifersüchtiger Vollidiot in ihre Unterhaltung plat-zen."

„Du könntest sie auch einfach zum Tanzen auffor-dern", sage ich, greife nach meinem Bier und nehme einen Schluck. „Ich meine, das würde sie von dem Buchtypen weglocken. Ein Drink wird das nicht unbedingt bewirken."

In weniger als einem Herzschlag ist er von seinem Stuhl aufgestanden. „Sie kann mit einem Glas in der Hand tanzen", beschließt er und geht zielstrebig auf sein Mädchen zu.

Ein Lachen bricht aus Cam hervor, während sich gleichzeitig ein Grinsen auf meine Lippen legt.

„Das wird ihm eine Lektion sein, wo er doch selbst immerzu alle verspottet", sagt sie, als sie sich wieder beruhigt hat.

Ich würde mein Leben nicht darauf verwetten, aber man weiß ja nie.

„Du siehst glücklich aus, Liebes."

„Bin ich auch."

Sie strahlt und sieht wirklich wie eine glückliche Braut aus.

Ihr langes Hochzeitskleid ist schlicht und elegant, ganz in Weiß mit zwei breiten Trägern aus Spitze, die ihre Schultern umschließen. Sie ist so bezaubernd wie der Clubhof, den die Mädchen für ihre und Nates – unser Vizepräsident – Hochzeit hergerichtet haben. Die Blumendekoration ist nicht überladen, aber es schmücken so viele rosa Pfingstrosen und gelbe Rosen die weißen Tischdecken, Stuhlhussen und das große Zelt, das die Tanzfläche überdacht, dass man den Club tatsächlich kaum wiedererkennt.

„Aber kommen wir zum wichtigsten Punkt zurück. Wirst du jemals etwas wegen Chloe unternehmen?"

Es sieht so aus, als würde sie das Thema nicht loslassen, obwohl sie gespürt haben muss, dass ich lieber so tue, als wüsste niemand etwas.

Ein Stöhnen erhebt sich aus meiner Brust und entweicht in den wolkenlosen Himmel des warmen Frühlingsabends, während ich meinen Kopf zurückwerfe.

„Okay, Süße", lenke ich ein und akzeptiere zähneknirschend, an dem Gespräch teilzunehmen, das sie unbedingt führen will. „Sag mir, wer noch eine Meinung dazu hat?"

„Alle?" Es hört sich wie eine Frage an, war es aber eigentlich nicht. Ihr Lächeln ist so umwerfend wie der Schalk in ihren Augen. „Wir sind uns alle einig, dass du dich nach ihr verzehrst."

Wenn die Panik nicht schon ihre Krallen in meine Eingeweide gegraben hätte, würde ich ein paar Sekunden lang mit den Augen rollen wegen ihrer unangemessenen Beschreibung meines Verhaltens.

„Brent auch?", platze ich heraus und will die Antwort dringend wissen, obwohl ich mich davor fürchte.

„Oh, das wissen wir nicht", sagt sie und liefert mir das wichtigste Detail. „Nate sagt, er habe ihm gegenüber nie etwas erwähnt, anscheinend hat auch keiner der Jungs das Thema angeschnitten. Auch Fi gegenüber hat Brent nichts gesagt. Sie meint, sie würde das Thema nicht ansprechen."

Mit anderen Worten, jeder einzelne meiner Brüder hat irgendwann einmal meine verweilenden Augen bemerkt, außer Brent. Oder hat er das auch? Nein, das hat er auf keinen Fall. Dann hätte ich schon ein oder zwei blaue Augen gehabt. Vielleicht sogar eine gebrochene Nase.

Na, toll.

„Ich bin überrascht, dass keiner von ihnen gekommen ist, um mir die große Bruderrede zu halten", murmle ich.

„Noch nicht." Ihre gewitzte Antwort wird von einem Grinsen begleitet. „Aber mal im Ernst. Wirst du mit ihr reden? Sie würde sich freuen zu hören, dass du sie magst."

Ich ziehe eine Augenbraue so hoch es geht. „Sie hat heute ein Date mitgebracht, Liebes."

Sie winkt mit der Hand ab. „Vincent ist nur ein Freund. Sie haben sich in der Werkstatt kennengelernt, als er das alte Auto seines Großvaters zum Lackieren brachte. Er ist hierhergezogen, um die Ranch seines Großvaters zu führen, und er wartet darauf, dass sein Freund ihm nach dem College irgendwo an die Ostküste folgt."

„Freund?", wiederhole ich und merke, wie erbärmlich hoffnungsvoll ich klinge, als ich das Wort ausspreche.

„Ja." Ihr leises Kichern lässt mich wissen, dass ihr der Jubel, der in meiner Stimme mitgeklungen haben muss, nicht entgangen ist. „Wie ich schon sagte, sie sind nur Freunde. Außerdem ist das ständige, hoffnungsvolle Anstarren nicht einseitig. Sie ist nur viel diskreter als du."

In meiner Brust macht sich Optimismus breit, aber ich gebe mein Bestes, um ihn mir nicht anmerken zu lassen.

Schließlich atme ich tief ein und aus. „Das ist sowieso egal. Sie hat etwas Besseres als mich verdient."

Camryn schimpft mich aus, wobei ihr Tonfall an Empörung grenzt, denn von ihrem früheren Grinsen ist keine Spur mehr in ihrer Stimme. „Was ist das für ein Schwachsinn? Besser als du? Das ist doch lächerlich."

„Was habe ich ihr denn zu bieten, Cam? Ernsthaft?"

Nichts. Das ist es ja. Sie sieht die Dinge offensichtlich nicht so, wie sie sind.

„Ernsthaft? Deine Freundlichkeit, für den Anfang. Deine Selbstlosigkeit. Dein Beschützerinstinkt. Deine Loyalität. Es beunruhigt mich, dass du nicht siehst, dass jedes Mädchen glücklich wäre, mit einem Mann wie dir zusammen zu sein. Du bist ein großartiger Mensch. Du hast dich um Max gekümmert, seit er geboren wurde, um Himmels willen. Du warst erst dreizehn Jahre alt. Du warst noch ein Kind, aber du bist tagein, tagaus für ihn da und hast dafür gesorgt, dass er alles hatte, was er brauchte."

Ihre Erwähnung von Max veranlasst mich dazu, nach ihm Ausschau zu halten. Ich finde ihn auf der Tanzfläche, wo er mit Lilly zu einem Rocksong tanzt, beide lachen, als wäre noch nie etwas so lustig gewesen.

Camryn lenkt meine Aufmerksamkeit von ihnen weg, als sie fortfährt. „Du hast in der Highschool drei Jobs gehabt, damit es ihm nie an etwas mangelt. Du hast dafür gesorgt, dass er beschützt wurde, hast sogar die Schule geschwänzt, als er krank war und zu Hause bleiben musste. Du hast dafür gesorgt, dass er geliebt wurde und so glücklich war, wie es unter den gegebenen Umständen möglich gewesen ist. Das Kind sieht dich an, als würdest du den Mond im Arm halten, und dafür gibt es einen Grund. Glaub mir, Chloe sieht das auch. Sie erkennt, wer du bist, auch wenn du es nicht zu wissen scheinst." Ich würde lügen, wenn ich behaupten würde, dass mein Herz bei ihren Worten nicht vor Rührung anschwillt. Deshalb bin ich froh, als sie ihre kleine Schimpftirade mit einem weniger tiefsinnigen Ton beendet und wieder ein deutliches Lächeln in ihrer Stimme liegt. „Ich bin sicher, die Verpackung stört sie auch nicht."

Leicht lachend schaue ich in die Augen des Mädchens, das in den letzten Jahren zu meiner besten Freundin geworden ist. Die Aufrichtigkeit, mit der sie mich ansieht, bringt mich dazu, nicht weiter zu leugnen, dass ich Chloe so sehr will, wie ich die Luft zum Atmen brauche. Sie hat mich sowieso schon vor einer Weile durchschaut. Genau wie meine Brüder, anscheinend.

„Glaubst du, es ist ein Fehler, dass sie in Twican bleibt, anstatt aufs College zu gehen?"

Camryn runzelt über meine beiläufige Frage, mit der sie offensichtlich nicht gerechnet hat, die Stirn.

„Ist es das, was dich stört? Warum?"

„Es ist nicht so, dass es mich stört. Ich will nur nicht, dass sie etwas bereut", erkläre ich. „Ich habe es noch nie jemandem erzählt, aber ich habe in der Highschool Football gespielt und war ziemlich gut. Ein paar Colleges wollten mich haben. Natürlich habe ich das nicht einmal in Betracht gezogen. Es war keine Option für mich. Es wäre nicht nur ein finanzieller Aufwand gewesen, zudem hätte ich Max auf keinen Fall zurücklassen können. Sicher, es hätte wahrscheinlich nicht zu einer professionellen Karriere geführt, aber vielleicht hätte es, du weißt schon. Versteh mich nicht falsch, ich liebe das Clubleben. Das tue ich wirklich. Wenn ich zurückblicke, denke ich, dass alles so gekommen ist, wie es sein sollte. Mein Leben ist hier mit den Brüdern und mit Max. Aber was ist, wenn Chloe eines Tages ihre Entscheidung bereut? Ich meine, du und die Mädchen seid doch froh, dass ihr aufs College gegangen seid, oder?"

Sie beugt sich vor, greift nach einer Flasche Cola und schenkt sich einen Schluck ein, während sie spricht. „Zunächst einmal hat Chloe die Entscheidung getroffen, in Twican zu bleiben, nachdem Cody angefangen hat, sie in Mechanik zu unterrichten, vor allem, nachdem sie sich für individuelle Lackierungen interessiert hat. Diese Entscheidung hat nichts mit einem Mann zu tun, weder mit dir noch mit einem anderen Typen. Was mich betrifft, so bin ich froh, dass ich aufs College gegangen bin, aber nur, weil ich Lehrerin werden wollte und es für mich keine andere Möglichkeit gab, das zu verwirklichen. Das Gleiche gilt für die Mädchen. Aber Chloe will in der Werkstatt sein und Autos und Motorräder lackieren. Du hast ihre Arbeit gesehen. Du weißt, dass sie verdammt gut darin ist. Was jedoch noch wichtiger ist: Sie liebt es. Sie ist eine Künstlerin. Sie muss nicht aufs College gehen, um etwas zu verwirklichen, was sie sich erhofft. Ihr großer Traum ist genau hier, warum sollte sie also weggehen?"

Während ich verarbeite, was sie gesagt hat, muss ich zugeben, dass ihre Argumentation nicht überzeugender hätte sein können. Sie hat recht, Chloe hat ein natürliches Talent für Sonderanfertigungen. Ich weiß, dass ich nicht der Grund bin, weshalb sie in der Stadt geblieben ist – verdammt, bis Cam es erwähnt hat, wusste ich nicht, dass Chloe mich überhaupt bemerkt hat; jedenfalls nicht mehr als jeden anderen Bruder. Aber so reif sie auch ist, sie ist erst achtzehn und könnte ihre Meinung noch ändern. Der Verlauf ihres Lebens ist nicht in Stein gemeißelt. Abgesehen davon weiß niemand, was die Zukunft bringt.

Während ich mit dem Aufkleber auf meiner Bierflasche spiele, nicke ich langsam zu allem, was Camryn gesagt hat. Wie so oft dieser Tage, wandert mein Blick zurück zu Chloe. Sie tanzt immer noch, aber dieses Mal mit ihrem Vater. Schwules Date hin oder her, das ist schon viel besser.

„Du könntest mit ihm reden, weißt du?"

„Mit wem, Brent?" Ein lautes Schnauben entweicht mir augenblicklich. „Wenn es mir nichts ausmacht, eine Kugel zwischen die Augen zu bekommen, ja, ich denke, dann könnte ich das."

„Das ist ein bisschen melodramatisch", stellt sie kichernd fest.

„Da bin ich mir nicht so sicher, Liebes. Und ich habe es nicht besonders eilig, das herauszufinden."

So sehr ich auch mein Bestes getan habe, zu verbergen, wie groß Chloes Anziehungskraft auf mich ist, muss ich doch zugeben, dass es mir eine gewisse Erleichterung verschafft hat, meine Gefühle laut zu gestehen – wenn auch nur indirekt. Aber heute ist nicht der Tag, um tiefer in die Thematik einzudringen, also bin ich froh, als die Musik leiser wird, während Jayces dröhnende Stimme durch den Hof schallt und mein und Cams Gespräch beendet. Jayce ist unser Präsident und Cams Bruder.

„Okay, Leute! Camryn, komm her, kleine Schwester!", ruft er von einem Tisch aus, der in der Nähe der Tanzfläche steht. „Es ist Zeit für die Hochzeitstorte", fügt er hinzu, als Fiona vorsichtig eine riesige Hochzeitstorte vor ihn stellt.

„Au ja, endlich Torte!", brüllt Ben von der Tanzfläche zurück und bringt alle zum Lachen, während Colleen in seinen Armen den Kopf schüttelt.

Es sieht so aus, als hätte er das Gespräch seiner Freundin mit dem Buchtypen schnell unterbrochen.

„Ja, ja, in einer Minute, Junge." Jayce gluckst. „Ich werde vorher noch ein paar Worte sagen. Ich verspreche, dass es nicht lange dauern wird und werde auch mein Bestes geben, um es nicht zu rührselig werden zu lassen." Ein weiteres Glucksen geht durch den Hof, bevor er fortfährt. „Vor weniger als zwei Jahren bist du in Nates Leben getreten. Wochen später habe ich herausgefunden, dass das Mädchen, das mein bester Freund zu seiner Frau gemacht hat, auch meine Schwester ist. Verdammt, ich wünschte, Dad wäre hier, um zu sehen, wie ihr den Bund der Ehe schließt." Er grinst, kann jedoch seine Emotionen kaum unterdrücken. „Ich habe keinen Zweifel daran, dass er verdammt stolz sein würde. Genau wie Isaac und Billy."

Connor, der Vater von Jayce und Cam, sowie dessen Vater Isaac und sein Bruder Billy wurden von den Spiders ermordet, einem rivalisierenden Club, der nun der Geschichte angehört. Isaac war zu dieser Zeit der Clubpräsident. Es geschah kurz bevor ich als Anwärter in den Club eintrat. Ich hatte also nie die Gelegenheit, einen von ihnen kennenzulernen.

„Ich liebe euch beide. Ich wünsche euch das längste und glücklichste Leben, das man sich vorstellen kann." Er erhebt das Glas, das er in der Hand hält, und jeder, der ein Getränk vor sich stehen hat, macht es ihm gleich.

Camryn wischt sich die Tränen von den Wangen, bevor sie sich auf die Zehenspitzen stellt, um ihn auf die Wange zu küssen. Nate folgt ihr und umarmt ihn kurz, bevor er sich neben seiner Braut zur Torte gesellt. Mit je einer Hand am Messer schneiden sie ihre Hochzeitstorte gemeinsam an. Sie sind das Sinnbild eines glücklichen Paares mit grenzenloser Liebe in ihren Augen. Lilly steht nicht weit entfernt, um Fotos von ihrem Lächeln zu schießen. Sie fotografiert alles und jeden, seit der Tag begonnen hat.

Ich freue mich für die beiden. Und verdammt, ich beneide sie um das, was sie haben. Ich nehme an, dass ein Kerl in meinem Alter durch die Gästeschar schlendern sollte, auf der Suche nach einer alleinstehenden Frau, die einen Mann sucht, der sie vergessen lässt, dass sie selbst nicht annähernd verheiratet ist. Aber dieser Gedanke hat für mich nicht den geringsten Reiz. Habe ich manchmal One-Night-Stands? Sicher habe ich die. Nicht jede Nacht, aber genügend, um mich nicht ständig auf meine Hand verlassen zu müssen – man weiß ja nie, ob man nicht vor lauter sexuellem Frust draufgeht. Früher habe ich jedenfalls so gedacht. Wahllos Frauen zu vögeln schien vor einer Weile seinen Reiz zu verlieren. Wenn ich das Ben erzählen würde, würde er mir sofort sagen, dass das alles mit dem Mädchen zu tun hat, nach dem ich mich verzehre – was ja auch stimmt. Also werde ich es ihm nicht verraten.

Die Quintessenz ist, dass ich mit nicht einmal zweiundzwanzig Jahren schon genug von bedeutungslosen Ficks habe. Ich will das, was Cam und Nate haben. Eine bedeutungsvolle Beziehung. Liebe. Ein Zuhause. Die Aussicht darauf, eine Familie mit einer Frau zu gründen, die ich jeden Tag anbeten werde. Ich mag jung sein, aber ich weiß, wonach ich mich sehne. Ich will jemanden, zu dem ich nach Hause kommen kann. Und so verrückt es auch klingt, wenn man bedenkt, dass ich alles versucht habe, um mich von einem bestimmten Mädchen fernzuhalten, einem Mädchen mit goldenem Haar, smaragdgrünen Augen und einem Lächeln, das so süß ist, dass es mein Herz jedes Mal zum Schmelzen bringt, so kommt mir dennoch nur ein Gesicht in den Sinn, wenn ich darüber nachdenke, mit wem ich dieses Leben führen möchte, und das ist Chloe.

Kapitel 2

Chloe

Rosa. Gott, das ist zu viel Rosa. Mit der Lackierpistole in der Hand gehe ich langsam zwei Schritte zurück, um meine Arbeit mit ein wenig Abstand zu betrachten. Es ist ein Wunder, dass meine Netzhäute bei diesem Anblick nicht schmerzen. Warum sollte jemand eine Schönheit wie dieses Cadillac-Cabrio von 1951 mit einem bonbonrosa Farbton zerstören wollen? Entscheidungen wie diese sollten niemals getroffen werden. Ich würde sogar so weit gehen zu sagen, dass es Gesetze gegen solche abscheulichen Angelegenheiten geben sollte.

„Meine Augen tun weh. Ich werde nie wieder richtig sehen können."

Hinter mir lacht Cody herzhaft über mein Gemurmel und der donnernde Klang seiner Stimme erfüllt den großen Raum.

Als er seine Reaktion unter Kontrolle hat, ergreift er das Wort und stellt nüchtern fest: „Deine Arbeit ist aber einwandfrei."

Ein stolzes Lächeln umspielt meine Lippen. Ich bin stolz auf mich, aber das verdanke ich nur Cody. Wir beide haben im letzten Jahr viel Zeit in dieser Halle verbracht. Er hat mir viel gezeigt und ohne ihn wäre ich nicht in der Lage gewesen, diese Arbeit ganz allein zu beenden. Er hat mir alles beigebracht, was ich über Custom Painting weiß, genau wie er mich in den letzten Jahren eine Menge über Mechanik gelehrt hat. Ich mag Mechanik, aber Custom Painting ist nicht nur ein Job. Es ist eine Leidenschaft. In den letzten sechs Monaten haben wir uns ausschließlich darauf konzentriert, jeden Tag nach der Schule und auch an den Wochenenden. Dieses Projekt ist der zweite Auftrag, den er mich allein erledigen lässt. Natürlich unter seiner Aufsicht, aber trotzdem.

Cody ist ein wirklich großartiger Lehrer gewesen. Er war eifrig dabei, mir etwas beizubringen, aber auch geduldig, während ich lernte und Fehler machte. Das überrascht mich allerdings nicht. Ich kenne Cody schon mein ganzes Leben. Der dunkle Schopf auf seinem Kopf mag ein paar graue Haare bekommen und die Winkel seiner blauen Augen mögen im letzten Jahr ein paar Falten dazugewonnen haben, aber seine entspannte Persönlichkeit ist immer noch dieselbe, wie noch in jungen Jahren. Deshalb bin ich überglücklich darüber, dass ich ab dieser Woche offiziell sein Lehrling bin. Die Schulzeit liegt hinter mir. Während einige Absolventen den letzten Sommer in Freiheit genießen, bin ich hingegen gespannt auf den Beginn meines Arbeitslebens.

Ich betrachte noch immer mein Werk und muss zugeben, dass ich wirklich gute Arbeit geleistet habe. Dennoch löst der rosa Farbton gleichzeitig einen starken Brechreiz in mir aus.

„Ich gebe zu, dass ich mit meiner Arbeit sehr zufrieden bin, aber Gott, das ist ein Sakrileg. Ein Skandal", wiederhole ich laut und vergewissere mich, dass er weiß, was ich meine.

„Ich stimme dir hundertprozentig zu, Kleine. Ich glaube, es war Liam, der mit dem Kunden verhandelt hat. Ich muss ihn danach fragen."

„Das hört sich jetzt vielleicht verurteilend an, aber ich kann nicht anders, als mir irgendeine Zwanzig-irgendwas-Erbin hinter dem Steuer vorzustellen, mit ihrer Designer-Tasche auf dem Beifahrersitz, aus der der winzige Kopf eines kleinen Chihuahuas herausragt."

Cody lacht über das Bild, das ich male, dann fügt er seine eigene Sicht der fiktiven Fashionista hinzu. „Es fehlen nur noch die Sitzbezüge aus Pelz und vielleicht ein goldener Schaltknüppel."

Als sich die Tür öffnet, stehen wir beide noch immer still und starren auf die rosa Abscheulichkeit. Ich schaue auf und sehe, wie Melvin den Raum betritt. Augenblicklich richte ich meine Aufmerksamkeit von dem Auto auf ihn. Seine Augen sind auf den Boden gesenkt, während er sich die Hände an seinem Overall reibt, was mir ein paar Sekunden Zeit verschafft, die Aussicht zu genießen.

Dieser Ausblick ist so viel schöner und fesselnder als das Auto vor mir.

„Seid ihr fertig? Das Essen ist gleich soweit", lässt Melvin uns mit seiner satten Stimme wissen, die jedes Mal ein Kribbeln in meinem Bauch verursacht, wenn ich sie höre. Dann hebt er den Blick. „Wow … Das ist ähm …"

„Sehr rosa?" Ich biete ihm die Worte an, die er nicht zu finden scheint.

Wie ich ihn kenne, kommt seine Wortlosigkeit wahrscheinlich daher, dass er befürchtet, er könnte etwas sagen, was ich als beleidigend empfinde.

Meine Stimme lenkt seine Aufmerksamkeit auf mich, aber wie üblich verweilt sein Blick nicht sehr lange auf mir. Zumindest nicht lange genug, um entscheiden zu können, ob das Interesse, das ich dort zu sehen glaube, nicht nur eine Halluzination war. Ganz überzeugt bin ich nie. Meistens bin ich ziemlich sicher, dass ich nicht träume, wenn ich merke, dass er mich mit glühendem Blick anschaut, aber es bleibt immer ein kleiner, tiefsitzender Zweifel in meinem Kopf. Vielleicht will ich einfach nur glauben, dass sich die Art und Weise, wie er mich in den letzten Monaten anschaut, verändert hat. Vielleicht will ich einfach nur glauben, dass er mich jetzt so betrachtet, wie ich ihn wahrnehme. Ich werde nicht lügen und so tun, als wäre ich nicht schon seit einiger Zeit in ihn verknallt, aber in letzter Zeit scheinen sich die Dinge geändert zu haben. Was ich fühle, mag einseitig sein oder auch nicht, aber wenn ich eines weiß, dann, dass ich kein Teenagermädchen mehr bin, das einen Typen vergöttert, den es kaum kennt. Ich bin eine junge Frau, die zwischen Verliebtheit und Anziehung unterscheiden kann. Jedes Mal, wenn ich in Melvins Nähe bin, ist der Unterschied sonnenklar. Mein Körper wird von seinem angezogen. Und ich würde wirklich gerne herausfinden, ob die Anziehung auf Gegenseitigkeit beruht.

„Warum zum Teufel sollte jemand so etwas mit dieser Schönheit anstellen?"

„Cody und ich glauben, die Besitzerin könnte eine reiche Erbin mit einem Chihuahua sein." Ich lächle, während ich unsere alberne Diskussion zusammenfasse.

Das brummende Geräusch, das Melvin in seiner Kehle macht, verursacht ein flatterndes Gefühl in meinem Bauch. Das passiert in letzter Zeit häufig. Zum Beispiel, wenn er draußen im Garten ist, mit Max Fußball spielt oder einfach nur in der Sonne abhängt. Bei seiner normalerweise nackten, muskulösen Brust, würde jedes Mädchen schwach werden. Aber die Schmetterlinge waren auch da, als er auf der Hochzeit von Cam und Nate einen Smoking getragen hat. Darin war er nicht nur gutaussehend. Er war absolut sexy. Aber er ist immer sexy. Ob mit nacktem Oberkörper, im Smoking, in seiner Kutte oder im Overall, der Mann strahlt puren Sexappeal aus.

„Das muss es sein oder jemand hat dem Besitzer einen üblen Streich gespielt. Aber der Job sieht perfekt aus."

„Danke", sage ich dankbar, während ich einen weiteren Blick auf mein Werk werfe und sein Lob mehr zu schätzen weiß, als er ahnt.

Codys Bauch erinnert uns auf sehr laute Weise daran, dass es bald Zeit für das Abendessen ist.

Leise lachend sage ich zu ihm: „Geh und stibitz dir schon mal etwas vom Essen, was auch immer es gibt. Ich mache hier Klarschiff. Das meiste hast du sowieso schon weggeräumt und das Grummeln klang so laut wie Mr. Kincaids alter Lastwagen."

„Gott, ich hoffe nicht. Dieser Schrotthaufen hat nicht mehr lange zu leben, trotz Kincaids unerschütterlichem Glauben, dass er ihn überdauern wird. Aber ich nehme dein Angebot an. Ich bin am Verhungern und Max wollte mir seinen neuen Fußball zeigen. Ist er drinnen?", fragt er Melvin auf dem Weg aus dem Raum.

„Er war gerade mit seinen Hausaufgaben fertig, als ich rauskam", antwortet er, während ich mich daranmache, die restlichen Werkzeuge wegzuräumen. „Ich bin nur zurückgekommen, weil ich mein Handy vergessen habe."

Ich erwarte, dass er Cody in den Club folgt, aber obwohl es außer der Reinigung meiner Spritzpistole kaum noch etwas zu tun gibt, bleibt er zurück, um mir zu helfen.

„Danke", sage ich, als wir fertig sind, und lächle zu ihm hoch, als er nach dem Lappen greift, mit dem ich mir gerade die Hände getrocknet habe.

Seine Antwort ist ein einfaches Nicken, während seine schokoladenbraunen Augen mir Wärme schenken. Ich liebe seine Augen. Sie sind dunkel, genau wie sein kurzes und unordentliches Haar. Aber sie sind nicht hart, sondern wirken sogar eher beruhigend. Sanft. Zumindest sind sie das, wenn er mich anschaut. Sein Blick ist immer sanft, wenn er mich ansieht, genau wie sein Handrücken, der meine Finger streift, als er den Lappen nimmt. Seine Berührung ist zart, sie ist berauschend. Ja, bei der kleinsten Berührung von ihm strömt Ruhe durch meine Adern, gleichzeitig kribbelt es jedoch in meinem Bauch. Beides verschmilzt zu dem schwindelerregendsten Gefühl, das sich je in mir entfaltet hat.

Daher weiß ich, dass das, was ich für Melvin empfinde, mehr als nur eine Schwärmerei ist. Dieses Gefühl, das sich in mir ausbreitet, ist Anziehung. Lust. Es ist wie eine Flamme, die sich in meinem Bauch ausbreitet und droht, sich wild zu entzünden, wenn sie weiter angefacht wird. In diesem Moment weiß ich mit Sicherheit, dass Melvin nicht nur der einzige Mann ist, der mir jemals dieses Gefühl vermittelt hat, sondern auch der Einzige, der die Macht hat, die Glut in meinem Bauch zu löschen. Mein Körper schreit nach seiner Berührung. Es ist verrückt, er ist mir so nah und doch fühlt es sich an, als wäre er zu weit weg. Er löst ein Verlangen in mir aus, wie ich es noch nie erlebt habe.

„Du solltest mich nicht so ansehen."

Seine Stimme, noch tiefer als sonst, lässt mich aus meiner Benommenheit aufschrecken und lenkt meine Aufmerksamkeit auf die Tatsache, dass mein Blick auf seinen Lippen verharrt. Lippen, die aus der Nähe noch voller wirken.

Ich schaue ihm in die Augen und frage: „Wie denn?"

Ich bin überrascht, dass ich das Wort förmlich aushauche, doch bei seiner Antwort auf meine Frage, vergesse ich alles um mich herum.

„Als ob du willst, dass ich dich küsse."

Die Hitze wandert von meinem Bauch zu meinen Wangen. Ich hatte gar nicht bemerkt, dass ich ihn so ansah, bis er mich darauf aufmerksam gemacht hat. Ich nehme an, dass er erfahren genug ist, um meinen Blick als das zu erkennen, was er war, aber selbst, wenn das nicht der Fall gewesen wäre, so will ich ihn in Wahrheit tatsächlich küssen. Doch ich bin noch lange nicht mutig genug, mir das einzugestehen.

Obwohl ich ihn lediglich anschweige, brennt mir eine andere Frage auf der Zunge. Warum sollte ich ihn nicht so ansehen? Ist es, weil er mich nicht küssen will? Ich habe genug Blicke von ihm erhascht, um zu glauben, dass er es vielleicht doch möchte, aber ich bin keine Expertin in Sachen Männer. Ich bin sogar so weit davon entfernt, eine zu sein, dass es nicht einmal lustig ist. Der einzige Typ, mit dem ich je ausgegangen bin, entpuppte sich als Soziopath, der mich entführen wollte, woraufhin das Date aus offensichtlichen Gründen abgebrochen wurde. Das sagt einiges über meinen Mangel an Erfahrung aus. Diese Nacht war so verstörend, dass ich mir wünschte, ich wäre nie auf die falschen, süßen Augen dieses Psychopathen hereingefallen und hätte deshalb auch nie ein Date gehabt. Wie auch immer, der springende Punkt ist, dass ich noch nie jemanden geküsst habe. Ich bin achtzehn Jahre alt und immer noch Jungfrau im wahrsten Sinne des Wortes.

„Wow! Das ist wirklich rosa!"

Ich drehe mich zur Tür, als Max' Lachen an den Betonwänden widerhallt.

Obwohl mich seine unerwartete Ankunft zusammenfahren lässt, danke ich ihm innerlich dafür, dass er die Stille durchbrochen hat, bevor sie peinlich wurde. Ich fürchte, ohne seine Unterbrechung hätte ich Melvin einfach nur weiter dumm angestarrt.

„Was gibt's?", wendet sich Melvin an ihn.

Er geht auf seinen Bruder zu und lässt mich mit meinen wirren Gedanken allein. Ich frage mich, ob diese unerwartete, hitzige Verbindung zwischen uns wirklich stattgefunden oder ob sie sich nur in meinem Kopf abgespielt hat. So oder so, es war ebenso verwirrend wie aufregend. Ich hatte das Gefühl, dass die Luft zwischen unseren Körpern brodelte. Ich wollte vor dieser körperlichen Anziehungskraft ebenso weglaufen wie ich mich danach sehnte, ihr nachzugeben. Als würden ein unbändiges Bedürfnis und eine unerklärliche Angst in mir miteinander kämpfen.

„Wir wollen gleich essen", sagt Max beiläufig, während er sich das Auto ansieht. Dann sucht sein Blick den von Melvin. „Ich bin mit den Hausaufgaben fertig. Kann ich nach dem Essen mit Lilly, Fiona und Jo ins Kino gehen? Morgen ist keine Schule", fügt er schnell hinzu, als wüsste Melvin nicht, dass morgen Samstag ist, und hofft, dass er zustimmt.

„Klar. Bist du dir auch wirklich sicher, dass du alle Hausaufgaben gemacht hast?"

„Versprochen." Er nickt mit mehr Energie als nötig, was mich zum Lächeln bringt. „Außerdem hat Lilly schon alles kontrolliert. Sie sagt, ich war gut."

„Perfekt. Dann lass uns jetzt essen gehen, Kumpel." Er dreht sich zu mir um und fragt: „Bist du bereit?"

Ich nicke und bemerke, dass sein Blick wieder sanft ist, die glühende Version ist verschwunden. Als ich ihm aus der Werkstatt folge und ihm dabei zusehe, wie er die Hintertür abschließt, fällt es mir schwer, mich zu entscheiden, welcher von beiden mir am besten gefällt.

Kapitel 3

Melvin

Ohrenbetäubende Musik bringt die Wände beinahe zum Wackeln. Der Club ist so laut und lebendig wie schon lange nicht mehr. Nicht, dass ich mich an der Ruhe störe, die hier herrscht, seit meine Brüder sesshaft geworden sind. Ich finde es sogar gut, dass nicht mehr jedes Wochenende eine Dauerparty ist, mit Alkohol und Frauen in Hülle und Fülle. Aber eine gelegentliche Feier, so wie heute Abend, ist immer schön.

Die Jungs von der Albuquerque-Charter sind vor ein paar Stunden angekommen. Sie scheinen sich prächtig zu amüsieren, zumindest, wenn man sieht, wie Lucas, ihr Vizepräsident, mit einer der Stripperinnen rummacht, die wir für die Unterhaltung heute Abend engagiert haben. Meine Brüder und ich haben den ganzen Abend über abwechselnd hinter der Bar gestanden und unzählige Drinks ausgeschenkt. Das wäre eigentlich die Aufgabe des Prospects, wenn wir schon dazu gekommen wären, uns einen zu suchen. Um es gelinde auszudrücken: Es macht mir keinen Spaß, wieder in die Rolle des Barkeepers zu schlüpfen. Nicht nur, weil ich meine Tage als Prospect nicht vermisst habe, seit ich vor anderthalb Jahren davon Abschied genommen habe, sondern auch, weil das Servieren von Getränken erfordert, dass meine Augen auf besagte Drinks fixiert sind, obwohl sie eigentlich auf etwas anderes gerichtet sein sollten. Jemand anderen. So sehr ich mir auch bewusst bin, dass ich nicht jede von Chloes Bewegungen mit meinem Blick verfolgen sollte, so habe ich das doch den größten Teil des Abends getan.

Dass Chloe heute Abend hier ist, ist eine Premiere. Sie war noch nie bei einer unserer Partys dabei. Der reichlich fließende Alkohol, die Stripperinnen, die gelegentlichen heftigen Knutschereien, manchmal auch schlichtweg sexuelle Berührungen, sind der Grund, warum diese Partys kein Ort für ein minderjähriges Mädchen sind. Aber sie ist jetzt achtzehn und man hat ihr offensichtlich erlaubt, sich heute Abend hier aufzuhalten. Ich habe sie in den letzten Stunden im Auge behalten und bin verdammt dankbar, dass keiner unserer jüngeren Gäste sie angemacht hat. Noch nicht. Obwohl ich keinen Zweifel daran habe, dass Brent jedem einzelnen von ihnen klar gemacht hat, dass seine Tochter tabu ist.

Wahrscheinlich ist sie hier, weil sie morgen mit uns mitfahren will.

Auf meinem Motorrad.

Das ist richtig. Sie wird während der zweistündigen Fahrt zu einer Wohltätigkeitsveranstaltung, die von einem Club im Süden organisiert wird, auf meinem Bike sitzen. Brent hat mich gefragt, ob es mir etwas ausmachen würde, wenn sie mit mir fährt. Auf diese Weise kann er sein eigenes Motorrad nehmen und mit Fi fahren. Cody hat angeboten, meinen Truck zu nehmen, damit Max und Jo auch mitkommen können, und Jo hat gefragt, ob sein bester Freund ebenfalls mitkommen kann. Da ich es nicht ausschlagen wollte, fragte mich Brent, ob ich Chloe auf meinem Motorrad mitnehmen könnte.

Damit bin ich mehr als einverstanden, machen wir uns nichts vor. Wie ein verdammtes Kind vor Heiligabend hatte ich letzte Nacht Schwierigkeiten, einzuschlafen. Ist es eine gute Idee, Chloes Körper für ein paar Stunden an meinen Rücken geschmiegt zu spüren? Die Antwort ist ein klares Nein. Werde ich jede Sekunde der Nähe, nach der ich mich in den letzten Monaten immer mehr gesehnt habe, in mich aufsaugen? Das ist ein klares Ja.

Endlich habe ich keinen Barkeeperdienst mehr. Chloe sitzt an der Bar und unterhält sich mit Lana. Sie versteht sich gut mit Blanes Freundin. Lana ist seit ein paar Monaten hier und beide sind gute Freundinnen geworden.

Gott, ist dieses Mädchen schön. Genau wie bei der Hochzeit von Cam und Nate trägt sie ihr Haar offen. Ich bin es eher gewohnt, ihre Mähne hochgesteckt zu sehen, in einem hohen Pferdeschwanz oder einer Art Dutt. Heute Abend fallen ihre goldenen Locken in leichten Wellen über ihre Schultern, die Spitzen reichen bis zu ihren Brüsten, die von der einfachen grünen Bluse, die sie über ihrer engen dunkelblauen Jeans trägt, perfekt umhüllt sind. Mein Gott, wie kann ein Mädchen nur so süß und gleichzeitig so wild wirken? Ihr Körper schreit förmlich nach Sex und sie scheint sich dessen nicht einmal bewusst zu sein.

Die Couch senkt sich plötzlich neben mir, die Bewegung rüttelt mich leicht auf und lenkt meinen Blick von Chloe ab. Lucas muss mit der Stripperin fertig sein, denn er macht es sich neben mir bequem, den Unterarm auf die Armlehne gestützt und ein Glas mit einer bernsteinfarbenen Flüssigkeit in der Hand.

„Eine verdammt gute Nacht", erklärt er, bevor er einen Schluck Schnaps kippt.

Lucas ist ein großer Mann mit langem Haar, das ich bisher nur zu einem engen Dutt am Hinterkopf zusammengebunden gesehen habe. Mit seiner großen Statur und seinen dunklen Augen ist er für jeden, der ihn nicht kennt, zweifellos ein furchteinflößender Mann.

„Danke, Bruder", sagt Jayce, der auf der Armlehne der gegenüberliegenden Couch sitzt.

„Es ist schon zu lange her, dass wir zusammengefahren sind", fügt er zurecht hinzu. „Und eine Spritztour, um Geld für einen guten Zweck zu sammeln, ist ein Pluspunkt."

„Ja", stimmt Ben zu, der sich zu uns gesellt und sein eigenes Getränk in der Hand hält. „Wir müssen diese Fahrten öfter planen, jetzt, wo niemand mehr da draußen ist, der sich mit uns anlegen will", fügt er hinzu, als Colleen sich zu ihm stellt.

Er zieht sie automatisch näher zu sich und küsst sie kurz.

„Wie ich sehe, habt ihr jetzt alle eine Old Lady hinten auf euren Motorrädern", sagt Lucas und zwinkert Colleen zu.

„Er hat keine", korrigiert Ben ihn und sein Gesicht verzieht sich zu einem verdammt breiten, selbstgefälligen Grinsen, als er mit dem Finger in meine Richtung zeigt.

Wenn man bedenkt, dass er Chloe seit Cams und Nates Hochzeit nicht mehr erwähnt hat, dachte ein naiver Teil von mir, dass er darüber hinweg ist. Aber so wie er unser Gespräch nicht vergessen zu haben scheint, muss er auch bemerkt haben, dass ich mich nicht an Chloe herangewagt habe.

„Ja?" Lucas Gesicht verzieht sich zu einem verwirrten Stirnrunzeln. „Ich habe dich heute Abend nicht mit ihr gesehen, aber bist du nicht mit …"

„Nein." Ich falle ihm ins Wort. „Ich bin mit niemandem zusammen. Keine Old Lady", füge ich sicherheitshalber hinzu, auch wenn die überflüssige Wiederholung nicht gerade förderlich für meine Glaubwürdigkeit ist.

Als ich gespürt habe, dass er gleich Chloes Namen aussprechen wird, habe ich reagiert, anstatt rational zu denken. Wenn man bedenkt, dass meine Brüder und ihre Mädchen mein Interesse an ihr bemerkt haben – obwohl *Faszination* wohl zutreffender wäre – kommt mir plötzlich der Gedanke, dass es für alle anderen genauso offensichtlich sein könnte. Selbst wenn Brent nicht Teil dieser beunruhigenden, kleinen Diskussion ist, ist er auch nicht weit von uns entfernt und hängt mit Karl, Grant und ein paar seiner Männer am Billardtisch herum.

Ich schwöre, es ist ein verdammtes Wunder, dass er mir noch keine Knochen gebrochen hat. Das bedeutet, dass er keinen Verdacht geschöpft hat, und ich bin entschlossen, es auch weiterhin dabei zu belassen.

„Ooo…kayyy." Lucas kann sich ein Schmunzeln nicht verkneifen, aber er muss wohl spüren, dass ich unbedingt von dem Thema Old Lady loskommen will, denn er lenkt rücksichtsvoll davon ab. „Also, wie läuft das Geschäft?"

„Das Geschäft läuft gut", antwortet Jayce wahrheitsgemäß, obwohl er nicht ins Detail geht, wahrscheinlich, weil Colleen bei uns steht. „Wir denken sogar, dass es an der Zeit ist, ein paar neue Prospects einzustellen. Wir brauchen in Zukunft mehr Leute an Bord. Wir müssen uns so schnell wie möglich darum kümmern."

„Ich verstehe." Lucas nickt nachdrücklich. „Wir haben vor ein paar Monaten drei Prospects aufgenommen. Da immer mehr Mitglieder Familien gründen, war das ein Muss. Bisher scheinen sie alle vertrauenswürdig zu sein, aber wir werden sehen, wie es auf lange Sicht läuft."

Meine Brüder reden weiter, aber ich höre ihnen letztlich nicht mehr zu, ihre Worte treten in den Hintergrund, als mein Blick wieder auf Chloe fällt, gerade rechtzeitig, um sie die Küche betreten zu sehen. Was meine Aufmerksamkeit noch mehr erregt als ihr anmutiger Gang, ist die Tatsache, dass ihr ein Mitglied, von dem ich glaube, dass er Conrad heißt, nachfolgt.

Ich bin auf den Beinen, bevor mein Gehirn sich daran erinnert, dass es mir helfen soll, Dinge zu durchdenken, bevor ich handle. Die nächsten Worte meiner Brüder helfen mir auch nicht, mich zu beruhigen und mich wieder hinzusetzen.

„Er hat ein Auge auf Brents kleines Mädchen geworfen, stimmt's?", fragt Lucas meine Brüder, als ich mich von unserer kleinen Gruppe wegbewege.

Ben, das Arschloch, antwortet ihm bereitwillig. „Er schmachtet schon seit Monaten nach ihr."

Aber das Grinsen in seiner Stimme stört mich nicht so sehr wie die Tatsache, dass Chloe und dieser Typ hinter einer geschlossenen Tür verschwinden.

Scheiße, verdammt. Ich verliere meinen Verstand. Jegliche Vernunft entgleitet mir in Windeseile. Vielleicht ist sie bereits weg. Verdampft. Als ich die Küche betrete, habe ich Angst, dass mein gesunder Menschenverstand niemals mehr wiederkehrt. Was noch verrückter ist als meine derzeitige Stimmung, denn es geschieht ja nichts weiter in der Küche, außer, dass Chloe über das kichert, was Conrad zu ihr gesagt hat. Sie hat ihren Blick auf den Tresen gerichtet, während sie etwas tut, das ich wegen Conrads breitem Körper nicht sehen kann, aber selbst die Tatsache, dass sie ihn nicht ansieht, beruhigt mich keineswegs. Ich grüble immer noch darüber nach, ob ich mir sicher bin, dass nichts passiert. Mein Verstand scheint nicht in der Lage zu sein, sich darüber klar zu werden, denn ich erstarre direkt auf der Türschwelle. Als sie ihm einen Teller mit einem Stück Kuchen reicht und er sich nach dem Dank abwendet, kann ich aufatmen.

Ich sehe Chloe an, die sich eine Flasche Wasser aus dem Kühlschrank holt, als Conrad mir beiläufig sagt: „Hey, Bruder. Tolle Party."

Ohne die Irrationalität zu bemerken, die von mir Besitz ergriffen hat, klopft er mir auf die Schulter, als er an der Tür ankommt, und ich nicke ihm automatisch zu, als ich einen Schritt zur Seite mache, um ihn hinausgehen zu lassen.

Seine Stimme lässt Chloe den Kopf in meine Richtung drehen, nachdem sie den Kühlschrank geschlossen hat, wobei sie sanft lächelt.

Sie ist so unglaublich schön, dass es schwerfällt, überhaupt zu atmen. Das sollte ich ihr auch sagen, wenn ich den Mund aufmache. Aber als ich dann spreche, merke ich, dass die Worte, die ich herausbringe, nur aufgrund meines derzeitigen fehlenden Verstandes äußere.

„Interessierst du dich für diesen Kerl?"

Der gleiche Schock, den ich empfinde, als ich meine eigenen Worte höre, wischt ihr Lächeln fort und weitet gleichzeitig ihre schönen grünen Augen. Aber sie fasst sich schnell wieder und ich sehe, wie sie trotzig die Arme über ihrer verführerischen Brust verschränkt.

Chloe ist das süßeste Mädchen, das ich kenne. Sie spielt sich nie in den Vordergrund, ich würde nicht einmal wissen, dass sie da ist, wenn ich nicht jedes Mal, sobald wir im selben Raum sind, nur sie ansehen könnte. Sie äußert nie unerwünschte Meinungen und nimmt immer Rücksicht auf die Gefühle anderer. Aber ihre Freundlichkeit bedeutet nicht, dass sie schwach ist, ihre zusammengekniffenen Augen und angespannten Schultern verraten, dass sie über meine Frage nicht erfreut ist.

Und verdammt, das würde ich auch nicht von ihr erwarten. Die Frage, die von Gott weiß woher kam, war so ein dummer Schachzug, dass ich mir dafür selbst den Arsch aufreißen könnte, und bevor sie überhaupt etwas sagt, schwillt der Stolz in meiner Brust durch den Wandel in ihrer Miene.

„Conrad ist näher am Alter meines Vaters als an meinem", beginnt sie, und es kostet mich all meine Willenskraft, trotz der Empörung, die ihren zuvor strahlenden Ausdruck überschattet, nicht zu bemerken, wie süß ihre Stimme klingt. Jetzt ist nicht der richtige Zeitpunkt, um darüber zu schwärmen, wie hypnotisierend dieses Mädchen ist, selbst wenn sie wütend ist. „Ich erinnere mich sogar daran, dass er mich als Kind Huckepack genommen hat. Gerade eben hat er mich nur gefragt, ob noch ein Stück Zitronenkuchen für seine schwangere Frau übrig sei. Also, so nett er auch ist, ja, ich bin mir ziemlich sicher, dass ich nicht interessiert bin." Daraufhin geht sie mit anmutigen, aber entschlossenen Schritten zur Tür und hält neben mir inne, bevor mein Gehirn auf die schlaue Idee kommt, ihr Platz zu machen. Sie ist so nah, dass sie meine Schulter streift und mir ihr berauschender Vanilleduft in die Nase steigt. „Wenn du jetzt keine dummen Fragen mehr hast, werde ich nach oben gehen und mich schlafen legen. Gute Nacht, Melvin."

Meine kleinen grauen Zellen arbeiten eifrig daran, einen Weg zu finden, doch noch ein Wort herauszubekommen, aber Chloe lässt mir nicht viel Zeit dafür. Sie ist in Windeseile aus der Tür und jetzt kann mein Gehirn nur noch die erbärmliche Szene wiederholen, die mich als eifersüchtiges Arschloch darstellt. Ich weiß nicht, wann ich so geworden bin, aber es ist offensichtlich passiert.

Kapitel 4

Chloe

Trotz meiner schwarzen Skinny-Jeans, die sich wie eine zweite Haut an meine Beine schmiegt, und der Lederjacke, die meine Arme bedeckt, fröstelt es mich von Kopf bis Fuß, während Melvin mit seinem Motorrad einen weiteren Kilometer zu unserem Ziel zurücklegt. Da die Junisonne auf uns niederbrennt, seit wir aus dem Club herausgefahren sind, hat das Frösteln nichts mit der Temperatur zu tun, sondern mit dem Muskelprotz, an dem ich mich festhalten muss. Okay, müssen ist vielleicht die falsche Wortwahl. Sicher, ein fester Griff um ihn ist notwendig, wenn ich nicht will, dass ich auf dem Asphalt unter uns meine letzte Ruhestätte finde. Die Nähe zu Melvins athletischem Körper ist nicht gerade das, was ein Mädchen bei klarem Verstand als Qual bezeichnen würde. Das Gefühl in meinem Bauch erinnert mich an das Kribbeln, das mich vor zwei Tagen in der Werkstatt durchströmte. Die Schmetterlinge fliegen immer schneller in meinem Bauch und das lodernde Feuer brennt immer heißer in Teilen von mir, die noch nie von jemandem erweckt worden sind. Doch unsere Nähe beschränkt sich nicht nur auf das leichte Berühren unserer Hände wie neulich. Heute erreicht sie eine ganz neue Ebene. Zumindest für mich. Meine Vorderseite ist gegen Melvins festen Rücken gedrückt, was die Schmetterlinge und das Feuer um das Zehnfache ansteigen lässt. Seine Nähe, die Mischung aus Holz- und Zitrusduft, die von seinem Duschgel stammen muss, erwecken meinen ganzen Körper, und das Verrückte daran ist, dass Melvin nicht einmal etwas tut. Mit seinen tiefen Augen, die jedes Mal eine unglaubliche Intensität ausstrahlen, wenn er mich ansieht, blickt er mich gerade nicht einmal an. Seine Hände, schwielig und doch so sanft in ihren Berührungen, streifen meine auch nicht. Dennoch bin ich noch aufgeregter als vor zwei Tagen. Sowohl mein Körper als auch mein Verstand sind von einer Anziehungskraft entflammt, gegen die ich keine Macht habe. Eigentlich würde ich alles dafür geben, dass Melvin sein Motorrad hier auf dem Standstreifen der Autobahn anhält, um mich zu küssen.

Das Verlangen meines Körpers nach seiner Berührung sollte ich allerdings bekämpfen. Mit allen Mitteln, um genau zu sein. Nach der letzten Nacht sollte ich mich nicht nach irgendeiner Art von Kontakt zwischen uns sehnen. Mir vorzuwerfen, ich hätte Interesse an einem verheirateten Mann, war völlig unangebracht. Meine Eltern haben mich besser erzogen als so. Aber viel schlimmer war, dass Melvin dachte, ich wäre die Art von Mädchen, die den Ehemann einer anderen Frau anbaggert – noch dazu den Freund meines Vaters – während seine schwangere Frau im Nebenzimmer auf ihn wartete. Gott, das wäre eine verdammt gute erste Party mit dem Club geworden. Das wäre eine tolle Art und Weise gewesen, die offizielle Zustimmung meines

Vaters zu meinem Eintritt ins Erwachsenenleben zu feiern.

Melvins absurdes Verhalten hätte meine heftige Reaktion auf ihn dämpfen sollen, aber mein Körper spielt verrückt. Meine Verärgerung über ihn trägt nicht dazu bei, meine neu erwachten Hormone zu zügeln. Die armen Dinger zappeln so sehr in meinem Blut, dass ich sie schon fast hören kann, wie sie mich anflehen, sie frei agieren zu lassen. Aber so sehr mich meine Hände auch anbetteln, dass ich ihnen erlaube, sich zu bewegen, weil ich unbedingt Melvins ausgeprägte Bauchmuskeln spüren will, so sehr arbeitet das gute Mädchen in mir daran, die unanständigen Instinkte zu zügeln, die sich immer tiefer unter meine Haut schleichen. Ich halte mich einfach an ihm fest und genieße die Fahrt, die bald zu Ende sein wird.

Das Wetter ist herrlich. Die Landschaft, die mit hoher Geschwindigkeit an uns vorbeizieht, leuchtet unter der Sonne, die am wolkenlosen Himmel brennt. Ich hätte nichts dagegen, noch eine weitere Stunde dieser perfekten Tour zu genießen, bevor mein Hintern allmählich eine Pause einfordert. Als wir alle die nächste Ausfahrt nehmen, bin ich ein wenig enttäuscht, dass das Ziel noch näher ist, als ich dachte. Nach ein paar weiteren Kilometern in langsamerem Tempo kommen wir in der Nähe eines weitläufigen, grünen Parks an, der einen großen Teich umgibt, dessen Wasser in der Morgensonne herrlich glitzert. Unzählige Stände sind über die Wiese verstreut und viele Menschen tummeln sich bereits im Park.

Wir fahren auf einen riesigen Parkplatz, auf dem bereits Dutzende von Autos und Motorrädern geparkt sind, und suchen uns einen freien Platz, an dem wir uns versammeln.

„Frühstück?", schlägt Jayce mit seiner Baritonstimme vor, die alle anderen übertönt, und alle stimmen seinem Vorschlag gerne zu.

„Lasst uns nachsehen, ob der Food-Truck von vor zwei Jahren noch da ist, mit den verschiedenen Omeletts", schlägt mein Vater vor.

„Oh ja, die waren köstlich", stimmt Mama zu, wir gehen alle los und mischen uns unter die Menge.

Meine Eltern haben mich im Laufe der Jahre zu mehreren dieser Veranstaltungen mitgenommen und sie haben immer Spaß gemacht. Wer genießt nicht gern Live-Musik, einen Jahrmarkt und schlendert dann an den unzähligen Ständen vorbei, an denen alle möglichen selbstgemachten Dinge verkauft werden? Zu allem Überfluss ist das Ganze auch noch für einen guten Zweck.

Als wir die Straße überqueren und uns unter die Leute mischen, sehe ich, wie mein Vater auf einen Truck zeigt. Offenbar hat er gefunden, wonach er gesucht hat.

Eine leichte Berührung streichelt meinen nun nackten Arm und verursacht eine Gänsehaut auf meiner Haut, bevor Melvins tiefe, brummende Stimme meinen Blick von den Festivitäten vor uns zu seinem Gesicht schweifen lässt.

„Ich möchte mich für letzte Nacht entschuldigen", sagt er, sobald wir uns in die Augen sehen. Das Bedauern, das ich darin lese, genügt mir, um ihm weiter zuzuhören. „Ich hätte nicht sagen sollen, was ich gesagt habe. Ich war ein Arschloch und es tut mir leid."

Da ich spüre, dass er fertig ist und auf das wartet, was ich zu sagen habe, antworte ich, indem ich seiner Wortwahl zustimme. „Du hast dich wie ein Idiot verhalten. Aber ich weiß deine Entschuldigung zu schätzen. Ich nehme sie an."

Mit einem sanften Lächeln versichere ich ihm, dass ich ihm vergebe. Ich gehöre nicht zu den Menschen, die einen ewigen Groll hegen, vor allem, wenn ich weiß, dass der Typ, der gestern Abend in der Küchentür stand, nicht der ist, der er wirklich ist. Außerdem muss ich zugeben, dass das Aufblitzen von Eifersucht in seinen dunklen Augen ein angenehmes Gefühl in meiner Brust ausgelöst hat, auch wenn sein Verhalten an Beleidigung grenzte.

Seine Lippen spitzen sich, als wolle er etwas sagen, aber es kommen keine Worte über sie, bevor er sie schließlich wieder schließt. Da ich nicht weiß, was ich dem bereits Gesagten noch hinzufügen soll, halte ich ebenfalls den Mund. Ich kann ihn nicht fragen, was seine unvernünftige Reaktion zu bedeuten hatte. Aber das nun folgende Schweigen, lässt das Thema wie einen riesigen Elefanten im Raum erscheinen. Ich wünschte, ich könnte das Eis brechen, das so dringend gebrochen werden muss, aber ich bin hier nicht in meinem Element. Was soll ich denn jetzt sagen? *Hey, fühlst du dich zu mir hingezogen oder lässt mich mein gestörtes Gehirn Dinge sehen, von denen ich wünschte, sie wären wahr?*

„Chloe, Schatz!"

Der Ruf meiner Mutter rettet mich vor dem Unbehagen, das sich in meinem Magen breit macht.

Ich drehe mich gerade in ihre Richtung, als Melvin das Wort ergreift: „Komm, lass uns etwas essen gehen."

Er reckt sein Kinn in Richtung meiner Mutter, die etwas in der Hand hält, das wie ein Pappteller mit einem Omelett aussieht.

„Was ist da drin?", frage ich sie, als ich bei ihr angekommen bin.

„Paprika und Kartoffeln, aber keine Tomaten." Meine Mutter kennt meinen Geschmack ganz genau. „Setz du dich zu den anderen und iss, bevor es kalt wird. Ich werde etwas für Jo und mich holen. Ich weiß nicht, wo er wieder steckt."

„Okay. Danke, Mama."

Ich stürze mich auf mein Omelett, sobald ich einen freien Platz neben Lana an einem der Picknicktische gefunden habe.

„Hey. Wie war die Fahrt?", fragt sie mich.

„Fantastisch. Ich liebe Motorradfahren", sage ich wahrheitsgemäß.

Mein Vater hat mich oft zum Fahren mitgenommen, als ich noch etwas jünger war. Es hat sehr viel Spaß gemacht.

Als würde ich mich von ihm angezogen fühlen, blinzle ich zu dem Tisch zu unserer Linken, als Melvin sich ihm nähert und sowohl sein eigenes als auch das Essen für Max trägt. Sie setzen sich beide und Melvin beginnt ein Gespräch mit Cody, während ich mich zwinge, den Blick abzuwenden und auf den Teich vor uns zu schauen, wo ich abwesend die Leute beobachte, die bereits auf ein Paddelboot gestiegen sind, um eine Runde zu drehen.

„Dieses Omelett schmeckt großartig", lobt Lana neben mir, mit vollem Mund.

„Was hast du genommen? Käse?", frage ich sie, denn die Vermutung liegt nahe, als mir der Geruch in die Nase steigt.

„Viel Käse", präzisiert sie, während Blane auf der anderen Seite kichert.

Es ist immer noch irgendwie ungewohnt, ihn lächeln zu sehen. Bis Lana in seinem Leben auftauchte – oder besser gesagt, wieder in Erscheinung trat – hat er nicht oft genug gelächelt, als dass ich mir ein Bild davon hätte machen können, wie sein Gesicht mit einem Lächeln aussah. Und das ist keine Übertreibung. Ich bezweifle, dass er jemals an einer Überdosis Lächeln zugrunde gehen wird, aber Glück steht ihm gut.

„Hast du Belzi zu Hause gelassen?", frage ich sie.

Belzi ist der Hund von ihr und Blane. Er ist ein zweijähriger jugoslawischer Hirtenhund, den sie vor ein paar Wochen adoptiert haben. Sie sind den ganzen Weg nach Montana gefahren, wo Lana etwa sechs Jahre lang lebte, bevor sie nach Texas zurückkam, um ihren ehemaligen Chef und seine Frau zu besuchen, die ein Tierheim betreiben. Beide sind auch ihre Freunde. Es war tatsächlich Blanes Idee, dorthin zu fahren und den Hund zu holen, den Lana schon immer haben wollte.

Sie schüttelt den Kopf. „Wir haben ihn zu Liam und Erin gebracht, weil sie nicht mitkommen konnten. Er ist noch ein bisschen zu wild, um so lange allein zu Hause zu bleiben."

„Ein bisschen zu wild?", wiederholt Blane, bevor er seine Gabel in sein eigenes Omelett sticht. „Wenn sie heute irgendwo Wörterbücher verkaufen, dann besorg dir eins. Der kleine Kerl ist die Definition eines Tornados, Babe", korrigiert er.

„Komm schon, so schlimm ist er nicht", kontert sie. „Okay, er ist eine Art Wirbelsturm", gibt sie zu und zaubert ihrem Freund ein weiteres Lächeln auf die Lippen. „Aber er ist immer noch ein Welpe. Jedenfalls war Erin froh, ihn zu haben. Er hat ihr geholfen, die Tatsache zu verdrängen, dass sie nicht mitkommen konnte."

„Ja, ich habe sie schon tausendmal sagen hören, dass sie ihren kleinen Jungen zwar sehr liebt, aber dass es ihr auf die Nerven geht, wenn sie so müde ist und Schmerzen hat", fügt Alex von der anderen Seite des Tisches hinzu.

Erin ist jetzt etwas mehr als im sechsten Monat schwanger, und ich schätze, sie hat keine andere Wahl, als sich zu schonen, bis das Baby auf der Welt ist. Mitzukommen und den ganzen Tag zu laufen, wäre keine gute Idee gewesen. Einfach nur herumsitzen wollte sie allerdings auch nicht.

„Ich fürchte, ich werde selbst eine echte Nervensäge sein, wenn ich erst einmal dran bin", gibt Lana ehrlich zu und grinst Blane verschmitzt an.

„Mehr als sonst?", stichelt er zurück, küsst aber gleich darauf ihre lächelnden Lippen.

Ich löse meinen Blick von der Zurschaustellung ihrer Zuneigung und lasse meine Augen umherschweifen, nur um festzustellen, dass Melvin mich ansieht. Wieder verweilen unsere Blicke nicht lange. Immerhin vielleicht etwas länger als vorher. Je mehr Blicke ich erhasche, desto sicherer bin ich, dass ich mir das Interesse in seinen Augen nicht nur eingebildet habe. Die Art, wie er mich anschaut ist nicht unschuldig. Ich bin vielleicht die unerfahrenste Achtzehnjährige, die die Welt je gesehen hat, aber ich bin auch keine ahnungslose Zwölfjährige. Doch wenn ich recht habe, dann frage ich mich, warum er so hin- und hergerissen ist, ob er mich überhaupt ansehen soll oder nicht. Die einzige Erklärung, die mir einfällt, ist, dass er sich von mir fernhält, weil ich so bin, wie ich bin. Oder genauer gesagt, wegen meines Vaters. Ich bin im Club aufgewachsen; ich weiß, wie die Dinge funktionieren und wie wichtig Loyalität für sie ist. Das ist der einzige Grund, der für mich Sinn ergibt. Aber auch hier bin ich nicht mutig genug, ihn direkt zu fragen.

„Willst du dich umsehen und schauen, ob wir etwas Schönes finden?"

Die Stimme meiner Mutter unterdrückt die unbeantworteten Fragen, die mir durch den Kopf schwirren, während ich mein Frühstück beende.

„Lass uns gehen", sage ich und stehe auf.

„Wir sehen uns", sagt Lana. „Viel Spaß."

„Dir auch!"

Mama und ich schlendern schließlich mehr als eine Stunde durch den Park, bevor sie und mein Dad in Erinnerung an ihre Highschool-Zeit auf das Riesenrad steigen. Jetzt bummele ich allein von Stand zu Stand, in der Hand ein paar Tüten mit Armbändern,

Halsketten, Stirnbändern und sogar ein paar neuen Oberteilen im Hippie-Stil. Ich habe gerade eine Handvoll Gitarrenplektren bezahlt, die ich für meinen Bruder gekauft habe, und will gerade zu dem goldenen Zelt gehen, das ich vorhin gesehen habe, als mich eine Hand an der Schulter streift.

Noch bevor Melvin etwas sagt, weiß ich, dass er es ist. Der Geruch von Zitrusfrüchten und vielleicht Zedernholz sowie der Schauer, den seine sanfte Berührung über meine nackte Schulter jagt, sind alles, was ich dazu brauche.

„Wie ich sehe, hast du die letzte Stunde gut genutzt", sagt er, sobald ich mich umgedreht habe, und wirft einen Blick auf meine Taschen, wobei ein Lächeln auf seinen Lippen liegt.

Ich liebe es, ihn lächeln zu sehen. Die Grübchen, die sich in seine Wangen graben, sind das Süßeste, was ich je zu Gesicht bekommen habe.

„Und ich habe noch nicht einmal die Hälfte der Stände erkundet." Ich lächle zurück. „Wo ist Max?"

„Auf dem Schießstand mit Cody. Was steht als Nächstes an? Noch mehr einkaufen?"

„Nein. Das kommt als Nächstes."

Melvins Blick wandert dorthin, wohin ich mit dem Finger zeige, und er hebt eine Augenbraue, als er das goldene Zelt in Augenschein nimmt.

„Eine Wahrsagerin? Glaubst du an diesen Scheiß?" Sein Grinsen ist nicht spöttisch, aber ich spüre an seinem Tonfall, dass er selbst nicht daran glaubt, nicht einmal ein bisschen.

„Eigentlich nicht wirklich", gestehe ich. „Aber meine Großmutter hat mir immer die Karten gelesen. Fast jedes Mal, wenn ich sie besuchte, was sehr oft der Fall war. Wir hatten immer viel Spaß. Als Kind habe ich wirklich geglaubt, sie hätte Antworten darauf, was später mit mir passieren würde." Ein Lächeln breitet sich aus, als ich mich an meine Oma erinnere. „Nach ihrem Tod, als ich zwölf war, hat mein Vater mir erzählt, dass sie immer die schlechten Karten aus dem Stapel genommen hat."

„So hatte sie nur gute Nachrichten für dich", versteht er.

Ich nicke. „Sie war großartig."

„Dann lass uns gehen."

Als er plötzlich meine Hand ergreift, bin ich völlig überrumpelt. Die Überraschung geht so weit, dass mein Atem stockt. Zum Glück erstarren meine Beine nicht an Ort und Stelle, als er losläuft und uns zum Zelt führt.

Meine Hand zu halten, scheint für ihn so selbstverständlich zu sein. Für mich ist es das nicht. Die unerwartete Geste hat alle anderen Gedanken aus meinem Kopf verdrängt. Als ich mich seinem gemächlichen Schritt anpasse, spüre ich nur noch seine starken, schwieligen Finger, die sich um meine viel kleinere Hand legen. Seine Haut ist nicht weich, aber sein Griff ist unglaublich sanft.

Doch die Überraschung ist schnell verflogen, und ich genieße dieses neue Gefühl, das mir genauso gut gefällt, wie alles andere, was er mich bisher spüren lässt. Seine Hand zu halten, sollte sich seltsam anfühlen, weil das noch nie ein Junge getan hat. Doch Melvin ist kein Junge mehr, so viel steht fest. Er ist ein richtiger Mann, darüber gibt es keine Diskussion. Von seinen breiten Schultern, starken Armen und wohlgeformten Muskeln bis hin zu seiner souveränen und doch ruhigen Präsenz ist er ein charismatischer Alphamann. Und ja, wenn ein Mann wie er meine Hand hält, sollte ich mich eigentlich fehl am Platz fühlen, aber nachdem der erste Schock abgeklungen ist, verspüre ich kein bisschen Unbehagen mehr, als sich meine Finger im Gegenzug um seine Hand schlingen. Es fühlt sich einfach nur gut und richtig an.

Eine alte Frau in einem Gypsy-Kostüm schaut von dem runden Tisch, an dem sie sitzt, zu uns herüber, als wir in das kleine Zelt schlüpfen.

„Hallo, ihr Turteltauben", begrüßt sie uns mit einem einladenden Lächeln. Keiner von uns hat Zeit, ihre Vermutung zu korrigieren, denn sie fährt sogleich fort. „Kommt rein und setzt euch."

Melvin lässt meine Hand erst los, als wir gegenüber der Künstlerin Platz genommen haben. Er hat sie nicht länger als eine kurze Minute gehalten, aber sobald sich seine Finger von mir lösen, überfällt mich Kälte. Mich überkommt der absurde Drang, nach seiner Hand zu greifen, aber ich kämpfe dagegen an und konzentriere mich stattdessen auf die Frau, die einer längst vergangenen Zeit entsprungen zu sein scheint.

Ihr sonnengebräuntes Gesicht wird von kinnlangen Haaren umrahmt, deren silberner Farbton mit dem metallischen Rot ihres Kopftuches kontrastiert. Einige goldene Münzen hängen von dem Stoff herab und ruhen auf ihrer faltigen Stirn, während andere von einem Armband baumeln, das die Hälfte ihres Unterarms einnimmt. Die goldenen Schmuckstücke klirren, als sie beginnt, die Karten zu mischen.

Ich krame in meiner Handtasche und will gerade mein Portemonnaie herausnehmen, aber Melvin hält mich auf, indem er meine Hand berührt.

„Ich mache das schon."

„Nein, ich …"

„Ich übernehme das, Sonnenschein."

Sein Befehl ist trotz seines sanften Tons entschlossen, während er sich um die Bezahlung kümmert, aber das ist es nicht, was meine Hand in meiner Geldbörse verharren lässt, nachdem er seine weggezogen hat. Es ist der Kosename, mit dem er mich angesprochen hat, der meine Gehirnzellen vergessen lässt, was ich eigentlich tun wollte.

Sonnenschein.

Wenn dieser Mann noch einmal Schmetterlinge in meinen armen Magen zaubert, dann schwöre ich, dass ich abheben werde.

„Chloe, bist du okay?"

„Was?", frage ich Melvin hastig, denn seine Frage durchbricht meine Gedanken. „Oh, ja. Mir geht's gut", versichere ich ihm und merke erst jetzt, dass ich weggetreten war. „Danke fürs Bezahlen. Okay", fahre ich dann fort und blicke der Wahrsagerin in die Augen, „sagen Sie mir, was meine Zukunft bringt."

Ein Lachen sprudelt aus mir heraus, als ich Melvin anschaue und sehe, wie er mit den Augen rollt, während er sich ein Grinsen verkneift. Sein Versuch ist kläglich, was bedeutet, dass ich wieder einen Blick auf seine süßen Grübchen erhaschen kann.

„Der Einsiedler", sagt die Dame, als sie die erste Karte aufdeckt. Nachdem sie auf eine geheimnisvolle Weise summt, die sie im Laufe der Jahre sicher perfektioniert hat, fährt sie fort. „Die Karte ist umgedreht. Es könnte bedeuten, dass du von Einsamkeit umgeben bist oder dass du deinen Weg im Leben verloren hast oder in Zukunft verlieren wirst."

„Das klingt deprimierend." Ich zucke spielerisch zusammen. „Lassen Sie uns zur nächsten Karte übergehen."

„Bist du dir da sicher?", murmelt Melvin neben mir.

Genau wie ich muss die Wahrsagerin seine gemurmelte Frage als rhetorisch aufgefasst haben, denn sie deckt die nächste Karte auf.

Melvin stößt einen Atemzug aus, bevor er flucht. „Scheiße. Du willst mich wohl verarschen."

Ich verkneife mir ein Glucksen, als die Frau spricht. „Die Todeskarte bedeutet nicht unbedingt das Ende des Lebens, junger Mann." Wenn ich mir Melvins Gesicht ansehe, bin ich mir nicht sicher, ob ihre beruhigenden Worte die Wirkung haben, die sie sich davon verspricht. Sie fährt trotzdem fort. „Es kann auch ein neuer Anfang im Leben oder eine wichtige Veränderung bedeuten."

„Ich nehme Sie beim Wort", murmelt er wieder.

Als sie die dritte Karte aufdeckt, stoße ich ihn mit dem Ellbogen leicht am Arm an. „Siehst du? Das Glücksrad. Das kann nicht schlecht sein."

„Diese Karte kann auch eine bedeutende Veränderung in deinem Leben bedeuten oder ein unvermeidliches Schicksal."

Wieder habe ich keine Zeit für einen Kommentar, weil Melvin schneller ist.

„Unvermeidliches Schicksal? Mein Gott, dieser Scheiß klingt genauso kryptisch wie der Rest davor. Genug von diesem Mist, Sonnenschein", brummt er, ohne sich darum zu kümmern, dass ich wieder leicht lachen muss.

„Ich kann auch deine Karten lesen", bietet die alte Dame Melvin an, aber ich glaube, es überrascht sie nicht, als er aufsteht.

„Das möchte ich lieber nicht, Ma'am. Aber danke."

Ich bedanke mich bei der Frau mit einem Lächeln und einem amüsierten Gesichtsausdruck, lasse Melvin meine Hand ergreifen und folge ihm aus dem Zelt.

„Dieser Scheiß ist erschreckend", stellt er fest. „Ich meine, verdammt, das wirft nichts als Fragen auf. Unvermeidliches Schicksal? Was zum Beispiel? Dass man in einem bestimmten Alter sterben wird?"

„Jeder stirbt irgendwann, das ist klar. Und Schicksal bedeutet nicht gleich Tod. Vielleicht gewinne ich eines Tages in der Lotterie oder ich bekomme Drillinge und ich kann nichts dagegen tun. Selbst wenn ich bei dem Gedanken daran einen Ausschlag bekomme. Es bedeutet, dass es außerhalb meiner Kontrolle liegt, das ist alles."

Ein Grinsen umspielt seine Lippen. „Drillinge?"

„Wie ich schon sagte, hoffentlich nicht", gebe ich kichernd zu.

„Drillinge hin oder her, ich glaube immer noch, dass dieser Wahrsagerscheiß nicht gesund ist. Lass uns etwas machen, bei dem es nicht darum geht, zu raten, in welchem Alter du sterben oder drei Kinder bekommen wirst."

„Einverstanden. Was willst du denn unternehmen?"

Er mustert die Umgebung und schlägt dann schnell vor: „Paddelboot?"

In der Versuchung, ihn noch ein bisschen länger zu verarschen, zucke ich zusammen. „Ich weiß nicht. Das könnte das Schicksal herausfordern. Ich kann nicht schwimmen."

Ich versuche, so ernst wie möglich dreinzuschauen, und es zahlt sich aus, denn ein paar Sekunden lang starrt er mich nur an.

„Kein Paddelboot", bekräftigt er dann.

Er ist schon wieder dabei, den Park zu betrachten und nach den sichersten Unterhaltungsmöglichkeiten zu suchen, als mich das überwältigende Bedürfnis zu lachen übermannt.

„Ich mache nur Spaß", sage ich und ziehe ihn in Richtung Teich. „Ich kann schwimmen, Melvin. Ich bin mir ziemlich sicher, dass du mich ein oder zwei Mal bei Cam und Nate schwimmen gesehen hast."

Die Erkenntnis trifft ihn und seine Gesichtszüge entspannen sich. „Verdammt, Frau, lass das", grunzt er. „Jetzt, wo du es erwähnst, habe ich dich ein paar Mal schwimmen sehen. Ein Paddelboot also. Aber Arme und Beine bleiben drin. Lass uns keine unnötigen Risiken eingehen." Er zwinkert mir zu, als wir uns wieder auf den Weg zum kleinen Pier machen, seine gute Laune ist wieder voll da.

Trotz meines Widerstandes bezahlt er unsere Fahrt und hilft mir, in eines der verfügbaren Boote zu steigen. Ich hätte kein Problem damit, selbst einzusteigen, aber die eine Hand an meinem Unterarm und die andere auf meinem Rücken fühlen sich beide so gut an, dass ich mich von ihm führen lasse, ohne zu protestieren.

„Danke."

Im Takt paddelnd beginnen wir unsere Fahrt und schon bald befinden wir uns in der Mitte des belebten Teiches, umgeben von vielen anderen Booten. Einige mit einem offensichtlich verliebten Paar an Bord, andere mit einem Elternteil und dessen Kind, einige ruhig und einige lachend, als sei Paddelbootfahren das Lustigste, was sie je unternommen haben.

„Woran denkst du?", fragt mich Melvin.

„An nichts Besonderes. Nur, dass es hier draußen schön ist."

„Es kann nur besser werden als diese Wahrsagerin, das steht fest." Er wirft mir ein Grinsen zu, als ich mit den Augen rolle.

Dieses verspielte Lächeln scheint jedes Mal sexier zu werden, wenn er mich so ansieht.

„Hast du Pläne für den Sommer?", fragt er mich.

„Nur arbeiten. Ich bin so froh, dass ich endlich Vollzeit arbeiten darf, dass ich an nichts anderes denken kann. Cody wird es bald satt haben, mich ständig zu sehen", scherze ich. „Und es ist gut möglich, dass ich die meiste Zeit meiner Freizeit mit Olivia verbringen werde."

Liv ist im Laufe der Jahre schon mehrmals in den Club gekommen, er weiß also, wer meine beste Freundin ist.

Außerdem wohnt sie diesen Sommer in Twican, um ihrer Mutter im Blumenladen zu helfen, der ihr in der Stadt gehört. Sie wird dort auch nach dem Sommer weiterarbeiten, aber nur in Teilzeit. Gleichzeitig plant sie, einen Online-Kurs in Betriebswirtschaft zu belegen. Ihr Vorhaben ist es, langfristig mit ihrer Mutter zusammenzuarbeiten und vielleicht ihre Geschäftspartnerin zu werden.

Gerade als ich mit dem Erzählen fertig bin, werde ich ohne Vorwarnung nach rechts geschleudert. Erst als Melvin reflexartig nach mir greift und einen Arm um meine Taille schlingt, um mich zu stabilisieren, dämmert mir, dass unser Boot durch einen Zusammenstoß mit einem anderen Paddelboot ins Wanken geraten ist.

„Oh mein Gott, Joshua! Ich habe dir gerade gesagt, du sollst vorsichtig sein und nicht zu schnell paddeln! Es tut mir so leid."

Ich wende meinen Blick zu der Frau in dem anderen Boot.

Während ich ihr ein beruhigendes Lächeln schenke, sagt Melvin zu ihr: „Es ist nichts passiert. Alles gut."

Nach einer weiteren Entschuldigung machen sich die Frau und ihr Sohn auf den Weg, während sie ihn immer wieder ausschimpft, weil er nicht auf sie hört.

Unser Paddelboot beruhigt sich schnell, aber Melvin scheint es nicht eilig zu haben, mich loszulassen.

„Geht es dir gut?", fragt er mich, sobald sich unsere Blicke treffen.

In seiner braunen Iris befinden sich goldene Flecken. Ich habe sie neulich in der Werkstatt nicht bemerkt. Vielleicht fallen sie nur auf, wenn die Sonne direkt auf sie scheint.

„Mir geht's gut."

Ich wollte nicht so leise antworten, aber meine Stimme ist nicht mehr als ein Flüstern. Ich kann mich nicht von der Wärme seiner Augen losreißen. Dieser Mann ist hypnotisierend. Jedes Mal, wenn er mich mit solcher Intensität ansieht, ist es, als würde er mich in seinen Bann ziehen. Ich kann den Blick nicht abwenden, und als sein Gesicht näherkommt, klopft mir das Herz bis zum Hals. Sein Arm um mich wird fester und bringt uns enger zusammen als je zuvor. Ein paar Sekunden später sind wir uns noch näher.

Nervosität und Vorfreude bilden einen Knoten der Erregung in meinem Bauch, als seine Lippen meine berühren. Zuerst streifen sie sie zart. Fast ehrfürchtig. Doch als ich seine leichte Berührung mit dem unbändigen Drang erwidere, ihn zu küssen, vertieft er den Kuss. Ich fühle mich wie in einer anderen Dimension, als er seine Zunge zwischen meine geöffneten Lippen schiebt und sie gegen meine drängt. Langsam, aber intensiv erkunden unsere Zungen einander, unsere Lippen tanzen und unsere Herzen schlagen im Gleichklang. Ich kann mich nicht erinnern, jemals etwas so Großartiges erlebt zu haben. Zeit und Raum verschwinden um uns herum, sodass ich nur noch von dem Gefühl erfüllt bin, das Melvin in mir auslöst. Geborgenheit. Ich fühle mich so geborgen wie noch nie, vor allem, als er mich noch fester an sich drückt. Ich wünschte, es würde nie enden, aber viel zu bald ertönt ein Stöhnen in Melvins Brust, kurz bevor er sich zurückzieht.

Er ist atemlos, als er sagt: „Ich wusste, dass deine Lippen so gut schmecken würden."

„Warum hast du dann aufgehört?", frage ich augenblicklich und auch mein Atem geht stoßweise.

Ich sollte mich für die Verzweiflung schämen, die in meiner Frage mitschwingt, aber es fällt mir schwer, an etwas anderes zu denken als an den Wunsch, seine Lippen wieder auf meinen zu spüren.

„Weil es das Beste ist, die Situation kinderfreundlich zu halten, und wenn ich dich küsse, kommen mir Ideen in den Kopf, die weit davon entfernt sind, jugendfrei zu sein."

Sein Daumen, der über meine Unterlippe fährt, nimmt mir jede Möglichkeit einer Antwort. Nicht, dass mir dazu etwas hätte einfallen können. Wieder einmal fühle ich mich durch seine sexuellen Anspielungen so sehr aus dem Konzept gebracht, dass ich ohnehin sprachlos gewesen wäre. Zum Glück erlöst er mich von meinem Elend, indem er mir einen unschuldigen Kuss auf die Lippen drückt, bevor er wieder zu paddeln beginnt.

Kapitel 5

Melvin

"Der Trainer sagt, dass wir unser nächstes Spiel ganz sicher gewinnen werden", gibt " Max die aufmunternden Worte von Trainer Polton weiter, während er sich auf seinen neuen Fußball stürzt und einen zielsicheren Freistoß direkt ins Netz schießt.

Cody und ich haben das Fußballtor vor ein paar Monaten auf dem Clubgelände aufgebaut. Jetzt verbringt Max seine Freizeit hauptsächlich mit seiner Spielkonsole und dem Fußballtraining. Seit einer Stunde sind wir nun schon hier draußen und arbeiten daran, seine Freistöße und Elfmeter zu verbessern. Und wenn ich wir sage, dann meine ich ihn. Denn wenn es einen von uns gibt, der dem anderen etwas beibringen kann, dann ist er es, nicht umgekehrt.

"Wenn ihr so spielt wie letzte Woche, habe ich keinen Zweifel daran", stimme ich zu, während ich ins Tor laufe und den Ball zu ihm zurückkicke. "Pass aber auf, dass du den Torwart nicht mit deinem harten Schuss umhaust."

Mein Grinsen entlockt ihm ein Lachen, und verdammt, seine Augen vor Glück und Stolz glänzen zu sehen, ist immer noch genauso schön wie beim ersten Mal.

Es hat ein paar Monate gedauert, bis Max, nachdem ich das Sorgerecht für ihn bekommen hatte, endlich den Punkt erreicht hatte, an dem er sich erlaubte, loszulassen und zu glauben, dass niemand uns jemals wieder auseinanderreißen würde. Ich bin nicht so naiv zu denken, dass er die Jahre des Konflikts mit unserer Mutter und der anschließenden Pflegefamilie einfach so hinter sich lassen wird, aber es hat ihm gutgetan, sich zu Hause mit mir und hier im Club mit den anderen an eine Routine zu gewöhnen. Ich habe die Veränderung bei ihm gesehen. Endlich kann er das sorglose Leben führen, das jedes Kind genießen sollte, und das macht ihn glücklich.

„Was ist so lustig?"

Bei Chloes melodiöser Stimme werden meine Ohren sofort hellhörig, mein Blick springt zu ihrem umwerfenden Gesicht und ihrem strahlenden Lächeln.

Sie kommt aus der Werkstatt zurück, den Overall um die Taille gezogen, sodass das hellgrüne Shirt, das sie darunter trägt, zum Vorschein kommt. Ihr Haar ist zu einem hohen Pferdeschwanz hochgesteckt, aus dem sich im Laufe des Tages wilde Strähnen gelöst haben.

Verdammt, sie ist das Schönste, was mir je unter die Augen gekommen ist.

„Melvin hat gesagt, ich soll aufpassen, dass ich morgen nicht den Torwart umhaue, wenn ich einen Freistoß oder einen Elfmeter schieße", erklärt Max, und ich bin froh, dass mein Bruder sich eingemischt hat, denn die Schönheit dieses Mädchens scheint mir jedes Mal für einen Moment die Sprache zu verschlagen, wenn ich sie sehe.

„Das wäre hart", gibt sie zu, und ihr gespieltes Zusammenzucken verwandelt sich schnell in ein Lächeln. „Aber dein linker Fuß ist echt der Hammer."

Noch mehr Stolz blitzt in den Augen meines Bruders auf. Allein dafür könnte ich sie küssen. Nicht, dass ich einen Grund bräuchte, um meine Lippen auf ihre zu legen. Ich würde sie küssen, einfach nur so, um sie zu kosten. Ein einziger phänomenaler Kuss ist alles, was ich bisher bekommen habe, und das ist schon eine lange Woche her.

„Hey, Leute!" Wir wenden uns der Eingangstür zu, wo Lilly steht. Sie redet weiter, mit erhobener Stimme, damit wir sie hören können. „Ich habe gerade einen Apfelkuchen aus dem Ofen geholt! Wollt ihr ein Stück?"

„Ja!", ruft Max und rennt los, der Ball und unser Gespräch werden von Lillys Backkünsten in den Hintergrund gedrängt.

Lilly und ich lachen über Max' Begeisterung, während sie darauf wartet, dass er zu ihr kommt, und ich wende mich wieder Chloe zu. „Arbeitest du noch?"

„Ich bin fertig. Cody ist gerade gegangen, um ein paar Besorgungen für Lilly zu machen. Wir haben die Harley fertiggestellt, die Livs Cousin gerade gekauft hat. Er hat mich gebeten, daran zu arbeiten. Ich bin froh darüber. Das ist ein weiterer Baustein in meinem Portfolio", erklärt sie und in ihrer Stimme schwingt Zufriedenheit mit.

„Das ist großartig. Wenn das so weitergeht, kannst du dich bald selbständig machen."

„Ich weiß nicht so recht. Es gibt noch eine Menge zu lernen."

Ich grinse. „Du arbeitest gerne in der Werkstatt, oder?"

„Das tue ich wirklich. Es ist nie langweilig, weißt du? Selbst wenn es nur darum geht, ein Auto neu zu lackieren, ist es mir nicht lästig. Ich mag das Gefühl, einen weiteren Job erledigt zu haben und das Ergebnis zu sehen, egal wie wenig Zeit man dafür gebraucht hat. Mein Vater hatte Angst, ich würde es bereuen, in der Stadt geblieben zu sein, aber ich spüre, dass ich die richtige Entscheidung getroffen habe."

Ich werde ihr nicht sagen, dass ich mir ebenfalls darüber Sorgen gemacht habe. Es ergibt keinen Sinn, denn genau wie Brent habe ich mich geirrt. Chloe ist keine Teenagerin mehr. Sie ist eine unabhängige junge Frau, die weiß, was sie will. Und verdammt, ich bin genauso froh wie sie, dass sie hiergeblieben ist.

„Was?", fragt sie mich, wobei ihr Lächeln einen schüchternen Zug annimmt.

Ich schüttle mich aus meinen Gedanken, als mir auffällt, dass ich sie angestarrt habe, und sage einfach: „Nichts. Es ist toll, dass es dir in der Werkstatt gefällt."

Sie nickt und wechselt das Thema. „Wie war deine Reise diese Woche?"

Diese Frage entlockt mir einen Seufzer. „Scheiße, ich verstehe nicht, wie Karl das drei Jahrzehnte lang geschafft hat. Ich liebe es, auf der Straße zu sein, aber auf meinem Bike, nicht eingepfercht in einem schweren Lastwagen. Noch habe ich keinen platten Hintern durch das lange Sitzen im Lkw, aber mein Rücken hat auf jeden Fall gelitten", füge ich hinzu.

Karl kam vor ein paar Monaten zu Jayce mit der Bitte an den Club, kürzertreten zu können. Er und Laura, Colleens Mutter, haben vor kurzem ein Haus gekauft, und er wollte unbedingt mehr zu Hause sein. Bis zu diesem Zeitpunkt hatte Karl noch nie mit einer Frau zusammengewohnt. Er war glücklich mit seinem Single-Status und damit, dass er oft unterwegs war, um die Lieferungen für den Club zu erledigen.

Der Club baut schon seit einigen Jahrzehnten Motorräder mit modifizierten Motoren, seit Isaac beschlossen hatte, mit dem Drogenhandel aufzuhören, als er den Präsidentenposten von seinem Vater übernahm.

Laura hat Karls Leben auf die beste Weise verändert. Er ist jetzt fünfzig und will das Leben mit seiner Old Lady genießen. Keiner von uns hat auch nur eine Sekunde über seine Bitte nachdenken müssen. Wir haben einen Zeitplan aufgestellt und uns mit den Lieferungen abgewechselt. Allerdings planen wir bereits, die Dinge zu ändern. Anstatt die Motorräder an die Haustür unserer Kunden zu liefern, denken wir darüber nach, sie zu uns kommen zu lassen. Ursprünglich hatte sich der Club für die Lieferung der Bikes entschieden, um das Angebot für die Kunden attraktiver zu machen, aber die Fahrt mit illegalen Maschinen war immer mit großen Risiken verbunden. Karls Entscheidung hat uns dazu veranlasst, eine Änderung herbeizuführen.

Blane hat bereits damit begonnen, unsere Kunden zu kontaktieren. Wir werden vielleicht einige verlieren, aber wir sind weit davon entfernt, in Geldnot zu geraten. Doch bis wir die neue Logistik unter Dach und Fach haben, werden wir alle den Kopf hinhalten und abwechselnd in einem großen, schweren Lkw durch die Staaten fahren.

„Du solltest dir eine Massage gönnen. Das kann Wunder bewirken."

Allein das Wort Massage aus ihrem Mund weckt das Interesse meines Schwanzes. Ich bin verdammt durchschaubar, aber das ist mir im Moment egal.

„Das kommt darauf an. Machst du mir ein Angebot, Sonnenschein?"

Der einzige Zweck meiner Frage ist es, zu sehen, wie sich ihre blassen Wangen mit dieser hübschen Röte färben, die ich mittlerweile so mag. Und das kann ich jetzt auch sehen. Mein anzüglicher Ton verleiht ihr diese süßen rosigen Wangen, aber er bringt sie nicht aus dem Konzept.

„Nur, wenn du keine Angst hast, ein Versuchskaninchen zu sein", antwortet sie.

Sie ahnt nicht, dass ich für jedes Experiment mit ihr herhalten würde, vor allem, wenn sie dabei ihre Hände auf mir hat.

Mit drei langsamen, aber gezielten Schritten komme ich ihr näher. Diese Woche war nicht nur die Hölle, weil ich fünf lange Tage in einem gottverlassenen Lastwagen festsaß. Das Schlimmste war, dass ich am Tag, nachdem ich Chloes Lippen zum ersten Mal gekostet hatte, abreisen musste. Aber vielleicht war das auch ganz gut so. Ich brauchte etwas Zeit, um darüber nachzudenken, was ich getan hatte, was ich wollte und was ich dagegen tun würde. Die Sache ist die, dass das, was ich will, nie das Problem war. Was ich will, ist eine Wiederholung dieses Kusses, immer und immer wieder. Punkt. Aber was ich tun will, ist nicht das, was ich tun sollte. Ich stecke wohl sprichwörtlich zwischen Hammer und Amboss. Und verdammt, selbst nach fünf Tagen auf der Straße, allein mit meinen Gedanken, habe ich keine Antworten gefunden. Als ich dann aber das Wort ergreife, ist klar, dass das, was ich tun will, die Überhand gewinnt über das, was ich tun sollte.

„Ich hätte nichts dagegen, Sonnenschein."

Die rosigen Flecken auf ihren Wangen verdunkeln sich zu einem rötlichen Farbton, und ihr Blick, der sich auf meine Lippen senkt, ist der unzweifelhafte Beweis dafür, dass sie sich genauso deutlich an unseren Kuss erinnert wie ich. Das Verlangen in ihren atemberaubenden smaragdgrünen Augen hilft mir nicht, der Stimme der Vernunft zu folgen und dieses gefährliche Gespräch abzubrechen, bevor ich etwas mache, was ich nicht tun sollte. Vor allem, weil Brent uns jeden Moment über den Weg laufen könnte.

„Wenn du mir so auf die Lippen schaust, ist es eine Qual, zu widerstehen und nicht noch einmal von deinen zu kosten."

So einen Scheiß zu sagen, ist auch nicht die beste Idee. Das weiß ich, verflucht. Deshalb danke ich meinem kleinen Bruder innerlich, als seine Stimme meinen verdammten Schwanz daran hindert, mich zu verleiten.

„Du solltest dir ein Stück Kuchen holen, bevor alles weg ist. Er ist so gut!"

Ich lasse meinen Blick auf Chloe gerichtet, während sie zu Max schaut.

Ich erwarte, dass sie etwas sagt, aber sie runzelt die Stirn, bevor sie leise nach ihm ruft. „Max?" Die Verwirrung in ihrer Stimme bringt mich dazu, mich umzudrehen, gerade als sie an mich gewandt hinzufügt: „Da ist jemand am Tor."

Unterdrückte Wut vertreibt schnell die Überraschung, die mich zuerst überkommt, als mein Blick auf die Frau fällt, die direkt vor dem Tor steht. Trotz der Eisengitter erkenne ich sie sofort.

„Verdammte Scheiße", knurre ich und stapfe in Windeseile auf Max zu.

„Warum ist sie hier?"

Ich hasse es, wie gebrochen mein Bruder klingt. Vor ein paar Minuten habe ich dem Universum noch dafür gedankt, dass er endlich so glücklich sein darf, wie es sich für ein Kind gehört, und jetzt ... Scheiße, ich hasse diese Frau mit jeder Faser meines Seins. Aber vor allem hasse ich es, dass ich Max keine Antwort geben kann.

„Ich weiß es nicht, Kumpel. Ich werde es herausfinden. Du gehst wieder rein."

Er ignoriert meine Forderung, und ich fluche, als ich einen Blick über die Schulter werfe, nachdem ich die ersten Schritte zum Tor gemacht habe. Er hat sich keinen Zentimeter bewegt, seine Augen sind immer noch auf unsere Mutter gerichtet. Aber wenigstens ist Chloe jetzt neben ihm und legt ihm einen schützenden Arm um die Schulter.

„Was zum Teufel machst du hier? Du hast hier nichts zu suchen."

Der einzige Grund, warum ich diese Worte leise knurre, anstatt sie zu bellen, ist, dass ich nicht will, dass Max etwas davon mitbekommt. Aber es fällt mir verdammt schwer, mich zu beherrschen, während ich der Frau, die uns aufgezogen hat, gegenüberstehe. Wobei ich mich wohl eher selbst großgezogen habe, das trifft es eher.

Sie hat sich nicht sehr verändert, seit ich sie vor vier Jahren das letzte Mal gesehen habe. Sie sieht älter aus, aber sie ist immer noch die gleiche schlanke Frau, deren Körper sich unter dunklen Jeans und einer grauen Bluse verliert, die ihr beide mindestens zwei Nummern zu groß sind. Ihr braunes Haar ist jetzt hier und da mit grauen Strähnen durchzogen, und es besteht kaum ein Zweifel daran, dass sie in letzter Zeit nicht beim Friseur gewesen ist. Die Haut in ihrem Gesicht hat ein paar Falten bekommen. Sie hat schon immer älter ausgesehen, als sie ist, und das hat sich auch jetzt nicht geändert. Sie wirkt zehn verdammte Jahre älter als ihre Einundvierzig.

Mein erster Reflex ist der gleiche wie immer, wenn ich von der Schule nach Hause kam oder von einem der kleinen Jobs, die ich hatte, als wir noch unter demselben Dach lebten: Ich studiere ihre Augen. Ihre himmelblaue Farbe mag irgendwann einmal in ihrem Leben geglänzt haben, aber ich habe sie noch nie so stumpf und müde gesehen wie jetzt.

Der Lichtblick – wenn es überhaupt einen gibt – ist, dass ihre Pupillen nicht geweitet sind. Sie ist nicht high, aber das Zittern ihrer Hände, die sie vor sich gefaltet hat, während sie mit den Fingern unruhig herumzappelt, bevor sie sich gelegentlich an ihren nackten Armen kratzt, ist mir nicht entgangen. Sie ist auf Entzug.

„Ich will Max zurück." Sie stellt sich aufrecht hin und strafft die Schultern, als sie die Frage beantwortet, auf die ich nicht unbedingt eine Antwort wollte.

Mein Gehirn braucht eine ganze Weile, um den Schwachsinn zu verarbeiten, der gerade aus ihrem Mund kam. Als ich nicht sofort etwas sage, fährt sie mit ihrem Unsinn fort.

„Er ist mein Sohn", sagt sie, was ich offensichtlich schon weiß. „Ich bin jetzt wieder da. Er muss mit mir kommen."

So wahr mir Gott helfe …

Ich habe immer gewusst, dass dieser Tag kommen würde. Selbst nachdem ich das Sorgerecht für ihn bekommen hatte, ging mir die Sorge nicht aus dem Kopf, dass sie wieder auftauchen könnte, um Unruhe zu stiften. Besonders, nachdem sie aus dem Gefängnis entlassen wurde. Aber ich habe keine Angst davor, dass sie Max zurückholt. Diese Frau hat mir schon lange keine Angst mehr eingejagt und ich bin auch schon verdammt lange kein verängstigter kleiner Junge mehr. Ich befürchte lediglich, dass Max sich wieder in sich selbst zurückzieht. Nachdem ich gesehen habe, wie er aus seinem Schneckenhaus herauskam, werde ich auf keinen Fall zulassen, dass diese Frau das stabile Leben, das ich zum Glück für uns beide gefunden habe, durcheinanderbringt.

„Du hast Wahnvorstellungen, wenn du glaubst, dass ich dich in seine Nähe lasse." Dieses Mal kommen meine Worte als Knurren heraus.

Wenn sie weiter so einen Blödsinn erzählt, werde ich meine Stimme nicht lange kontrollieren können.

Das Letzte, was ich will, ist, Max aufzuwühlen. Sein Wohl wird immer meine oberste Priorität sein, aber verdammt, diese Frau lässt mir vor Wut jedes einzelne Haar am Körper zu Berge stehen. Denn obwohl sie erst seit weniger als fünf Minuten wieder in unserer Nähe ist, hat Jules mir bereits bewiesen, dass das Wohl ihres eigenen Jungen für sie keine Priorität hat. Sonst würde sie ihre nächsten Worte nicht schreien.

„Ich bin seine Mutter!"

Es ist unmöglich, dass Max sie nicht gehört hat, aber er sagt nichts. Als ich einen kurzen Blick hinter mich werfe, sehe ich, dass Lilly sich zu ihm und Chloe gesellt hat, wahrscheinlich, um ihm das Glas Milch zu bringen, das sie in der Hand hält. Trotz der Situation wird mir ganz warm ums Herz, als ich sehe, dass sie beschützend vor ihm steht.

Ich wende mich wieder der Frau zu, die nie mehr als eine ständig aufbrausende Hexe war, mit der ich zusammenleben musste, und knurre finster genug, damit sie versteht, wie unklug es wäre, sich an Max zu vergreifen.

„Du hörst mir jetzt genau zu. Ich habe das Sorgerecht für Max. Daran wird sich nichts ändern, nur weil du aus dem Gefängnis raus bist. Du scheinst zu vergessen, dass du kein Besuchsrecht bekommen hast, als sie Max in eine Pflegefamilie gegeben haben. Du willst Besuche oder mit mir um das Sorge-recht kämpfen? Tu, was du nicht lassen kannst. Kein noch so teurer Anwalt wird jemals einem Jun-kie das Sorgerecht für einen Neunjährigen verschaf-fen, um den sie sich nie gekümmert hat. Ich weiß nicht, ob du aus Langeweile hier bist oder weil du endlich ein Gewissen gefunden hast, und es ist mir auch scheißegal. Du gehst dahin zurück, wo du her-gekommen bist, und vergisst Max. Er ist glücklich und das hat er nicht dir zu verdanken. Wenn er dir wirklich etwas bedeuten würde, wärst du gar nicht hier. Du hast dich nie um ihn gekümmert, also drehst du dich jetzt um und kommst nie wieder. Du lässt ihn in Ruhe oder ich mache dein erbärmliches Leben noch erbärmlicher, als es ohnehin schon ist. Du bist auf Entzug, Jules", weise ich auf das Offen-sichtliche hin und nenne sie bei ihrem Namen. Ver-dammt, ich kann mich nicht einmal daran erinnern, wann ich sie das letzte Mal *Mutter* genannt habe. „Glaubst du wirklich, dass ich die Anzeichen über-sehe, nachdem ich dich durch Gott weiß wie viele Rauschzustände und Entzüge habe gehen sehen? Verschwinde verdammt noch mal und komm nicht zurück. Nie wieder."

Ich bin nicht daran interessiert, noch mehr von dem Mist zu hören, der aus ihrem neurotischen Gehirn kommt, und lasse sie stehen. Ich muss Max von ihrem Scheiß und den Erinnerungen, die sie vielleicht in ihm geweckt hat, wegbringen. In mei-nem Kopf schwirren schon die Gedanken umher, wie ich ihm weismachen kann, dass sie uns nicht mehr belästigen wird. Aber wie soll ich das schaffen, wenn ich es selbst nicht einmal sicher weiß?

Ihre Stimme, die sich erneut hinter mir erhebt, sagt mir, dass es nicht leicht sein wird, selbst daran zu glauben.

„Er ist mein Sohn!", schreit sie, diesmal noch lauter. „Meiner! Komm her, Max!"

Es kostet mich alle Kraft, dem Drang zu widerstehen, zurückzulaufen und sie zum Schweigen zu bringen. Dieser Drang krallt sich mit einer solchen Heftigkeit in meinen Magen, dass ich fast vergesse, dass ich niemals Hand an eine Frau legen würde.

Max bewegt sich nicht auf ihr Kommando hin. Ich wusste, dass er es nicht tun würde, aber als ich mich mit einem drohenden Blick zurückdrehe, sehe ich in Jules wütender Miene, dass sie es offensichtlich nicht erwartet hat. Diese Verblendung muss eine Nebenwirkung der wahnsinnigen Menge an Crack und Heroin sein, mit der sie ihren Körper und ihren Geist über die Jahre vollgepumpt hat.

„Er ist mein Sohn!", wiederholt sie, aber diesmal ist ihre geschriene Aussage nicht an mich gerichtet.

Der Zorn, der aus ihren Augen sprüht, richtet sich gegen Lilly, die immer noch steif ein paar Schritte vor Max steht.

Bevor Lilly oder ich etwas sagen können, schreit Max, der sich nicht scheut, seine eigene Stimme zu erheben, um Lilly zu verteidigen, zurück. „Lass sie in Ruhe! Hau ab!"

Bei diesen Worten dreht er sich um und rennt ins Haus. Lilly ist ihm sofort auf den Fersen und würdigt Jules keines Blickes, als diese erneut kreischt.

„Du wirst nie seine Mutter sein!"

Mit wütendem Schritt gehe ich zurück zu der Frau, der man niemals hätte erlauben sollen, sich fortzupflanzen.

„Und du warst es nie", spucke ich aus. „Jetzt verpiss dich von hier oder ich schwöre bei Gott, dass ich dich dazu zwingen werde."

„Alles gut, Bruder?"

Jayces Stimme ertönt laut genug, um die Wut zu durchbrechen, die mein Blut in meinen Ohren rauschen lässt. Lilly muss ihm von unserem ungebetenen Gast erzählt haben und dafür bin ich ihr dankbar. Wenn ich ihr Gesicht noch länger ertragen muss, könnte ich jemanden brauchen, der stark genug ist, mich zurückzuhalten.

„Alles gut", bestätige ich, ohne den Blick von meiner Mutter zu lösen. „Jules wollte gerade gehen."

Jede Spur von Tapferkeit in ihrem Gesicht verschwindet, als sie an mir vorbeischaut. Ohne ein weiteres Wort zu sagen, geht sie ein paar Schritte zurück, bevor sie sich ganz umdreht. Doch der Hass, den sie mir mit ihrem letzten Blick entgegenschleudert, ehe sie davonläuft, verheißt nichts Gutes. Sie eilt die Straße hinunter und ich reiße meinen Blick erst von ihrer Gestalt los, als ich sie aus den Augen verliere.

Als ich mich umdrehe, um Jayce anzuschauen, sehe ich, dass auch Ben und Liam herausgekommen sind. Das erklärt Jules plötzliches Erschrecken. Die Jungs können einschüchternd sein, ohne es überhaupt zu versuchen.

„Das ist also deine Mutter?", fragt Ben, obwohl es nicht wirklich eine Frage ist, im Gegensatz zu der folgenden. „Was will sie denn?"

„Sie will Max zurück, anscheinend", antworte ich, während mein Blut immer noch vor Wut kocht.

„So ein Scheiß", stößt er hervor und klingt genauso empört wie ich.

„Warum zum Teufel sollte sie ihn zurückhaben wollen?", fragt Liam. „War sie high?"

„Auf Entzug", antworte ich auf seine zweite Frage. „Und ich habe keine Ahnung, was für ein Spiel sie treibt. Was bei dieser Frau im Kopf abgeht, ist mir ein großes Rätsel. Ist Blane da?"

„Er überprüft bereits die Kameras", sagt Jayce.

Ich nicke, bevor ich mich auf den Weg zu Chloe mache. Ich bin zu abgelenkt, um mich darum zu kümmern, dass meine Brüder mit uns draußen sind. Verdammt, sie haben in den letzten Monaten sowieso oft genug gesehen, wie ich sie anschaue. Jetzt werden sie erleben, wie ich mit ihr rede.

„Hey, Sonnenschein."

Wider Erwarten fällt es mir leicht, trotz des Chaos, das in mir tobt, Sanftheit in meine Stimme zu legen.

„Geht es dir gut?", fragt sie mich sofort.

„Ja, mach dir keine Sorgen." Ich bin weit davon entfernt, okay zu sein, aber es wird mir noch weniger gut gehen, wenn ich nicht dafür sorge, dass sie in Sicherheit ist. „Lass uns reingehen, zumindest bis ich davon überzeugt bin, dass sie weg ist und nicht mit jemand anderem unterwegs war."

Sie widerspricht nicht und folgt mir und meinen Brüdern ins Haus.

Kaum habe ich den Club betreten, rennt Max auf mich zu.

„Ich will nicht mit ihr gehen."

Mitleid blitzt in Chloes Gesicht auf, bevor sie mir ein kleines Lächeln schenkt und sich auf den Weg nach oben macht, damit ich mit Max reden kann.

Sein Flehen zu hören, ist schmerzhafter, als eine Klinge zu spüren, die sich in meinen Rücken bohrt. Ich weiß, wovon ich rede. Ich habe diese Scheiße durchgemacht und die Stichwunden, die mir ein kranker Typ vor ein paar Monaten aus Rache für Lana zugefügt hat, haben nicht so weh getan.

Die Wut, die Jules Wiederauftauchen ausgelöst hat, versucht mich zu verschlingen, aber ich zügle sie, als ich vor meinem kleinen Bruder in die Knie gehe. Er muss sich hundertprozentig sicher sein, dass ich eher sterben werde, als dass ich diese Frau noch einmal in seine Nähe lasse.

„Du wirst niemals, das meine ich ernst, wieder bei ihr leben. Ein Richter hat entschieden, dass ich dein gesetzlicher Vormund bin, und niemand kann das ändern, nur weil er es will. Dazu bräuchte man Geld und einen sehr guten Anwalt. Ich habe beides und sie hat nichts davon. Ich kann dir versprechen, dass sie daran nichts ändern kann. Du bleibst bei mir, hast du verstanden?"

Hoffentlich wird sie auch keinen Richter dazu bringen können, ihr Besuchsrecht zu gewähren.

„Okay." Das einzelne Wort ist nicht sehr vertrauensvoll, und ich kann nur hoffen, dass er mir glaubt. „Ich will sie nicht mehr sehen. Lilly ist wegen ihr jetzt verärgert."

„Ich werde alles tun, damit sie hier nie wieder auftaucht", versichere ich ihm und bete inständig, dass ich dieses Versprechen auch halten kann. „Wo ist Lilly?"

„In der Küche. Sie hat mich gebeten, nach oben zu gehen, um mich ein wenig zu waschen, während sie mir noch etwas Milch holt, aber ich weiß, dass sie sauer ist, weil das Glas, das sie mitgenommen hat, noch voll war."

„Okay, Kumpel. Du gehst dich waschen, während ich nach ihr sehe. Ist das in Ordnung für dich?"

Er nickt. „Kannst du ihr sagen, dass ich in meinem Zimmer bin? Sie sagte, wir könnten vor dem Abendessen ein paar Brettspiele spielen."

„Ich sage ihr, dass sie dich oben treffen soll."

Er tritt vor, schlingt seine Arme um meinen Hals und drückt mich fest an sich.

„Ich liebe dich", flüstert er leise.

„Ich liebe dich auch, kleiner Bruder." Ich ziehe ihn weg und wiederhole: „Du wirst nirgendwo hingehen. Glaub mir das."

Er quittiert mein Versprechen mit einem Nicken, bevor er davonläuft und die Treppe hinauf verschwindet.

Als er außer Hörweite ist, stehe ich wütend auf. „Ich könnte diese Frau umbringen. Wenn sie auch nur einen Funken gesunden Menschenverstand hat, sollte sie besser nicht mehr in seine Nähe kommen."

„Hat sie irgendetwas davon erzählt, dass sie das Sorgerecht beantragt hat?", fragt Jayce mich.

„Sie hat nur gesagt, dass sie ihn zurückhaben will. Sie hat wortwörtlich gesagt, dass Max 'jetzt mit ihr kommen muss'. Verdammtes, durchgeknalltes Miststück", knurre ich.

„Ich rufe Mason trotzdem an", sagt Jayce zu mir. „So sind wir gewappnet, falls sie es auf legalem Weg versucht. Aber ich würde mir keine Sorgen machen. Selbst sie muss wissen, dass sie keine Chance hat."

Mason ist der Anwalt des Clubs. Er ist schon sehr lange für uns tätig. Ich vertraue darauf, dass er hervorragende Arbeit leisten wird, falls Jules ihren Verstand verliert und etwas versucht. Ihr im Gerichtssaal gegenüberzustehen, ist nicht meine Hauptsorge. Was mich beunruhigt, ist, dass Max so etwas durchmachen muss, jetzt, wo er endlich glücklich ist.

„Das hoffe ich wirklich." Ich seufze und denke an etwas, das Jules gesagt hat. „Irgendetwas gefällt mir allerdings nicht. Jules hat zu Lilly gesagt, dass sie niemals Max' Mutter sein wird. Klar, Lilly hat sich schützend vor Max gestellt, aber Chloe war auch da, und sie hat sie nicht einmal zur Kenntnis genommen."

„Denkst du, sie könnte euch gefolgt sein?" Liam versteht, worauf ich mit meinen Gedanken hinauswill.

„Vielleicht. Ich habe sie nicht bemerkt. Also kann ich es nicht mit Sicherheit sagen. Ich werde einfach die Augen offen halten müssen."

„Das werden wir alle", sagt Ben.

„Danke", sage ich, so verdammt froh, einen Haufen Brüder an meiner Seite zu haben. „Ich werde erst nach Lilly sehen, bevor ich Blane suche."

Ben klopft mir auf die Schulter und meine Brüder machen sich wieder an ihre Arbeit, während ich in die Küche gehe.

Lilly steht an der Theke, vor sich ein Glas Milch, das sie mit leerem Blick anstarrt.

„Lilly", sage ich so leise, wie es mir angesichts des Aufruhrs, der immer noch in meinem Inneren tobt, möglich ist.

Sie erschrickt trotzdem über meine Stimme, aber sie schafft es, etwas falsche Fröhlichkeit in ihre zu legen, als sie mich fragt: „Oh, hey ... Wie geht es dir? Ist sie weg?"

Sie wischt sich die Tränen von den Wangen, eine Geste, die meine Wut noch einmal anfacht. Sie so aufgebracht zu sehen, lässt meinen Hass auf Jules noch mehr eskalieren. Seit dem Tag, an dem Max bei mir eingezogen ist, hat Lilly nichts anderes getan, als sich um ihn zu kümmern und ihn zu lieben. Sie um sich zu haben, ist ein Geschenk. Nicht nur für Max, sondern auch für mich. Es ist nicht einfach, ein Kind großzuziehen, vor allem, wenn man es allein tut. Ihre Unterstützung ist unbezahlbar.

„Lilly, es tut mir leid, was sie ...", beginne ich, aber sie lässt mich meine Entschuldigung nicht zu Ende führen.

„Dir muss nichts leidtun, Melvin. Ich weiß nicht einmal, warum ich weine. Es ist mir egal, was sie sagt, und ich weiß, dass ich nicht die Mutter von Max bin ..."

Diesmal bin ich derjenige, der sie unterbricht, um ihren abwegigen Gedanken fortzuwischen.

„Du bist mehr seine Mutter, als sie es je war", versichere ich ihr so fest ich kann. „Und wenn du Max fragst, wird er das Gleiche sagen. Er wird älter, Lilly. Er wird bald neun Jahre alt, und er sieht, wer zu ihm steht. Du und Cody seid jeden Tag für ihn da, seit ich ihn zurückhabe, und ich kann dir nicht sagen, wie dankbar ich dafür bin. Ich bin so verdammt dankbar, dass er euch beide hat."

Wieder sammeln sich Tränen in ihren Augen, aber diesmal sind es keine traurigen. Ein sanftes Lächeln umspielt sogar ihre Lippen, als sie sagt: „Wir lieben ihn."

„Ich weiß", antworte ich sofort. „Darüber bin ich sehr froh."

Schniefend greift sie nach dem Glas Milch und atmet tief ein.

„Genug geweint." Sie gluckst. „Ich bringe ihm seine Milch und wir spielen vor dem Abendessen noch ein paar Brettspiele." Auf dem Weg aus der Küche bleibt sie neben mir stehen und küsst mich auf die Wange. „Danke."

Sie hat mir für nichts zu danken – eigentlich ist es genau umgekehrt –, aber ich komme nicht dazu, ihr das zu sagen, weil sie in der nächsten Sekunde aus dem Zimmer gegangen ist.

Ich reibe mir mit der Hand über das Gesicht und habe das Gefühl, dass die Erschöpfung ohne Vorwarnung über mich hereinbricht. Ich muss immer noch Blane finden und sicherstellen, dass meine

Mutter nicht aus irgendeinem beschissenen Grund weiter um den Club herumschleicht.

Verdammte Scheiße.

Nachdem ich die ganze Woche in diesem verfluchten Truck verbracht habe, war alles, wovon ich geträumt habe, ein ruhiges, entspanntes Wochenende. So viel zu dem Thema.

Ich öffne den Kühlschrank mit mehr Kraft als nötig und schnappe mir ein kaltes Bier, als Blane die Küche betritt.

„Hey, ich wollte gerade zu dir kommen. Willst du ein Bier?"

„Ja, danke", sagt er. Ich reiche ihm eins, während er weiterredet. „Sie ist weg. Zu Fuß. Ich habe die Straßenkameras überprüft, aber ein paar Blocks weiter habe ich sie aus den Augen verloren. Sie war immer noch zu Fuß und allein. Jayce sagte, sie könnte dir oder Max gefolgt sein. Ich werde einen Blick auf eure Hauskameras werfen und versuchen, etwas auf den Straßenkameras zu finden."

„Danke." Ich nicke und bin mir nicht sicher, ob es enttäuschend ist, so wenig zu wissen, oder ob es mich beruhigt, dass nicht noch jemand bei ihr war.

Das Letzte, was ich gebrauchen kann, ist, dass sie einen labilen Junkie an ihrer Seite hat.

„Soll ich sehen, ob ich etwas über sie herausfinden kann? Wo sie wohnt, ob sie einen Job hat …", fragt er und bricht ab.

Ich lehne mich gegen die Anrichte und spreche erst, nachdem ich einen großen Schluck Bier getrunken habe. „Ich denke, es ist einen Versuch wert, aber sie hat seit über einem Jahrzehnt keinen Job länger als ein paar Monate behalten können. Bevor sie ins Gefängnis kam, hatte sie längst aufgehört, es überhaupt zu versuchen."

„Ich werde schauen, was ich finden kann."

„Danke, Bruder."

„Gern geschehen."

Ich folge ihm aus der Küche, aber anstatt mich meinen Brüdern an der Bar anzuschließen, trete ich hinaus in die Ruhe des späten Nachmittags. Schwer seufzend, als ob das meine plötzliche Erschöpfung vertreiben würde, setze ich mich auf die Vordertreppe und lasse die heißen Sonnenstrahlen auf mich scheinen, während ich noch einen Schluck Bier trinke.

Ich sitze nicht länger als eine Minute, als sich die Tür hinter mir öffnet, und ich werfe instinktiv einen Blick über die Schulter, weil ich denke, es könnte Max sein, der mich braucht. Aber er ist es nicht.

Der Anblick, der sich mir bietet, raubt mir auf der Stelle den Atem, so wie er es immer tut. Chloe hat eine enge, zerrissene Jeans und ein einfaches, schwarzes Shirt angezogen. Der Ausschnitt ist gerade tief genug, um mir einen Blick auf die runden, aufreizenden Brüste zu gewähren, die der Stoff verdeckt. Ihr Haar ist jetzt offen, die wehenden Locken umrahmen ihr ungeschminktes Gesicht.

„Geht es dir gut?"

Mit derselben Frage, die sie mir zuvor gestellt hat, reißt sie mich aus meiner Träumerei. Eine Sekunde lang bin ich mir nicht sicher, ob sie mich wegen der Sache mit Jules fragt oder weil ich ihr auf die Titten starre. Die Sorge, die die übliche Freude in ihren Augen trübt, verrät mir, dass es Ersteres ist.

„Wütend auf Jules und besorgt um Max. Aber ich komme schon klar", versichere ich, als sie sich neben mich setzt. Ich atme den Vanilleduft ein, der sie umweht, während ich fortfahre. „Ich wusste schon bevor sie überhaupt richtig einsaß, dass sie irgendwann wieder auftauchen würde. Ich versuche nur herauszufinden, warum sie Max überhaupt zurückhaben will. Staatliche Leistungen vielleicht?" Das Glucksen, das ich ausstoße, hat nichts mit Amüsement zu tun.

„Was auch immer sie hier wollte, es war mutig, in einem Bikerclub aufzutauchen", sagt Chloe. „Was glaubst du, wie sie dich gefunden hat?"

„Mutig oder dumm. Jules war noch nie die hellste Frau." Ich seufze. „Sie ist immer noch die Mutter von Max. Es gibt Dinge, zu denen sie immer noch Zugang haben kann. Ich könnte mich mit der Sozialarbeiterin in Verbindung setzen, aber es ist mir eigentlich egal, wie sie es herausgefunden hat."

„Ich wüsste allerdings nicht, wie sie ihn zurückbekommen sollte. Wer würde ihr ein Kind anvertrauen, nachdem sie es jahrelang vernachlässigt hat? Ganz zu schweigen vom Drogenkonsum und dem Gefängnisaufenthalt."

„Ich hoffe, du hast recht, aber ich bin vorbereitet, falls sie so dumm ist, zu versuchen, auch nur eine Stunde monatlichen beaufsichtigten Besuch zu erwirken." Mein Tonfall ist so dunkel, dass ich meine eigene Stimme kaum wiedererkenne. Aber verdammt, ich werde vorbereitet sein. „Ich bezweifle, dass sie genug Geld für einen Anwalt hat."

Meine Hand, die auf meinen Knien ruht, verkrampft sich bei dem bohrenden Gedanken, dass Jules versuchen könnte, Max etwas anzutun. Aber nur so lange, bis Chloes viel weichere Hand sie mit einer Zärtlichkeit umschließt, die ausreicht, um den Sturm in meinem Bauch zu dämpfen. Allein ihre Berührung macht alles besser. Ich wette, wenn sie mir erlaubt, mich in ihrem Körper zu verlieren, würde ich für ein paar Stunden alles vergessen.

Meine freie Hand kann sich nicht gegen das Verlangen wehren, sich zu ihrem Gesicht zu heben. Ich bin zu müde, um auch nur zu versuchen, dem Drang zu widerstehen, sie auf irgendeine Weise zu berühren. Mit dem Daumen berühre ich ihre pralle Unterlippe und streife sie ganz leicht.

„Ich liebe es, wie weich deine Lippen sind", sage ich ihr. Ich schaue auf ihren Mund, aber ich spüre, wie sie mich ansieht. „Wie Samt. Ich habe die ganze Woche damit verbracht, diesen Kuss zu rekapitulieren."

Das ist die reine Wahrheit, aber ich gebe ihr die Kurzfassung davon. Ich gebe nicht zu, dass die Erinnerung an ihre Lippen, die sich auf meinen bewegen, an ihre Zunge, die meine erforscht, an ihre aufgeregten Wangen und ihr raues Atmen, mir sehr gelegen kam, als ich mir nach Monaten der Abstinenz jeden Abend und jeden Morgen einen runtergeholt habe.

„Ich habe auch darüber nachgedacht."

Ich liebe es, dass sie keine Angst hat, es zuzugeben, obwohl sie noch so unschuldig ist. Sie hat die Verbindung zwischen uns an diesem Tag genauso gespürt wie ich.

Ganz kurz flattert der Gedanke in mir auf, ob sie sich vielleicht auch selbst berührt hat, und die flüchtige Frage reicht aus, um den letzten Rest an gutem Willen in mir zu verscheuchen.

„Scheiß drauf", murmle ich, bevor ich meinen Mund auf ihren lege.

Tief in mir drin bin ich mir immer noch bewusst, dass jederzeit jemand über uns stolpern könnte, aber trotzdem tauche ich mit meiner Hand in ihr dichtes Haar ein. Mein gesundes Urteilsvermögen verlässt mich völlig, als ich die Kontrolle über den Kuss übernehme. Nichts könnte mich dazu bringen, mich zurückzuziehen. Vor allem nicht, als sie auf meine Begierde mit ihrer eigenen Lust antwortet. Ihre Zunge sucht meine, als ob ich ihr in dem Moment, in dem sich unsere Lippen trennen, nie wieder Zugang gewähren würde.

Sie schmeckt nach Minze. Scharf und heiß. Scheiße, ich verstehe nicht, wie ein so süßes Mädchen gleichzeitig so erotisch sein kann. Mich zu beherrschen, wenn ich ihr so verdammt nahe bin, ist fast aussichtslos, aber ich weiß, wenn ich uns nicht bremse, wird auch eine kalte Dusche nicht helfen. Das Bedürfnis, jeden Zentimeter ihrer Haut zu berühren und jeden Nerv in ihrem Körper zu erregen, bis ich sie vor Lust stöhnen höre, ist bereits zu einem brennenden Verlangen gewachsen, das so schnell nicht verschwinden wird. Es gibt nichts, wonach ich mich mehr sehne, als sie in mein Bett zu tragen und ihr zu zeigen, was es heißt, einen schier nicht auszuhaltenden Orgasmus herauszuschreien. Aber dazu kommt es jetzt nicht. Mit schmerzhaftem Widerwillen ziehe ich mich von ihrer Zunge zurück und keuche. Mein Verlangen könnte mich geradezu umbringen, wenn mein Blutdruck dadurch weiter in die Höhe getrieben wird.

„Ich glaube, ich will mehr davon."

Ich stöhne sowohl bei ihrem Geständnis als auch bei ihrer atemlosen, sinnlichen Stimme und flehe meinen Schwanz an, sich keine Hoffnungen zu machen.

„Glaub mir, es gibt nichts, was ich mehr möchte, als deine Lippen immer wieder zu schmecken, aber …"

Ich schüttle den Kopf und sehe ihr in die Augen, denn ich kann nicht anders, als zu denken, dass ich nicht nur ihre Lippen schmecken will. Ich will alles von ihr kosten, so sehr, dass ich wahnsinnig werden könnte, wenn ich weiter darüber fantasiere.

„Aber was?" Sie drängt mich, meinen Gedanken zu beenden, als ich ihn in der Luft hängen lasse. „Was ist das Problem?"

„Dein Vater, Sonnenschein."

„Was hat das mit meinem Vater zu tun?"

Ich ziehe eine Augenbraue hoch, und sie seufzt, weil sie ahnt, was ich gleich sagen werde. „Du wurdest in den Club hineingeboren. Du weißt, dass das alles mit deinem Vater zu tun hat. Ich kann das nicht hinter seinem Rücken machen. Dich zweimal zu küssen, war schon unangemessen."

Sie zuckt mit den Schultern. „Dann sprich mit ihm."

„So einfach, hm?" Ich grinse über ihre Nonchalance.

„So einfach", sagt sie. „Abgesehen davon solltest du wissen, dass ich persönlich nicht die Erlaubnis meines Vaters brauche. Wen ich küsse, ist meine Sache, und zwar nur meine."

Bei ihrem umwerfenden Lächeln schüttle ich den Kopf und erwidere es. Dieses Mädchen mag unschuldig sein – zumindest bin ich mir da ziemlich sicher –, aber sie braucht niemanden, der ihr vorschreibt, was sie zu wollen hat. Und anscheinend will sie mich.

Kapitel 6

Chloe

W ow, das war toll! Noch ein Rekord!",
rufe ich.

„ Selbst von hier aus ist Farrahs strahlendes Grinsen nicht zu übersehen. Sie steht ein paar Meter hinter der Ziellinie gebückt, die Hände auf den Knien, und atmet nach ihrem fantastischen Sprint tief durch. Wenn sie weiterhin so fleißig trainiert, wird sie es im nächsten Jahr zweifellos in das Highschool-Team schaffen. Sie ist erst fünfzehn, aber ihre Fähigkeiten und Zeiten übertreffen die der meisten Älteren, mit denen ich letztes Jahr trainiert habe.

„Fantastisch!", schreit sie zurück, bevor sie sich das Gesicht mit ihrem Shirt abwischt und auf mich zugeht. „Ich werde dem Trainer keinen Grund geben, mich aus dem Team zu werfen, wenn die Schule wieder anfängt! Ich werde mir diesen Sommer den Arsch aufreißen!"

„Das ist die richtige Einstellung!", rufe ich zurück.

Wir sind schon seit über einer Stunde auf der Bahn, laufen, dehnen, reden und laufen noch mehr in der frühen Morgensonne. Farrah und ich haben letztes Jahr in der Schule zusammen trainiert, und wir haben beschlossen, uns im Sommer jede zweite Woche hier zu treffen.

Sie schnappt nach Luft und es wird still auf der Laufstrecke, als eine Bewegung in meinem Augenwinkel meine Aufmerksamkeit erregt. Aus einem Reflex heraus blicke ich nach rechts und sehe einen Mann, der lässig auf mich zugeht. Mit seiner bulligen Statur, dem Vollbart, der ihm fast bis zur Brust reicht, den zerrissenen Jeans, dem ärmellosen weißen Hemd und den schweren Stiefeln sieht er aus wie ein Biker. Er trägt keine Kutte, aber trotz dieses kleinen Details erstarre ich und bekomme eine Gänsehaut, als er mich mit seinen ausdruckslosen blauen Augen ansieht.

„Kann ich Ihnen helfen?", frage ich ihn, als er mich einfach nur anstarrt. Ich versuche, das ungute Gefühl, das mich überkommt, so gut es geht zu verdrängen, und gleichzeitig nicht so besorgt zu klingen, wie ich wirklich bin.

„Du musst mit mir einen Spaziergang machen."

Bei seinen schroffen Worten bricht mir der kalte Schweiß aus und ich fröstele. Seine Gesichtszüge sind ebenso emotionslos wie seine Augen, aber er scheint es todernst zu meinen.

„Ich glaube, ich verzichte. Ich bin im Moment ziemlich beschäftigt."

Irgendetwas sagt mir, dass ihm das nicht gefallen wird, aber was soll ich tun? Ihm einfach folgen? Die Angst schwillt in meinem Magen an und Schweißperlen rinnen mir über die Schläfen, obwohl ich nicht mehr laufe. Als der Mann nur ein paar Meter von mir entfernt zum Stehen kommt, überlege ich, ob er es wohl gut aufnehmen würde, wenn ich zurück zu meinem Auto gehe, um mein Handy zu holen. Wahrscheinlich nicht und ich bekomme die Bestätigung, als er wieder das Wort ergreift.

„Das war keine Frage, Zuckerpüppchen. Entweder du bewegst deinen Arsch oder ich und deine kleine Freundin da drüben werden ein bisschen Spaß miteinander haben. Was glaubst du, wie schnell sie mit einem kaputten Knie laufen kann? Verstehst du, was ich meine?", fragt er mich, während er gleichzeitig die linke Seite seines Hemdes anhebt und mir einen Blick auf die Waffe gewährt, die er bei sich trägt.

Vor lauter Panik krampft sich mein Magen zusammen, wie ich es während meinen achtzehn Lebensjahren noch nie erlebt habe. Ich kann förmlich spüren, was er sagt. Klar und deutlich.

„Ist alles in Ordnung, Chloe?"

Beim Näherkommen kann ich sehen, dass Farrahs Miene jetzt mehr von Sorge als von Erschöpfung geprägt ist.

„Du machst besser keine Dummheiten", murmelt der Hüne von einem Mann so leise, wie es seine tiefe Stimme zulässt, und unterstreicht seine Drohung mit einem weiteren Schritt auf mich zu.

„Chloe?", wiederholt Farrah.

„Alles gut, ja." Es fällt mir schwer, meine Stimme ruhig zu halten, aber irgendwie schaffe ich es doch. „Das ist einer der Freunde meines Vaters. Meine Eltern brauchen mich zu Hause. Es tut mir leid, dass ich das hier abbrechen muss."

Das falsche Lächeln, das ich aufsetzte, muss bestenfalls unecht, schlimmstenfalls unheimlich wirken, aber zu mehr bin ich nicht in der Lage. Die Angst, die an mir nagt, hat die wenigen schauspielerischen Fähigkeiten, die ich überhaupt besitze, zunichte gemacht.

„Das hast du heute wirklich gut gemacht. Ich rufe dich für das nächsten Mal an", füge ich hinzu.

„Okay", antwortet sie.

Ich ignoriere die Verwirrung in ihrem Gesichtsausdruck und mache mich auf den Weg, in der Hoffnung, dass der bärtige Kerl mir folgt, ohne ihr etwas anzutun.

Ich bin erleichtert, als ich seine Schritte hinter mir höre, aber ich knirsche angewidert mit den Zähnen, als er mich schnell einholt und so nah an mich herankommt, dass sein nackter Arm meinen streift. Aber der Ekel ist noch die geringste meiner Sorgen, als sich etwas Hartes in meinen Rücken bohrt.

Der Lauf seiner Pistole.

„Was wollen Sie?"

Es ist äußerst fraglich, ob ich die Antwort auf diese Frage wirklich hören will, aber ich werte die Tatsache, dass ich noch lebe, als gutes Zeichen. Wenn er mich nur umbringen wollte, wäre ich schon tot. Und wenn er die Absicht hätte, mich zu töten, hätte er Farrah, eine mögliche Zeugin, nicht zurückgelassen. Zumindest ist das der Gedanke, den ich mir immer wieder vergegenwärtige, in der Hoffnung, die Panik noch ein wenig länger abwehren zu können. Bis jetzt scheint es zu funktionieren, denn ich gehe immer noch mit relativ festem Schritt.

„Ich? Ich will nichts weiter, als dass du nicht versuchst, wegzulaufen. Ich tue nur, was man mir aufgetragen hat, Zuckerpüppchen."

Zuckerpüppchen. Erstens, ich hasse diesen Kosenamen. Zweitens, wer zum Teufel würde jemandem, den er mit einer Waffe bedroht, mit so einem Namen versehen? Himmel …

„Wohin gehen wir?"

„Scheiße, was sollen die vielen Fragen?", grunzt er. „Geh verdammt noch mal weiter."

Zwei Fragen, aber egal.

Offensichtlich ist er nicht der Meinung, dass ich das Recht habe zu wissen, wohin er mich zwingt zu gehen.

Um kein Risiko einzugehen, halte ich den Mund und versuche, meine Möglichkeiten abzuwägen. Es gibt allerdings nicht viele, die sich mir bieten. Ich könnte den Sprint meines Lebens beginnen und hoffen, dass er nicht in meinem Rücken abdrückt, bevor jemand vorbeikommt und mir — bestenfalls — hilft. Da es nur wenige Häuser in der Nähe gibt, scheint diese Option nicht die beste Idee zu sein. Vor allem, wenn man bedenkt, dass ich, selbst wenn er mir nicht in den Rücken schießt, noch einmal an der Rennbahn vorbeikommen müsste, bevor ich zu meinem Auto gelange, weil meine Schlüssel dort auf einer Bank liegen. Das Problem ist, dass mir keine andere Möglichkeit einfällt. Natürlich wäre es hilfreich, wenn er mich zu einer belebten Einkaufsstraße führen würde, damit ich leichter weglaufen könnte, aber das ist wohl eher Wunschdenken.

Schließlich gehe ich weiter die verlassene Straße hinunter, meine Beine werden von Sekunde zu Sekunde zittriger, während ich verzweifelt versuche, mein Gehirn dazu zu bringen, dieses scheinbar unlösbare Problem zu bewältigen. Gott, wie sehr wünschte ich, ich könnte jetzt meinen Vater anrufen. Oder Melvin, denke ich augenblicklich.

Der Mann befiehlt mir, links abzubiegen, und ich runzle die Stirn, als ich sehe, wohin er mich führen will. Ich kenne diese Straße. Etwas mehr als einen Kilometer entfernt gibt es einen Imbiss. Nach ein paar weiteren Schritten kann ich ihn schon von weitem sehen. Hoffnung erfüllt mich, als er mich weiter in diese Richtung führt. Die Aussicht, Menschen zu sehen, gibt mir neue Kraft, obwohl die Waffe immer noch auf meinen Rücken gerichtet ist. Doch das Beste, was mir passieren könnte, wäre, dass das Karma den bärtigen Kerl einholt und er vor meinen Füßen an einem Herzinfarkt stirbt.

Gott, die Angst macht mich wahnsinnig. Je mehr Sekunden vergehen, desto mehr schwillt sie in mir an. Schon bald steigen mir die Tränen in die Augen, aber ich balle meine Fäuste an den Seiten, um so viel Kraft zu schöpfen, wie ich nur finden kann. Gegen die Angst, die mich fast lähmt, nützt das nicht viel, aber wenn es mir hilft, nicht am Straßenrand zusammenzubrechen, während dieser Mann mir eine Pistole in den Rücken rammt, werde ich so lange ein- und ausatmen, bis ich weiß, was ich tun muss, um mich zu retten.

„Wir sind da. Steig ein", befiehlt er mit derselben schroffen Stimme.

Erst als ich seine Worte verarbeitet habe, sehe ich die schwarze Limousine mit getönten Scheiben am Straßenrand stehen. Wir sind ungefähr einen halben Kilometer vom Imbiss entfernt und jeder Instinkt in

„Sicherlich nicht, aber da ich gezwungen wurde, hierher zu kommen und mit dir zu reden, werde ich sie dir trotzdem sagen. Außerdem, was kann ich schon für dich tun, außer dir meine Meinung zu sagen? Warum bin ich überhaupt hier? Das ist doch lächerlich. Weißt du was, ich werde jetzt einfach verschwinden."

Auf gut Glück greife ich nach dem Türgriff, aber sie hält mich mit ihrer Hand am Unterarm fest, bevor ich die Tür öffnen kann.

„Ich will niemanden verletzen. Ich will nur meinen Sohn zurück."

Ich hätte Mitleid mit ihr haben können, wenn ich auch nur die geringste Verletzlichkeit in ihren Worten gespürt hätte. Aber in ihrer Stimme ist nicht viel zu hören. Keine Emotion. Sie klingt völlig gleichgültig.

„Du willst niemanden verletzen, aber das wirst du, wenn Melvin dir Max nicht ausliefert. Ist es das?", frage ich und versuche mich zu befreien. „Dass ich hier bin? Ist das eine Art Einschüchterungsversuch? Warum ich?"

Ich weiß, dass die Jungs vermuten, dass sie Melvin und Max gefolgt ist. Wenn das stimmt, wer weiß, was sie über jeden von uns herausgefunden hat?

„Mein Sohn sorgt sich um dich. Das habe ich neulich gemerkt."

„Das heißt, ich habe recht", antworte ich, als sie endlich meinen Arm loslässt. „Ich soll Melvin sagen, dass du mir oder seiner Familie etwas antust, wenn du Max nicht zurückbekommst?"

„Ich bin seine Familie", erwidert sie sofort.

Es fällt mir nicht leicht, ein Schnauben zu unterdrücken, aber ich möchte sie nicht provozieren. Die Frau lebt in einer derart fiktiven Welt, dass es erbärmlich ist.

„Blutsverwandtschaft macht niemanden gleich zu deiner Familie", sage ich ihr stattdessen ganz offen. „Freundlichkeit, Fürsorge und Liebe machen es aus. Kann ich jetzt gehen?"

Ich erwarte fast, dass sie mich wieder am Arm packt, aber stattdessen sagt sie: „Sag ihm, dass ich nicht aufgeben werde. Max ist mein Sohn. Er sollte bei mir sein."

Ja, ich habe die Nachricht schon verstanden.

Ohne auf ihre Forderung einzugehen, steige ich aus dem Auto und öffne die Tür mit zitternder Hand. Ich erwarte, dass der bärtige Kerl direkt hinter der Tür auf mich wartet, aber er ist nirgends zu sehen. Jedenfalls nicht auf den ersten Blick. Dann schaue ich zurück zum Imbiss in der Ferne und sehe ihn mit zwei anderen Typen dort stehen. Alle drei stützen sich auf ihre Motorräder. Sie schauen nicht in meine Richtung, und ich wende meinen Blick sofort von ihnen ab. Innerhalb von Sekunden kehre ich um, laufe davon und bete, dass sie mir keine Kugel in den Rücken jagen.

Das ist nicht gut. Ich habe vielleicht nur einen flüchtigen Blick auf die Männer erhascht, die bei dem bärtigen Kerl waren, aber ihre Kutten waren nicht zu übersehen.

Ich sprinte so schnell ich kann, meine Gedanken sind bereits bei meinem Auto, wo ich meine Handtasche und mein Handy vergessen habe. Ich bin mir allerdings nicht sicher, ob es sinnvoll ist, jetzt meinen Vater anzurufen. Ich sollte einfach zurück in den Club fahren, bevor diese Frau beschließt, dass sie noch mehr reden will.

Ein weiterer Anfall von Grauen schlägt mir in den Magen, als ich mehrere Bikes erblicke, die um mein Auto herum geparkt sind. Aber genauso schnell wird es von Erleichterung weggefegt. Diese Motorräder und Kutten erkenne ich sofort. Ich weiß nicht, woher sie wussten, dass sie herkommen sollten, aber das ist mir egal, solange sie hier sind.

„Gott sei Dank", murmle ich seufzend und verlangsame meinen Schritt, um wieder zu Atem zu kommen, als mein Vater, Nate, Liam und Melvin auf mich zulaufen.

Mein Dad hält sich das Telefon ans Ohr und sagt etwas, bevor er auflegt. Wut und Erleichterung zeichnen sich auf seinen Zügen ab, doch ich kann ihn nicht länger mustern, da er mich sofort in seine Arme schließt.

„Hat dieses Arschloch dich angefasst?"

„Nein, mir geht's gut", verspreche ich ihm und gebe mein Bestes, damit meine Stimme nicht zittert, während ich mit meinen Händen seinen Rücken umklammere.

„Was ist passiert? Bist du entkommen? Hast du es geschafft, wegzulaufen? Blane hat nichts finden können. Hier gibt es keine Kameras", sagt er hastig, bevor er sich von mir löst, obwohl seine Hände nicht von meinen Schultern weichen, während er auf mein Gesicht hinunterblickt.

„Wie hast du es herausgefunden?", frage ich mich plötzlich und übergehe seine Fragen.

„Farrah hat deine Mutter angerufen", erzählt er mir. „Sie dachte sich, dass etwas nicht stimmt, vor allem, als du ohne deine Autoschlüssel gegangen bist. Sie wusste, dass du deine Sachen im Auto vergessen hattest. Sie suchte nach deinem Telefon, um deine Mutter anzurufen. Sie wollte sicher sein, dass dieser Wichser einer von uns ist. Ben hat sie nach Hause gefahren. Was ist passiert, Mäuschen?", drängt er.

Es führt kein Weg daran vorbei, ihnen alles zu erzählen, kein Detail auszulassen. Nicht, dass ich sie anlügen wollte, aber es schmerzt mich, Melvin das anzutun. Es schmerzt mich sehr, als ich einen ersten Blick in sein Gesicht werfe und sehe, wie die Wut bereits darin tanzt. Ich kämpfe damit, ihn nicht zu lange anzustarren. Es ist schwer, wenn ich in seine schokoladenfarbenen Augen schaue und den Konflikt darin sehe, als wäre es für ihn genauso unerträglich, sich von mir fernzuhalten, wie für mich. Mein ganzer Körper sehnt sich nach seiner Umarmung, jetzt mehr denn je. Und Gott, zu wissen, dass ich ihn mit meinen Neuigkeiten niederschmettern werde, lässt mich noch mehr in seinen Armen liegen wollen.

„Der Typ hatte eine Pistole. Er kam zu mir, als ich allein am Streckenrand stand", beginne ich und blicke zu meinem Vater auf. „Er sagte, ich solle mit ihm verschwinden, sonst würde er Farrah etwas antun. Er hat mich zu einem Auto in der Nähe von *Charly's* gebracht, du weißt schon, dem Diner?" Als er nickt, fahre ich fort, mein Blick wandert zurück zu Melvin, während ich mich vor meinen nächsten Worten fürchte. „Deine Mutter war in dem Auto."

Einen Moment lang steht ihm das Unverständnis ins Gesicht geschrieben, denn er scheint sich zu fragen, ob ich wirklich das gesagt habe, was er glaubt, gehört zu haben. Dann verarbeitet er meine Worte, und die Wut, die vorher auf seinem Gesicht stand, wandert in seine Augen, löscht alle anderen Emotionen aus und entfacht ein Feuer, das sich in seiner Stimme ausbreitet, als er eine Drohung ausstößt, die nicht nur wie eine Redewendung klingt.

„Ich werde sie verdammt noch mal umbringen! Fuck!"

Sein Ausbruch erschreckt mich nicht. Ich wusste, dass er wütend sein würde. Rasend wäre vielleicht eine noch bessere Beschreibung seines Zustands. Ich hasse es, zu sehen, wie diese Art von Qual von ihm Besitz ergreift. Er fährt sich mit der Hand unsanft über die Haare und atmet schwer, während er den ganzen Hass auf seine Mutter in sich aufsteigen spürt.

Einen kurzen Moment lang sagt niemand etwas, damit er sich wieder beruhigen kann. Als er wieder zu sich kommt, richtet sich seine Aufmerksamkeit wieder auf mich.

„Hat sie dich angefasst?", krächzt er und scheint sich vor der Antwort zu fürchten.

„Nein", versichere ich ihm sofort. „Sie hat gesagt, sie will reden. Sie sagte, dass sie Max zurückhaben will. Ich glaube, das war nur eine Art Einschüchterungstaktik. Wenn sie ihn nicht zurückbekommt, könnten ihre neuen Freunde jemandem etwas antun. Mir oder jemand anderem, der mit dir verwandt ist, schätze ich. So viel hat sie allerdings nicht gesagt. Es war alles nur angedeutet. Es wirkte wirklich sehr seltsam."

„Welche neuen Freunde? Dieser Wichser, der dich gezwungen hat, mit ihm zu gehen? Da waren noch mehr Typen?", fragt mich mein Dad, dessen Gemüt immer noch irgendwo zwischen Wut und Panik schwankt.

„Als ich aus dem Auto ausgestiegen bin, habe ich den Mann gesehen, der mich mitgenommen hat. Er stand vor dem Diner, zusammen mit zwei anderen Typen. Es waren Biker, sie hatten Kutten an", sage ich und fahre fort, während Nate flucht. „Sie standen neben drei Motorrädern. Ich habe nicht auf sie gewartet, also weiß ich nicht, zu welchem Club sie gehören. Ich hatte Angst, dass sie mich dabei erwischen, wie ich sie beobachte. Ich bin sofort weggelaufen."

„Es war richtig, dass du abgehauen bist, Mäuschen", versichert mir mein Vater.

„Ich schicke eine SMS an Blane", sagt Liam, der sich bereits auf sein Handy konzentriert. „Mit etwas Glück hat *Charly's* Kameras."

„Was zum Teufel hat sie mit einem Motorradclub zu tun?", knurrt Melvin, der sich immer noch darüber aufregt, dass seine Mutter in meine verdammt seltsame Entführung verwickelt ist. „Ich drehe gleich durch, verflucht! Was für ein Spiel treibt dieses Miststück? Warum dich? Warum dich entführen? Wenn sie so nah rankommt, warum nicht gleich Max?"

„Weil Max nie allein ist", führt Nate Melvin vor Augen, was er in seiner momentanen Aufregung nicht sehen kann. „Chloe war vielleicht die bequemste Option", fügt er schnell hinzu und beantwortet damit Melvins erste Frage.

Das ist nicht der Grund, warum sie hinter mir her war, und ich glaube, dass Melvin das tief in seinem Inneren auch weiß. Aber das ist ein Teil meines Gesprächs mit Jules, den ich für mich behalte. Zumindest im Moment. Bis Melvin mit meinem Vater über unseren Kuss gesprochen hat. Na ja, Küsse. Ich glaube nicht, dass dieses Detail irgendetwas ändert. Und unabhängig davon, ob der Club weiß, dass ich Jules erste Wahl sein werde, wenn sie nicht bekommt, was sie will, habe ich keinen Zweifel daran, dass sie mich so oder so im Auge behalten werden. Es kann also nicht schaden, dieses kleine Detail erst einmal zu verschweigen.

„Das ist möglich," pflichtet Liam Nate bei. „Dieser Ort ist ziemlich verlassen. Ideal, um so einen Scheiß durchzuziehen."

„Die Frage ist, warum zum Teufel sollte sich ein Club auf so einen Schwachsinn einlassen?", fragt sich Nate laut. Seine nächsten Worte sind düster und sein dunkler Tonfall verspricht Rache. „Wenn die Wichser einen Krieg anzetteln wollen, hätten sie keinen besseren Weg wählen können."

„Was auch immer sie vorhaben, sie sind nicht Manns genug, um uns offen gegenüberzutreten", sagt mein Vater. „Der Bastard hätte seine Kutte sonst nicht abgelegt."

„Stimmt, aber wenn sie Chloe nicht bemerkt haben, bedeutet das, dass wir ihnen einen Schritt voraus sind, sobald Blane sie identifiziert hat", sagt Liam.

„Okay, lass uns losfahren und sehen, was Blane herausfinden kann", entscheidet Nate unvermittelt, führt uns zu den Motorrädern und meinem Auto.

Mein Dad bleibt dicht an meiner Seite, bis wir an meinem Auto sind. Er bückt sich, um etwas unter dem Wagen, neben meinem Vorderreifen, hervorzuholen. Mit meinen Schlüsseln steht er wieder auf.

„Fahr los, Mäuschen", sagt er, reicht mir die Schlüssel und küsst mich auf die Stirn. „Wir sind direkt hinter dir. Schaffst du es, zu fahren?"

„Ja, mir geht's gut, Dad."

„Okay. Wir sind direkt hinter dir", wiederholt er.

Als ich in mein Auto steige und den Motor anwerfe, habe ich plötzlich das dringende Bedürfnis, Melvin anzuschauen. Er sitzt bereits auf seinem Motorrad, und obwohl ich seine Augen nur einen kurzen Moment sehen kann, bevor er sich den Helm aufsetzt, sind sie direkt auf mich gerichtet. Der Aufruhr, der in ihm herrscht, hat sich nicht verflüchtigt. Ich wünschte, ich könnte aus meinem Auto springen, stattdessen auf sein Bike steigen und mich an ihn schmiegen, bis die Qualen, für die Jules verantwortlich ist, aus seinem Kopf verschwunden sind. Aber das kann ich nicht und das Gefühl der Hilflosigkeit schnürt mir die Kehle zu.

Kapitel 7

Melvin

Das Koffein von zwei starken Kaffees fließt bereits durch meine Adern, wobei die Uhr erst sieben zeigt. Letzte Nacht habe ich nicht geschlafen. Die Hälfte der Zeit bin ich in meinem Zimmer auf und ab gegangen, von einer Wand zur anderen, als wäre ich in einem Käfig eingesperrt. Dann habe ich mich den Rest der Nacht auf mein Bett gelegt und wie ein Idiot an die Decke gestarrt. Aber verdammt, vielleicht war es auch besser so. Die *Was hätte passieren können*-Gedanken quälten mich schon genug, als ich wach war. Da war es nicht nötig, dass diese möglichen Szenarien auch noch in Albträumen Gestalt annehmen.

Als Fiona heute Morgen in die Werkstatt stürmte, verängstigt und aufgebracht, von irgendeiner Highschool-Schülerin erzählte, die behauptete, Chloe sei mit einem unheimlichen Kerl weggegangen, wobei sie nervös aussah und ihre Autoschlüssel zurückgelassen hatte, blieb mein Herz kurz stehen, bevor mein Puls durch das mächtigste Grauen, das mich je befallen hat, in die Höhe schnellte. Die Angst schoss durch meine Brust, drückte auf meine Lunge und machte mir das Atmen schwer. Fragen brachen über mich herein und ich hatte keinen Zweifel daran, dass sie nicht aus eigenem Antrieb mit jemandem verschwunden war. Doch all die anderen Gedanken, die mir durch den Kopf schwirrten, drehten sich um all die Unklarheiten. Wer war der Typ? Hatte er etwas mit dem Club zu tun? Dann war da noch die schlimmste Frage von allen: Was hat er mit ihr gemacht? Diese offenen Fragen, zusammen mit der Tatsache, dass ich wusste, wie verängstigt sie gewesen sein musste, brachten mich innerhalb von Sekunden an den Rand des Wahnsinns. Genau wie die Tatsache, dass ich sie nicht in meine Arme ziehen konnte, als ich sie auf dem leeren Parkplatz auf uns zu rennen sah. Meine Hände bei mir zu behalten, löste eine Unruhe in meinem Bauch aus, wie ich sie noch nie erlebt hatte. Das Bedürfnis, sie zu berühren, war überwältigend. Dass ich es nicht konnte, war erdrückend. Es kostete mich jedes Quäntchen Willenskraft, mich zu beherrschen und sie nicht an mich zu ziehen. Nicht nur, um sie zu spüren, sondern auch, um sie abzuschirmen, falls derjenige, der sie entführt hatte, zurückkam. Ich wollte sie in meinen Armen festhalten und stundenlang nicht mehr loslassen.

In dem Moment, als ich erfuhr, dass Chloe verschwunden war, wurde mein geistiger Zustand instabil und grenzte an puren Wahnsinn, aber es wurde noch schlimmer, als sie uns erzählte, dass Jules in diese Scheiße verwickelt war. Ein Wunder, dass ich da nicht völlig durchgedreht bin.

„Du siehst aus, als hättest du letzte Nacht nicht eine Sekunde Schlaf bekommen."

Ich reiße meinen ausdruckslosen Blick vom Holztisch des Versammlungsraums los, auf dem mein kaum angerührter dritter Kaffee des Morgens steht, und sehe auf, als Liams Stimme die Gedanken

„Vielleicht hat sie Beziehungen zu einem anderen Cobra-Mitglied", schlägt Blane vor. „Ich habe noch keine gefunden, aber ich werde weiter graben und so viel wie möglich über jedes Mitglied herausfinden."

„Ich fürchte, das ist alles, was wir im Moment tun können", bedauert Jayce. „Es wäre nicht klug, sich an die Cobras zu wenden. Sobald sie wissen, dass wir ihnen auf der Spur sind, könnten sie ihre Pläne beschleunigen."

„Einverstanden", mischt sich Brent zum ersten Mal ein.

Mit zusammengekniffenen Augen und angespannten Gesichtszügen sieht er aus, als hätte er letzte Nacht nicht viel mehr geschlafen als ich.

„Was, wenn sie sie benutzen?" Liam stützt seine Ellbogen auf den Tisch, ein nachdenkliches Stirnrunzeln auf seinem Gesicht. „Was ist, wenn der Club das eigentliche Ziel ist und Jules nur eine Schachfigur in ihrem Spiel? Wir haben angenommen, dass sie sich nur zufällig getroffen haben, aber was ist, wenn Hawk sie ausgesucht hat?" Er wendet seinen Blick zu mir. „Du hast selbst gesagt, dass du nicht verstehst, warum sie Max zurückhaben will."

Ich nicke langsam, meine Gedanken wirbeln durcheinander bei all den möglichen Erklärungen. Es erscheint plausibel. Abgesehen davon, kann ich auch in jedem anderen Vorschlag, der meinen Brüdern bisher eingefallen ist, einen Sinn erkennen.

„Ich denke, alles ist möglich. Jules würde Max jederzeit gegen einen Schuss eintauschen, so viel weiß ich." Das sind die einzigen Worte, von denen ich sicher bin, dass sie wahr sind. „Verdammt, ich wünschte, ich könnte mir einen Reim auf diesen Scheiß machen", zische ich.

Ich werde rastlos und der Schlafmangel ist nicht gerade hilfreich. Es wird nicht mehr lange dauern, bis sich ein pochender Kopfschmerz vom Nacken her ausbreitet. Verdammte Scheiße.

„Ich werde mich weiter mit den Cobras beschäftigen," wiederholt Blane seine vorherige Aussage. „Wenn sie wirklich dahinterstecken, dass Jules plötzlich Max zurückwill, müssen wir ihr Motiv herausfinden."

„In der Zwischenzeit machen wir weiter mit unseren Routinen", weist Jayce an. „Auf diese Weise geben wir ihnen keinen Hinweis darauf, dass wir über sie Bescheid wissen. Einziger Unterschied: Wenn die Frauen allein unterwegs sind, dann nur an öffentlichen Orten." Ein kollektives Nicken und einige Jas gehen um den Tisch, bevor er mit Blick auf Blane hinzufügt: „Sag uns Bescheid, wenn du etwas herausgefunden hast." Blane nickt ihm scharf zu. „Sonst noch etwas?", fragt Jayce dann.

Niemand am Tisch hat etwas hinzuzufügen und Jayce beendet die Versammlung.

Wir finden uns bald darauf alle im Hauptraum zusammen, wo Fiona und Camryn den Tisch für das Frühstück decken. Der Duft von Speck liegt in der Luft, was bedeutet, dass jemand in der Küche am Kochen ist. Es riecht köstlich und hoffentlich wird mein Magen etwas lockerer, damit ich mehr als nur ein paar Bissen essen kann.

Schnell fällt mein Blick auf Max. Er liegt auf der Couch und sieht fern, genau wie vor der Versammlung. Ich habe ihn in den letzten zwei Tagen im Auge behalten. Nach Jules Besuch schien er ein wenig zu kämpfen, aber er wurde langsam wieder zu dem unbekümmerten kleinen Jungen, der er geworden ist. Ich hoffe nur, dass es mir gelingt, dass er so bleibt. Ich hoffe auch, dass er in diesem Sommer ausgehen und Spaß haben kann. Ich kann ihn auf keinen Fall im Club einsperren, aber ich muss auch vorsichtig sein. Es gibt zu viele Dinge, die wir noch nicht wissen. Über Jules und über die Cobras. Ich werde mein Bestes tun, um ihm einen tollen Sommer zu ermöglichen, aber zwischen seiner Sicherheit und dem Risiko, dass er in ein Leben voller Elend und Missbrauch verschleppt wird, gibt es keinen Kompromiss.

Als das schönste Lachen durch den Raum schallt, kann ich dem Drang, Chloe anzuschauen, nicht widerstehen. Sie kommt mit Colleen aus der Küche, einen großen Teller mit Pfannkuchen in der Hand, und lacht über das, was die beiden gerade amüsiert. Wie immer sieht sie umwerfend aus in ihren hellblauen Jeansshorts und dem dunkelblauen Shirt mit den weißen Flügeln, die die ganze Vorderseite einnehmen. Sie strahlt. Und sie ist so verdammt tapfer. Selbst nach dem, was gestern passiert ist, wuselt sie herum und hilft mit einem Lächeln im Gesicht. Mit einer Waffe bedroht zu werden, muss erschreckend, wenn nicht sogar traumatisierend, gewesen sein. Aber es scheint ihr gut zu gehen. Verdammt, sie sollte nicht so stark sein und so einen Scheiß mitmachen müssen. Nicht wegen mir und meiner beschissenen Mutter.

Ich brauchte gestern Morgen einen Moment, um meine Gedanken zu ordnen. Dann wurde mir klar, dass Jules sie nicht aus Bequemlichkeit ausgewählt hatte, auch wenn Chloe es nicht direkt ausgesprochen hat. Sie hatte uns zusammen gesehen, als sie im Club auftauchte. Wir waren uns an diesem Tag sehr nahe. Ich stand so nah bei Chloe, dass ich den Vanilleduft ihrer Pflegeprodukte riechen konnte, der von den Farbdämpfen, von denen sie den ganzen Tag umgeben war, leicht überdeckt wurde. So nah, dass ich dem unstillbaren Drang nachgegeben hätte, Chloe zu zeigen, wie sehr ich ihre Lippen begehre. Ich hätte sie geküsst, wenn sich nicht Max' Stimme in mein verwirrtes Gehirn gedrängt hätte.

Das war es, was sie zum Feindbild gemacht hat. Unsere Nähe, die wir beide jedes Mal zu suchen scheinen, wenn wir in Reichweite des anderen sind, hat sie zur Beute gemacht. Vielleicht war es Jules Entscheidung, sie zu verfolgen, oder vielleicht ist sie auch nur eine Marionette dieses Clubs. Aber am Ende spielt das keine Rolle. Meine Schwäche in Bezug auf Chloe hat ihr eine Zielscheibe auf den Rücken gemalt und das ist nicht tolerierbar. Nächstes Mal werden sie ihr vielleicht wehtun, um ihren Standpunkt klarzumachen. Denn es wird ein nächstes Mal geben. Den Kopf in den Sand zu stecken, hilft niemandem, schon gar nicht Chloe. Das Risiko, dass sie verletzt wird, kann ich nicht eingehen. Möchte ich mit ihr zusammen sein? Vielleicht hat sich zwischen dem ersten und zweiten Kuss der

Wahnsinn in mein Gehirn geschlichen, aber wenn ich sie noch heute zu mir nach Hause holen könnte, würde ich es tun. Es gibt so viele Dinge, die ich noch über sie lernen möchte, aber Camryn hat recht: Ich kenne Chloe. Ich weiß, was für ein Mensch sie ist, und ich weiß, was in ihrem Herzen vorgeht. Genau aus diesem Grund werde ich sie nicht in Gefahr bringen, nur um meine eigenen Bedürfnisse zu befriedigen. Und in einer Sache bin ich mir ganz sicher: Ihr Vater würde mir hundertprozentig zustimmen.

Kapitel 8

Chloe

M„eine Schultern fühlen sich an, als seien sie gegrillt worden", jammert Colleen neben mir.

„Willst du damit sagen, dass du einen Sonnenbrand hast?", sinniert Camryn von Colleens anderer Seite.

Wir drei sitzen seit einer Viertelstunde am Rand des Pools und lassen unsere Füße ins Wasser baumeln, das von der strahlenden Sonne perfekt gewärmt wird. Wir sind heute Morgen alle zu Cam und Nate gefahren, um den Sonntag auf ihrer Dachterrasse zu genießen. Die Jungs haben vorhin zum Mittagessen Burger gegrillt und jetzt hängen wir alle in der Nachmittagssonne herum.

„Das habe ich nicht gesagt", entgegnet Colleen schnell. „Ich habe gesagt, dass sich meine Schultern anfühlen, als seien sie gegrillt worden."

„Sie fühlen sich so an, weil du einen Sonnenbrand hast", sagt Cam und lächelt immer noch. „Ich habe dir doch heute Morgen noch gesagt, dass du dich eincremen sollst."

„Siehst du? Ich wusste, du würdest mir sagen: *Ich hab's dir ja gesagt.*"

„Vielleicht, weil ich dir heute Morgen gesagt habe, dass ich dir *ich hab's dir ja gesagt* sage, wenn du dich über einen Sonnenbrand beschwerst."

„Stimmt", gibt Colleen mit einem Schmollmund zu, bevor sie murmelt, „ich wollte nur einmal ein bisschen braun werden."

„Du weißt doch, dass du immer einen Sonnenbrand bekommst, bevor du braun wirst, und das auch nur, wenn sich deine Haut nicht schält, wie bei einer Schlange", erinnert sie sie.

Sie kennen sich schon seit Jahren, also muss sie es wissen.

„Das ist nicht fair." Sie schmollt noch ein bisschen, aber ihre schlechte Laune ist verflogen, als Alex auf uns zu schwimmt. „Meine Lieblingsautorin!"

Alex schnaubt bei ihrer Begrüßung, aber sie lächelt auch. „Ich bin deine Lieblingsautorin, weil wir Freunde sind. Irgendwann werde ich vielleicht deine Lieblingsautorin sein, weil ich ein Buch nach dem anderen verkaufe."

„Du machst das gut", entgegnet Colleen in einem beruhigenden Ton.

„Alles dank dir. Jetzt widme ich den Großteil meiner Freizeit Buch Nummer zwei."

Colleen, die letztes Jahr ihren eigenen Verlag gegründet hat, hat vor einem Monat Alex' ersten Fantasy-Roman veröffentlicht. Ihr Verlag befindet sich noch in der Anfangsphase, aber Colleen ist unglaublich leidenschaftlich und talentiert, ganz zu schweigen von ihrem Fleiß. Ich bin sicher, dass sie ihr Geschäft gut ausbauen wird.

„Wie läuft es denn so?", frage ich Alex.

„Nicht schlecht, solange ich Zeit zum Schreiben habe", gibt sie seufzend zu. „Ich schreibe so viel ich kann, aber mit einem Vollzeitjob ist das nicht einfach. Wenn ich zuhause bin, mache ich kaum etwas anderes als an meinen Büchern zu arbeiten. Ich liebe meinen Job, aber ich habe angefangen, darüber nachzudenken, dass es vielleicht ganz gut wäre, zu kündigen."

„Jayce muss begeistert sein." Cam schmunzelt, denn sie weiß, wie gerne ihr Bruder Alex mehr um sich hätte.

„Ich vermeide das Thema", gesteht Alex und zuckt mit den Schultern. „Ich möchte seine Hoffnungen im Moment nicht zu hochschrauben. Vor allem, weil ich weiß, dass er sagen würde, dass ich nicht warten muss, bis ich mit meiner Schriftstellerei meinen Lebensunterhalt verdiene, um aufzuhören." Ihr Gesicht verzieht sich zu einem Stirnrunzeln, sie springt auf und wendet sich an Colleen. „Deine Schultern sind ganz schön rot. Du solltest dich besser mit Sonnenmilch eincremen", sagt sie zu ihr und bringt Cam zum Lachen. Als sie sie ansieht, fügt sie hinzu: „Ich habe das Gefühl, ich habe etwas verpasst."

Colleen dreht sich um. „Babe!", ruft sie hinter uns.

Von dem Tisch aus, an dem er mit Jayce und Cody sitzt, antwortet Ben: „Ja, Engel?"

„Kannst du mir die Sonnencreme bringen, die in meiner Tasche ist? Sie liegt hinter dir auf dem Boden, neben der Pflanze. Wärst du so lieb?"

„Kommt darauf an." Er grinst. „Darf ich dich eincremen?"

„Jep!"

„Dann bin ich schon unterwegs", antwortet er mit demselben verspielten Lächeln und steht auf.

Nach dem Frühstück gestern habe ich ihn kaum gesehen, obwohl wir beide fast den ganzen Tag im Club waren. Wenn er nicht in seinem oder Max' Zimmer war, war er bei einem der Jungs oder bei allen, die im Club zu tun hatten. Das heißt, sie sprachen darüber, was mir am Vortag passiert war. Ich habe keine Ahnung, was sie gesagt haben oder ob sie etwas über Jules und die Biker herausgefunden haben, mit denen sie anscheinend zu tun hat. Ich weiß, dass man mich nicht ins Vertrauen ziehen wird und damit habe ich kein Problem, ehrlich gesagt. Womit ich weniger einverstanden bin, ist, dass Melvin verschwunden ist, als ob er absichtlich auf Distanz zu mir gehen würde. Ich kenne ihn; deshalb weiß ich auch, dass er gekommen wäre, um nach mir zu sehen, wenn er nicht aus irgendeinem Grund darauf bestehen würde, sich von mir fernzuhalten.

Ich habe mich ihm auch nicht genähert, aber nicht, weil ich es nicht gewollt hätte. In einem Moment fühlte ich mich furchtlos, bereit, an seine Tür zu klopfen und ihn zum Reden zu bringen; im nächsten Moment war jeder Funken Mut, der meine Brust erfüllt hatte, verglüht, also habe ich gekniffen. Dieses erbärmliche Hin und Her zog sich durch den ganzen Tag.

Er wollte mich offensichtlich nicht in seiner Nähe haben. Das unangenehme Gefühl, ignoriert zu werden, schwirrt mir heute noch im Magen herum und nervt mich mittlerweile schon gewaltig. Er hat den ganzen Tag so getan, als würde ich gar nicht existieren. Ein paar Mal habe ich versucht, mir einzureden, dass ich mir alles nur einbilde. Dass ihn nur das

Wiederauftauchen seiner Mutter beschäftigt. Aber ich war noch nie sonderlich paranoid. So wahr mir Gott helfe, ich hoffe wirklich, dass ich nicht eines dieser unsicheren Mädchen geworden bin, die Dinge sehen, die nicht da sind, und deren Kopf wegen eines Kerls völlig durcheinander ist. Aber das glaube ich nicht. Ich bin mir sicher, dass Melvin mich als Einzige nicht beachten will. Oder? Vielleicht bin ich einfach zu schlecht in diesem Beziehungszeug. Anziehung, Gefühle … Vielleicht vernebelt das mein Urteilsvermögen und lässt mich zu viele Fragen stellen. Zwei Küsse haben gereicht, um mich in dieses Chaos zu stürzen. Ich würde sagen, das verheißt nichts Gutes. Und um ehrlich zu sein, ihn mit Max im Pool Volleyball spielen zu sehen, ist kein Anblick, der mir helfen wird, meine Gedanken zu ordnen.

Im Gegensatz zu Colleens Haut ist seine schön sonnengebräunt. Sein Oberkörper, der aus dem Pool ragt, lässt mir das Wasser im Mund zusammenlaufen. Ja, er lässt mir buchstäblich das Wasser im Mund zusammenlaufen. Seine Brust und seine Bauchmuskeln sehen hart aus und ziehen sich bei jeder seiner Bewegungen auf sexy Art und Weise zusammen. Ich habe noch nie zuvor ein derartiges Verlangen verspürt, einen Mann zu berühren. Meine Finger brennen regelrecht darauf, ihn zu fühlen.

„Ist alles in Ordnung bei dir?"

Colleens Stimme ist so sanft wie der kleine Stupser, den sie mir mit ihrem Ellbogen gibt, um meine Aufmerksamkeit zu erregen.

Ich merke sofort, dass ich dabei erwischt wurde, wie ich Melvins verführerischen Körper angestarrt habe, und spüre, wie sich mein Gesicht tiefrot färbt, und in meinem Fall hat das nichts mit der sengenden Sonne zu tun.

„Ja, klar. Alles in Ordnung. Mir geht's gut", reagiere ich etwas dümmlich, als Ben sie auf die Wange küsst und in den Pool springt, sodass das Wasser überall hin spritzt.

Sie kichert über den Streich ihres Freundes, bevor sie mir sagt: „Ich hätte dir vielleicht geglaubt, wenn du bei *klar* aufgehört hättest. Nein wobei, das hätte ich wahrscheinlich auch nicht", fügt sie schnell und ehrlich hinzu. Wenigstens ist ihre Stimme sehr leise, wofür ich dankbar bin. „Ist zwischen euch beiden etwas passiert?", fragt sie und meint damit eindeutig Melvin und mich.

Eine kurze Sekunde lang überlege ich, ob ich Nein sagen soll. Aber ich konnte noch nie gut lügen und ich bin so schlecht darin, dass sie die Lüge sowieso sofort durchschauen würde.

„Wir haben uns geküsst", flüstere ich zurück. Und wenn ich schon bei der Wahrheit bleibe, kann ich auch gleich völlig ehrlich sein. „Zweimal."

Erst weiten sich ihre Augen, dann breitet sich ihr Lächeln aus. Sie ist sichtlich erfreut über meine kleine Neuigkeit.

„Wir haben uns alle gefragt, wann es bei euch passieren wird. Ich glaube, die Jungs haben sogar darauf gewettet."

Ihr Lachen ist so leise wie ihre Stimme, als ich ihr einen verwirrten Blick zuwerfe und mir der Mund offensteht.

Aber ich reiße mich schnell zusammen. „Wenn ja, dann hat keiner gewonnen, weil wir nicht zusammen sind. Er ignoriert mich seit gestern."

Mein Geständnis lässt ihr Lächeln zu einem Stirnrunzeln werden. „Bist du sicher? Das ist seltsam."

„Nennen wir das Kind beim Namen, meine Erfahrung mit Männern ist inexistent. Aber ich bin mir ziemlich sicher, dass es nicht nur in meinem Kopf passiert."

Meine Augen immer noch auf Melvin gerichtet, sehe ich, wie er Max etwas erzählt, bevor er sich seinen Weg durch das Wasser bahnt und schnell den Rand des Pools erreicht, während Ben das Volleyballspiel übernimmt.

Mit seinen muskulösen Armen stemmt er sich hoch und kommt ohne große Mühe aus dem Becken. Wie kann der Anblick von jemandem, der aus einem Pool steigt, so faszinierend sein? Ich weiß es nicht, aber Melvin ist es. Auf seiner Haut glitzern Hunderte von Wassertropfen, die in der Sonne glänzen und an seinem festen Bauch und seinen athletischen Oberschenkeln heruntergleiten. Allerdings sehe ich nur die Hälfte seiner Oberschenkel, denn seine dunkelblaue Badehose verdeckt die obere Hälfte. Aber das macht nichts. So oder so, ich kann den Blick nicht abwenden. Gott, ist der Mann schön.

Vielleicht ist das das Problem hier. Was ist, wenn er diese Distanz zwischen uns aufgebaut hat, weil er sowieso so unerreichbar für mich ist, dass es schon beinahe lustig ist? Ich bin wie jedes andere Mädchen, das mit gelegentlichen Selbstzweifeln kämpft, aber die Anziehungskraft zwischen uns habe ich mir nicht nur eingebildet. Sie war da, sie hat die Luft zwischen uns zum Brennen gebracht und sie war nicht einseitig. Ich weiß, dass es so war. Und dann war da noch sein Witz über Massagen. Hat er geflirtet? Es hörte sich zumindest so an.

Als er um den Pool herumgeht und hinter meinem Rücken verschwindet, kostet es mich viel Mühe und Selbstbeherrschung, nicht über meine Schulter zu schauen.

„Er ist reingegangen", lässt Colleen mich wissen und mein Blick fällt zurück auf ihr wissendes Lächeln.

„Ich sollte wohl mit ihm reden, bevor ich mich so verrückt mache, dass ich in die Anstalt muss."

Lachend stimmt sie mir zu. „Ich würde sagen, das solltest du."

Da ich genau weiß, dass ich wieder kneifen werde, wenn ich mich nicht sofort in Bewegung setze, stehe ich auf, ziehe das Tuch, das ich um die Taille trage, enger und gehe die Wendeltreppe hinunter, die ins Haus führt, bevor ich mir selbst meine Entscheidung ausreden kann.

Meine Nerven liegen blank, während ich versuche mir darüber klar zu werden, was ich überhaupt sagen soll, um das Eis zu brechen. Wenigstens finde ich Melvin schnell und zum Glück ist er allein in der Küche. Es wäre geradezu peinlich, ein Publikum zu haben.

Er steht vor dem Tresen, auf dem drei Eiscreme-behälter aufgestellt sind. Wahrscheinlich ist er gekommen, um für Max ein Eis zu machen.

„Hey", sage ich leise, bevor ich dem Drang nachgebe, der mich bereits dazu zwingt, mich umzudrehen.

Sein Kopf schwenkt kaum in meine Richtung, seine Augen begegnen mir nicht. Das Bedürfnis, wegzulaufen, verstärkt sich in dem Moment, in dem ich merke, wie sich sein Körper beim Klang meiner Stimme versteift.

Das ist der Beweis dafür, dass ich mir die Veränderung in seinem Verhalten nicht eingebildet habe.

„Hey."

Wenigstens bekomme ich eine Reaktion. Eine Sekunde lang hatte ich Angst, er würde mich einfach ignorieren. Ich würde nicht so weit gehen zu sagen, dass sein Ton kalt ist, aber es ist auch nicht der wärmste, mit dem er je zu mir gesprochen hat.

Jetzt, da ich hundertprozentig sicher bin, dass ich nicht von plötzlicher Paranoia befallen bin, sage ich mir, dass ich den nächsten Schritt wagen kann.

„Hör zu", beginne ich. „Habe ich … Stimmt etwas nicht? Ich meine, habe ich etwas falsch gemacht?"

Der innere Seufzer, den ich ausstoße, ist lang und schwer, als ich mich zwinge, die Klappe zu halten. Zugegeben, ich hatte nicht vor, so zu klingen, als könnte ich mich nicht einmal richtig ausdrücken. Das ist ein Gefühl, das ich auch nicht sonderlich mag.

„Nein. Alles in Ordnung. Warum?"

Immer noch kein Blickkontakt. Aber wenigstens ist da eine Frage, die eine Antwort verlangt.

„Weil du den ganzen Tag schon so kalt bist."

So wie auch gestern, aber halten wir die Dinge lieber schlicht.

„Nicht kalt. Nur ich selbst."

Vielleicht, wenn du ein Arschloch wärst, aber das bist du ja nicht.

Ohne mich eines Blickes zu würdigen, fummelt er weiter an dem verdammten Eis herum. Himmel, er könnte wenigstens den Anstand haben, mir in die Augen zu sehen, während er mich verarscht.

„Ist es wegen der Sache am Freitag, oder ist es wegen des Kusses?"

„Ist etwas wegen Freitag oder wegen des Kusses?"

Jetzt fängt er an, mich zu nerven. Ich lerne, dass es ein schmaler Grat ist zwischen dem Verlangen nach einem Kuss von jemandem und dem Drang, ihm eine Ohrfeige zu geben. Oder vielleicht ist das Bedürfnis, ihn zu küssen, gar nicht verschwunden und ich will ihn jetzt einfach nur zusätzlich ohrfeigen.

„Du, so kalt wie du bist und mich ignorierst", erkläre ich und verschränke verärgert die Arme, obwohl er mich anschauen müsste, um es zu sehen.

Hoffentlich kann er meine genervte Verfassung an meiner Stimme ablesen.

„Hör zu, der Kuss hätte nicht passieren dürfen. Es wird nicht wieder vorkommen", sagt er, wobei seine Worte jetzt etwas schärfer sind.

„Welcher?", frage ich und versuche mit Sarkasmus den Schmerz zu überspielen, den seine Aussage verursacht.

„Beide."

Okay, wir sind wieder bei einsilbigen Antworten angelangt.

„Ist es wegen meines Vaters? Hast du mit ihm gesprochen?"

Er benimmt sich wie ein Idiot und ich will wissen, warum.

„Habe ich nicht und werde ich auch nicht."

Ich atme ein paar Mal tief durch und rufe mir ins Gedächtnis, dass Melvin eigentlich kein kaltherziger Mensch ist. Das ist der einzige Grund, warum ich ihm nicht sage, dass er sich wie ein Vollidiot verhält. Ich merke, dass er mit etwas kämpft. Wenn er denkt, ich würde ihn nicht kennen, dann irrt er sich.

„Willst du mir einen Grund nennen?"

Ein paar Sekunden vergehen, bevor ich höre, wie ein leiser Seufzer über seine Lippen kommt. Wäre es im Haus nicht so still gewesen, hätte ich es nicht wahrgenommen.

„Es ist das Beste, das ist alles. Du bist jung und es würde nicht funktionieren", sagt er.

Wenn ich etwas nicht erwartet habe, dann das. Ich bin jung? Wie verdammt alt ist er? Sechzig?

Oh Gott.

Dummerweise kann ich meine Verlegenheit nur schwer unterdrücken, obwohl ich weiß, wie lächerlich seine Ausrede ist. Es sei denn, er spricht nicht von Alter, sondern von Erfahrung. Dann müsste ich zustimmen, dass Welten zwischen uns liegen. In diesem Fall ist seine Rechtfertigung für die Distanz zwischen uns nicht nur peinlich. Sie ist auch verletzend. Aber seine nächsten Worte sind noch viel demütigender und ich glaube, er wählt sie absichtlich.

„Du hast deinen Abschlussball und solche Dinge, während ich den Club und die Arbeit habe. Ich hätte dich nicht küssen sollen, Ende der Geschichte."

Ich könnte ihm sagen, dass er, da er mein Gespräch mit den Mädchen gehört hat, wissen sollte, dass ich gar nicht hingegangen bin. Aber das ist für ihn sowieso nur ein Detail. Außerdem weiß er ganz genau, dass ich mit der Highschool fertig bin.

Tränen einer absurden Scham brennen in meinen Augen. Ich spüre, wie sie sich schnell ansammeln, aber ich versuche, jede Faser an Kraft und Selbstvertrauen, die diese Worte überlebt haben, zu mobilisieren, um sie zurückzuhalten. Ich weiß nicht, warum er das tut und ich werde keine Antwort bekommen, wenn er nicht bereit ist, sich mir zu öffnen. Ich weiß nur, dass dieser abweisende Mann, der sich weigert, mir auch nur in die Augen zu sehen, nicht der ist, nach dem ich mich voll und ganz sehne und von dem ich hingerissen bin. Der Melvin, den ich kenne, wirft nicht mit demütigenden Sticheleien um sich. Vor allem dann nicht, wenn er den Betreffenden bereits gezeigt hat, dass er sich um sie sorgt. Aber er hat seine Wahl anscheinend getroffen, als er beschlossen hat, so mit mir zu reden.

„Du hast Recht, es wird nicht wieder vorkommen", stimme ich zu. „Ich habe zu viel Selbstachtung, um mich mit Arschlöchern einzulassen."

Vielleicht hat er mit etwas zu kämpfen, aber wenn er glaubt, dass ich um seine Aufmerksamkeit betteln werde, hat er sich geirrt.

Kapitel 9

Melvin

Ich trinke meinen vierten Whiskey und mein leerer Blick sinkt immer öfter auf den Boden des Glases, das ich in meiner Hand halte. Langsam, aber sicher sehe ich der bernsteinfarbenen Flüssigkeit beim Schwinden zu. So wie ich es bei den ersten dreien getan habe. Bald wird kein Tropfen mehr darin sein. Dann werde ich mit dem fünften weitermachen. Ich habe nicht vor, von diesem Hocker aufzustehen, bis ich nicht mehr geradeaus gucken kann. Vielleicht hilft mir einer meiner Brüder, meinen Hintern in mein Zimmer zu schleppen. Es ist mir auch egal. Auf der verfluchten Theke einzuschlafen, würde sowieso nicht viel ändern.

Nachdem ich den Tag bei Cam und Nate verbracht habe, inmitten der anderen vom Club, sehnte sich mein verkorkster Kopf nach ein wenig Einsamkeit und einer Menge Schnaps. Der einzige Grund, warum ich an diesem Whiskey nippe, ist, dass ich die ersten drei in nur wenigen Schlucken hinuntergestürzt habe. Wenn ich es nicht langsam angehe, kotze ich wie ein Fünfzehnjähriger, der zum ersten Mal betrunken ist, bevor ich Glas Nummer fünf erreicht habe.

Ich trinke selten starken Schnaps. Wenn man versucht, seine beschissenen Handlungen darin zu ertränken, hat das seine Schattenseiten. Es gibt aber auch einen Vorteil, der jeden Nachteil bei weitem übertrifft. Wenn man vom Trinken einer irrsinnigen Menge Whiskey umfällt, schaltet man die Gedanken aus, die mich seit heute Nachmittag quälen. Das Gefühl der akuten Scham, das seit Stunden in meinem Magen brodelt, mit allen Mitteln zu unterdrücken, ist so ziemlich das Einzige, wozu ich momentan in der Lage bin.

Sie war wütend. Verdammt, sie war stinksauer. Hätte ich meinen Instinkt siegen lassen und in ihre Richtung geschaut, hätte ich Feuer in ihren schönen grünen Augen gesehen. Und zwar nicht die gute Art von Feuer. Als ich hörte, wie Chloe sich umdrehte, um die Küche – und fünf Minuten später das Haus – zu verlassen, wusste ich, dass sie sauer war. Und sie hatte jedes Recht dazu.

Sie nannte mich ein Arschloch, aber das war noch milde ausgedrückt. Scheiße, ich bin ein verdammtes Arschloch für sie. Ich wünschte, ich könnte sagen, dass ich keine andere Wahl hatte, aber die Wahrheit ist, dass ich keine Ahnung habe, was ich da überhaupt tue. Was ich mache, entbehrt jeglicher Vernunft. Selbst als ich ihr diesen ganzen verletzenden Scheiß an den Kopf warf, war da diese Stimme in meinem Hinterkopf, die jeder intelligenten Gehirnzelle mitteilte, dass ich auf die schiefe Bahn geraten war. Ich habe einfach nicht auf sie gehört.

Seit Jules aus dem Nichts mit ihrer lächerlichen Vorstellung aufgetaucht ist, Max haben zu wollen, nur um dann die Menschen zu bedrohen, die für ihn die Familie sind, die sie nie für ihn und mich gewesen ist, kann ich nicht mehr klar denken. Ich gerate immer mehr außer Kontrolle. Ich kann es fühlen.

Ich treffe Entscheidungen, von denen ich weiß, dass sie genauso beschissen sind wie die von Jules. Ich stoße das Mädchen weg, das mir unter die Haut gegangen ist, und verletze sie dabei. Denn sie war nicht nur wütend auf mich. Sie war verletzt. Und verdammt, das macht mich mindestens genauso beschissen wie meine Mutter.

Ich kippe gerade den letzten Schluck meines Drinks hinunter, als ein großer Kerl auf dem Hocker zu meiner Rechten Platz nimmt.

Brent.

Zuerst herrscht nichts als Schweigen zwischen uns. Nennt mich paranoid, aber diese einfache Tatsache lässt in meinen Ohren verdammt laut die Alarmglocken schrillen. Mein Verstand mag betrunken sein, aber er denkt sofort wieder an Chloe. Ich bin sicher, dass sie mit dem, was passiert ist, nie zu ihrem Vater gehen würde, weil sie weiß, dass ich noch nicht einmal mit ihm über uns geredet habe, aber trotzdem ist die bedrückende Stimmung, die in der Luft liegt, nicht sehr vertrauenserweckend. Plötzlich hört sich das Auskotzen in der Toilette verdammt verlockend an, verglichen mit dem, was ich hier wohl durchmachen werde.

„Bist du der Grund, warum mein kleines Mädchen heute Nachmittag mit roten Augen nach Hause gekommen ist und sich seitdem in ihrem Zimmer eingeschlossen hat?"

Der Verdacht, dass es so weit kommen würde, war so stark wie der Alkohol, der durch meine Adern fließt, aber jeder Muskel in meinem Körper versteift sich trotzdem. Vor Schreck, aber vor allem vor Scham.

Ich bin ein verdammter Mistkerl. Ich habe mich vor dieser Konfrontation gefürchtet, seit ich Chloe als die atemberaubende, kluge und loyale, junge Frau wahrgenommen habe, zu der sie geworden ist. Aber ich hätte nie gedacht, dass ich endlich mit Brent darüber reden würde, dass seine Tochter die einzige Frau ist, auf die ich ein Auge geworfen habe, nachdem er es auf andere Weise herausgefunden hat. Schlimmer noch, wenn er erst einmal erfährt, dass ich die Sache bereits gründlich vermasselt habe. Jetzt werden die vier Gläser Whiskey nicht viel helfen, außer vielleicht, um den Schmerz der Prügel zu betäuben, die ich heute Abend bekommen werde.

Wie zum Teufel erklärt man einem Vater, dass man seine einzige Tochter so begehrt, wie man noch nie eine Frau begehrt hat? Wie soll ich ihm sagen, dass ich sie auf meinem Motorrad haben will? Dass ich jede Sekunde eines jeden Tages an sie denken muss? Dass ich jeden Zentimeter ihres Körpers küssen möchte, wenn ich sie sehe?

Ja, den letzten Teil werde ich ihm nicht sagen. Also, niemals.

Und wie soll ich mich dafür rechtfertigen, dass ich ihr Tränen in die Augen getrieben habe? Dafür gibt es keine Rechtfertigung. Ich bin am Arsch. Verdammt, welche Antwort soll ich überhaupt auf seine Frage geben? Es ist eine einfache Frage, und die einfache Antwort ist Ja, aber mein Gehirn scheint nicht einmal in der Lage zu sein, dieses eine Wort zu formen. Ich bin sprachlos und ich bin auch verdammt sauer, dass das Glas, das ich immer noch in der Hand halte, leer ist.

„Der einzige Grund, warum meine Faust noch nicht in deinem Gesicht gelandet ist, ist, dass obwohl es sich wie ein Schlag in die Magengrube anfühlt, mein kleines Mädchen auf diese Weise erwachsen werden zu sehen, ich mir keinen besseren Mann für sie hätte wünschen können als dich."

In dem Moment, in dem mein verwirrtes Gehirn begreift, was Brent da sagt, springt mein beschämter – und zugegebenermaßen etwas panischer – Blick von meinem trockenen Glas zu meinem Bruder.

Im letzten Jahr schossen Schuld- und Schamgefühle durch meine Brust, jedes Mal, wenn ich mir erlaubte, Chloe etwas zu lange anzuschauen. Jedes Mal, wenn mir auffiel, wie umwerfend sie in diesem oder jenem Outfit aussah. Jedes Mal, wenn ich mich fragte, ob ihre Lippen wohl süß auf meinen schmecken würden. Für mich war die Tatsache, dass Brent mich verprügeln und mir dabei ein oder zwei Zähne ausschlagen würde, weil ich ein Auge auf seine Tochter geworfen, geschweige denn sie berührt hatte, immer das einzig mögliche Ergebnis, wenn er es herausfinden würde. Nicht ein einziges Mal habe ich seinen Segen als Möglichkeit in Betracht gezogen.

Als ich immer noch keine Worte aus meinem Mund bekomme, fährt er fort. „Ich bin nicht blind, Melvin. Zweifellos hat jeder bemerkt, dass ihr beide euch seit Monaten anschaut. Diese Arschlöcher waren nur zu feige, es zu erwähnen, wenn ich dabei war." Er zieht kurz einen Mundwinkel hoch, bevor er weiterspricht. „Du bist ein guter Mann. Das ist alles, was ich mir für meine Tochter wünsche, und wie ich schon sagte, ist das der einzige Grund, warum deine Nase im Moment nicht blutet, mein Sohn." Mein Sohn. Das wird mir nicht helfen, meine Stimme wiederzufinden. „Aber das wird sich ändern, wenn du nicht anfängst zu erklären, warum mein kleines Mädchen geweint hat."

„Sie wurde meinetwegen gekidnappt."

Das ist es, was mir instinktiv über die Lippen kommt, zum Glück ohne zu lallen. Nachdem ich Mühe hatte, überhaupt zu sprechen, sind das die besten sechs Worte, die ich hätte finden können, um zusammenzufassen, was mich dazu gebracht hat, das süßeste Mädchen, das ich kenne, zum Weinen zu bringen.

„Sie wurde entführt, weil deine Mutter ein Junkie ist, die mit einem zwielichtigen Bikerclub abhängt."

„Genau das habe ich auch gesagt."

„Verflucht", murmelt er. „Du bist nicht verantwortlich für die Taten deiner beschissenen Mutter, verdammt noch mal. Aber heben wir uns das für später auf, wenn du weniger betrunken bist. Beantworte mir nur eine Frage. Glaubst du, dass Chloe jetzt sicherer ist, als sie es heute Morgen war?"

Ja, vielleicht. Ich weiß es nicht. Vielleicht auch nicht. Ich weiß es nicht. Ich weiß es einfach nicht.

„Ich weiß es verdammt nochmal nicht. Was soll ich tun? Was soll ich denn jetzt tun, verdammt? Blane hat nichts weiter über Jules und den Club herausgefunden, was bedeutet, dass es sich lediglich um einen Club handelt, der der Old Lady seines

Präsidenten hilft, ihren Sohn zurückzubekommen. Sie haben auf zivilisierte Weise angefangen, wahrscheinlich um sich nicht zu exponieren, wenn sie es vermeiden können, aber wie lange wird es dauern, bis sie beschließen, die Dinge auf die nächste Ebene zu bringen?"

Es ergibt für mich immer noch nicht den geringsten Sinn, dass Jules Max zurückhaben will, aber es ist, wie es ist. Vielleicht denkt sie, dass sie mit ihrem neuen Freund die perfekte kleine Familie spielen kann. Verdammt, wann werde ich jemals aus dieser Frau schlau?

„Was du machen sollst?", wiederholt Brent die Frage, auf die ich nicht wirklich eine Antwort erwartet habe. „Dich nicht besaufen, für den Anfang. Was Chloe angeht, so wirst du sie vor der Scheiße mit deiner Mutter und den Cobras beschützen, indem du ein Auge auf sie wirfst. Das werden wir alle." Er seufzt, aber ich habe das Gefühl, dass er noch nicht fertig ist, also warte ich, bis er wieder spricht. „Chloe wurde in dieses Leben hineingeboren. Sie weiß, dass sie vorsichtig sein muss. Sie ist auch stärker, als man denken könnte. Sie ist ihrer Mutter sehr ähnlich. Weißt du, wenn ich Fi hätte gehen lassen, als es das erste Mal mit den Clubangelegenheiten etwas brenzlig wurde, wäre meine Frau schon lange weg und würde unser perfektes Leben mit einem anderen Kerl führen. Ich respektiere, dass du meine Tochter beschützen willst, aber das ist nicht der richtige Weg dafür. Sie hat sich für dich entschieden. Akzeptiere das einfach und bringe die Dinge in Ordnung."

Er hat gerade zu Ende gesprochen, als ich herausplatze: „Ich muss mich entschuldigen."

Noch vor wenigen Minuten war mein Kopf ein verschwommener Ort, an dem kein einziger Gedanke auch nur einen Hauch von Sinn ergab. Der Versuch, eine Lösung für den Schlamassel zu finden, den ich mit Chloe angerichtet habe, war wie der Versuch, eine Gleichung mit drei Unbekannten zu lösen, und jetzt sieht mein Verstand alles klar. Es gibt nur noch einen einfachen Gedanken: sich bei Chloe entschuldigen.

„Gleich nachdem du dich ausgeschlafen hast", rät er und nickt mit dem Kinn in Richtung meines leeren Glases.

Stimmt. Zu jemandem zu gehen, wenn man halb betrunken ist, ist nicht die beste Idee, um um Vergebung zu bitten.

„Noch eine Frage, nur damit ich beruhigt bin. Ist es dir ernst mit ihr?"

„Ich hätte sie nicht einmal angeschaut, wenn es nicht so wäre", antworte ich, ohne zu überlegen und schaue ihm direkt in die Augen.

„Das habe ich mir gedacht. Dann hast du meinen Segen."

Fuck. Ich gebe dem Alkohol die Schuld für die Welle von Emotionen, die mich bei diesen Worten durchströmt. Das muss es sein, was es mir schwer macht, meine Stimme zu kontrollieren, als ich „Danke" sage.

Ich kann nicht leugnen, dass es mir verdammt viel bedeutet, dass er mich seiner Tochter würdig erachtet.

„Danke mir, indem du dich um sie kümmerst."

„Das werde ich."

Das ist ein Versprechen, das ich nie wieder brechen werde. Mich um Chloe zu kümmern ist alles, was ich will. Und das fängt jetzt an. Ich werde den Alkohol ausschlafen, den ich gar nicht erst hätte trinken sollen, und dann werde ich um ihre Vergebung kämpfen. Ab sofort werde ich mein Mädchen nur noch gehen lassen, wenn sie mir sagt, dass ich mich verpissen soll.

Kapitel 10

Chloe

Das heiße Wasser rinnt an meinem Körper herunter und spült den Schaum meiner nach Vanille duftenden Lieblingsseife mit sich. Die lange Dusche hat nicht ausgereicht, um meine miese Laune zu vertreiben, aber ich glaube, das kann sowieso nichts. An jedem anderen Tag hätte ich die Dusche als himmlisch empfunden.

Heute war eigentlich ein guter Tag. Nachdem Cody und ich einem metallicblauen Shelby GT 500 mit goldenen Streifen auf jeder Seite neues Leben eingehaucht hatten, konnte ich meine Lackierkünste an anspruchsvolleren Modellen üben. Aber das hat nicht gereicht, um meine düstere Stimmung vollständig aufzuhellen. Das gestrige, schreckliche Ende eines ansonsten angenehmen Tages hat mich auch heute noch verfolgt, genauso wie es mich die ganze letzte Nacht über nicht losgelassen hat.

Man sollte meinen, dass die freundlichen Blicke, die Melvin mir immer wieder zugeworfen hat, wenn wir uns in der Werkstatt über den Weg gelaufen sind oder sich unsere Blicke beim Mittagessen trafen, meine Laune gehoben hätten, aber wenn überhaupt, dann haben mich diese anhaltenden Blicke verwirrt. Bedeutet diese plötzliche Sensibilität, dass er sein beschissenes Verhalten bereut? Ich bin mir nur sicher, dass er es anscheinend satthat, mich zu ignorieren. Aber ich werde nicht darüber nachdenken, was ihm gerade durch den Kopf gehen mag. Wenn er mir etwas zu sagen hat, weiß er, wo er mich findet. Er wird den ersten Schritt machen müssen. Er war ein verletzendes Arschloch und ich werde das nicht einfach so hinnehmen.

Abgesehen davon ist es schwer, sich von ihm fernzuhalten, wenn er so süß aussieht mit diesen verdammten Hundeaugen. Jemand, der so groß und muskulös ist, sollte nicht die Fähigkeit haben, so zu schauen. Jedes Mal, wenn ich ihn heute dabei erwischt habe, wie er mich ansah, habe ich den Drang verspürt, zu ihm zu laufen und ihn zu umarmen, obwohl ich nicht diejenige bin, die etwas falsch gemacht hat. Und Gott, wie sehr bringen mich diese Augen dazu, ihn küssen zu wollen. Weil sie auch unglaublich sexy sind.

Nachdem ich mich schnell abgetrocknet habe, schlüpfe ich in schwarze Jeansshorts und ein einfaches weißes Shirt. Dann stecke ich mir die feuchten Haare zu einem unordentlichen Dutt zusammen. In der Hitze des späten Nachmittags werden sie schnell genug trocknen.

Endlich bin ich bereit, einkaufen zu gehen. Ich ziehe ein paar weiße Turnschuhe an und greife nach meiner Handtasche, die auf dem Schreibtisch liegt, den mein Vater vor Jahren gekauft hat. Auf diese Weise hatte ich einen eigenen Platz für meine Hausaufgaben, wenn wir im Club wohnten. Jetzt sind die Hefte, Ordner und Stifte verschwunden, die täglichen Hausaufgaben sind durch einen monatlichen Gehaltsscheck ersetzt worden. Diesen Monat habe ich tatsächlich erstmals ein Gehalt auf meinem

Bankkonto verbucht. Obwohl ich schon immer ein ziemlich vernünftiger Mensch in Sachen Geld war, werde ich eine Ausnahme machen und zumindest die Hälfte davon für neue Kleidung, schöne Unterwäsche und vielleicht die eine oder andere Halskette auf den Kopf hauen. Aber ab dem nächsten Monat werde ich anfangen, den Großteil meines Lohnes für eine Wohnung zu sparen. So sehr ich meine Eltern und Jo auch liebe, ich werde nicht für immer bei ihnen wohnen. Wahrscheinlich werde ich mir eine Wohnung in Twican suchen. Das sollte nicht allzu schwer sein, zumal ich es nicht eilig habe. Es wird schön sein, meine eigenen vier Wände und auch etwas mehr Privatsphäre zu haben.

Mein Handy summt in meiner Handtasche und ich bleibe in der Nähe der Tür stehen, um es rasch zu suchen. Ein Lächeln breitet sich auf meinen Lippen aus, als ich Livs SMS lese.

Liv: *Hat er schon seine Eier vom Boden gekratzt?*

Ich fange an zu tippen, während ich mich wieder auf mein Bett setze.

Ich: *Nein, aber wenn ich eigene Eier hätte, würde ich sie vielleicht gerade vom Boden kratzen.*

Liv: *Hast du mit ihm gesprochen?*

Ich: *Nein, aber wenn er so weitermacht wie bisher, ist alles möglich.*

Liv: *Bleib stark! Sind wir nächstes Wochenende immer noch zum Frühstück verabredet? Dieses ganze Arbeitsleben ist anstrengend.*

Ich: *Nicht wahr?! Warte nur ein paar Jahre ab, sobald wir Kinder dazu bekommen.*

Liv: *Mensch, diese Bälger sind Spaßbremsen, ich sag's dir :) Okay, ich muss zurück an die Arbeit. Noch eine Stunde. Wir reden später!*

Ich lache, weil ich weiß, dass sie nur einen Scherz über die Kinder macht. Olivia hat sich eigentlich immer eine große Familie gewünscht. Je mehr Kinder, desto besser, findet sie.

Ich: *Wir hören uns später!*

Ich schiebe mein Handy zurück in meine Tasche, verlasse mein Zimmer, schließe die Tür hinter mir und jogge die Treppe hinunter.

„Hey, Mama", rufe ich zur Couch, wo sie mit Erin eine Tasse Kaffee trinkt. „Ich gehe jetzt."

„Okay. Sei vorsichtig, Süße. Hast du dein Handy dabei?"

„Eingeschaltet und mit vollem Akku", versichere ich ihr, während ich weiter auf die Haustür zusteuere. „Wir sehen uns in ein paar Stunden."

Zu lange zu verweilen ist keine gute Idee. Meine Mutter würde nie versuchen, mich einzusperren, vor allem nicht jetzt, da ich erwachsen bin und meine eigenen Entscheidungen treffen kann, aber ihre

Sorge könnte sie trotzdem dazu bringen, mich davon zu überzeugen, dass es sicherer wäre, hier zu bleiben. Seit dem, was vor drei Tagen mit Melvins Mutter passiert ist, machen sich meine Eltern Sorgen um mich. Ich verstehe das, aber ich möchte auch nicht für Gott weiß wie lange weggesperrt werden. Das heißt aber nicht, dass ich leichtsinnig bin. Ich war schon immer vorsichtig, wenn es einen Grund dazu gab, aber ich möchte das Leben trotzdem frei genießen.

Als ich aus dem Club trete, krame ich in meiner Handtasche nach meinen Schlüsseln und gehe zielstrebig zu dem kleinen weißen Auto, das meine Eltern mir vor ein paar Jahren gekauft haben. Es ist draußen vor dem Tor geparkt, aber mein entschlossener Schritt wird unterbrochen, bevor ich es überhaupt erreichen kann.

„Chloe, warte! Kann ich mit dir reden?"

Es liegt eine deutliche Dringlichkeit in Melvins Stimme, die sich hinter mir erhebt. Sie hat auch etwas Sexuelles an sich – obwohl ich vielleicht die Einzige bin, die das wahrnimmt – und es fällt mir schwer, mich daran zu erinnern, dass ich immer noch wütend auf ihn bin. Noch schwerer, als wenn ich ihm den ganzen Tag in seine Welpenaugen schaue.

Ich drehe mich um, obwohl ich den kindlichen Drang verspüre, ihn zu ignorieren, so wie er mich zwei Tage lang ignoriert hat – vor allem, weil er die Frechheit besaß, mir eine Bemerkung über mein Alter an den Kopf zu werfen – und beobachte, wie er auf mich zuschreitet und erst langsamer wird, als er fast bei mir ist. Ich sage nichts, denn ich bin ja schließlich so nett, ihm zuzuhören.

„Wohin gehst du?", fragt er, als er vor mir stehen bleibt, nicht zu weit, aber auch nicht zu nah.

Das nennt er also, mit mir reden zu wollen? Also gut.

„Kindergeburtstag. Ich glaube, es wird Clowns geben und sogar eine Hüpfburg. Kann's kaum erwarten."

Das Lächeln, das ich auf meine Lippen zaubere, ist das falscheste, das ich je aufgesetzt habe, und meine Begeisterung könnte auch nicht übertriebener sein. Ich bin unfreundlich, aber seine beleidigende Bemerkung über meinen frischgebackenen Highschool-Status hängt mir immer noch nach.

Das Zucken, das seine Züge verzieht, löst in mir ein leichtes Schuldgefühl aus. Ich will mich gerade entschuldigen, als er spricht.

„Es tut mir leid. Es tut mir leid, dass ich diesen Blödsinn gesagt habe und wie ich mich verhalten habe."

„Warum hast du das getan?", frage ich ihn, sobald er geendet hat. Der Schmerz, der mich seit gestern verfolgt, hat meine Überzeugung, dass er nicht aus Bosheit gehandelt hat, nicht verdrängt. „Ich weiß, dass ich noch viel über dich lernen muss, aber ich weiß auch, dass der Idiot von gestern nicht du warst."

Bei meinen Worten blitzt Erleichterung in seinen Augen auf, als er leise ausatmet.

„Was mit Jules passiert ist ...", beginnt er, bevor ihm ein weiterer Seufzer über die Lippen kommt.

„Ich wusste einfach nicht, wie ich damit umgehen sollte. Ich war ein Arsch zu dir, denn als mir klar wurde, dass du wegen ihr in Gefahr warst, bin ich ausgeflippt."

„Und was? Dachtest du, wenn du mich wegstößt, vergisst sie, dass ich überhaupt existiere?"

Meine hochgezogene Augenbraue soll ihm zu verstehen geben, dass das noch bei niemandem funktioniert hat.

Er schnaubt, während seine Hände in seine Vordertaschen wandern. „Glaub mir, ich habe seit gestern begriffen, wie dumm das war. Und dein Vater hat bereits angedeutet, dass ich meinen Verstand hätte benutzen sollen, ehe ich dich zum Weinen gebracht habe. Es tut mir wirklich leid, Chloe."

Eigentlich sollte ich mich dafür schämen, dass die Tatsache, dass ich geweint habe, erwähnt wurde, aber ich kann mich nur darauf konzentrieren, dass er endlich mit meinem Dad geredet hat.

„Du hast also mit ihm gesprochen?", hake ich nach.

„Er kam gestern Abend zu mir und wollte mir in den Arsch treten, wenn ich ihm nicht sagen würde, warum du weinend nach Hause gekommen bist. Ich bin aber glimpflich davongekommen. Nicht einmal ein blauer Fleck." Er lächelt schwach. „Und was noch wichtiger ist: Er hat mir seinen Segen gegeben, mit dir auszugehen."

„Hat er das?", frage ich sofort.

Jetzt wird es interessant.

Die Verlegenheit, die ich empfinde, weil ich weiß, dass er von meinem gestrigen beklagenswerten Zustand Wind bekommen hat, hat nichts mit der Aufregung zu tun, die mich durchströmt, seit ich weiß, dass wir miteinander ausgehen können. Endlich können wir die Anziehungskraft, die zwischen uns gewachsen ist, erforschen, und das breite Lächeln, das mir entgegenstrahlt, macht den restlichen Schmerz zunichte.

„Das hat er, Sonnenschein." Es tut so gut, wieder ein Lächeln in seinem Gesicht zu sehen. „Du willst dich also wirklich mit Freunden zu einem Geburtstag treffen?"

„Nein", antworte ich und versuche gar nicht erst, mein Lächeln zu unterdrücken. „Ich bin dabei, mindestens die Hälfte meines ersten Gehaltsschecks für Klamotten auszugeben."

Er kichert über meinen Eifer und tritt einen Schritt vor. Er ist jetzt nahe genug, dass ich seinen Duft von Holz und Zitrusfrüchten wahrnehmen kann.

„Kann ich mitkommen?", fragt er mich.

Sobald ich seine Frage registriert habe, neige ich den Kopf zur Seite. „Einkaufen?"

„Warum nicht?"

Ich seufze, weil ich weiß, woran er denkt.

„Ich komme schon klar", versichere ich ihm. „Ich werde ausschließlich an einer belebten Straße parken und in einem überfüllten Einkaufszentrum einkaufen gehen. Außerdem habe ich mein Pfefferspray dabei", erkläre ich ihm, während ich ein paar Mal auf meine Handtasche klopfe.

Er ist nicht schnell genug, um den Blick zu verbergen, der sagt: *Dein Pfefferspray wird so nutzlos sein wie eine Wasserpistole, wenn du auf eine Gruppe von Bikern triffst, die echte Waffen tragen*, aber er kommentiert meine kleine Liste von Beruhigungen nicht, als er das Wort ergreift.

„Ich möchte mitkommen. Und wenn es dir recht ist, würde ich dich gerne zum Essen einladen, sobald deine Karte nicht mehr funktioniert." Er grinst. „Ich war selbst noch nie auf Einkaufstour, aber ich wette, so etwas macht richtig Appetit."

Noch mehr Aufregung. Nach dem Kuss in der Mitte des Teichs ist das eine weitere Premiere, die er mir schenken würde. Ein Abendessen. Und das, nachdem er mit mir einkaufen war.

„Das hört sich toll an", gebe ich zu und habe das Gefühl, dass ich nie wieder aufhören werde zu lächeln. „Aber ich bezweifle, dass ich in weniger als ein paar Stunden fertig bin. Bist du sicher, dass du das ertragen willst?"

„Gib mir deine Schlüssel", sagt er als Antwort, nimmt die Hände aus den Taschen und hält eine Hand auf.

Offenbar ist er sich sicher, dass er mitkommen will, aber das erklärt mir nicht, warum er meine Schlüssel haben möchte. Obwohl ich eine Idee habe. Ich wurde von einem Biker großgezogen und bin schließlich in ihrem Umfeld aufgewachsen.

„Warum willst du meine Schlüssel?", frage ich ihn trotzdem und lasse sie genau dort, wo sie sind, in meiner Hand.

„Klingt so, als würden das zu viele Taschen für mein Motorrad werden."

„Das werden es", bestätige ich. „Aber *ich* fahre mit meinem Auto, du Macho."

Ich drehe mich um und kann mir ein Grinsen nicht verkneifen, als er aufstöhnt, aber meine Entscheidung hinnimmt. Der Blick, den er mir zuwirft, als ich auf den Fahrersitz meines Autos klettere, ist aus irgendeinem Grund eher feurig als verspielt und schon ist meine miese Laune verflogen.

Wenn ich heute eines gelernt habe, dann, dass Melvin ein entspannter Typ ist. Das war schon mein Eindruck, aber jetzt gibt es keinen Zweifel mehr. Drei Stunden lang bin ich durch die Läden gelaufen und habe versucht, mich zwischen einem blauen und einem korallenroten Kleid, einem schwarzen und einem grünen Oberteil – in diesem Fall habe ich beides gekauft – und einem Paar kamelfarbener Cowboystiefel oder ihrem grauen Zwilling zu entscheiden … Ich gebe zu, dass diese drei Stunden jedem eine Menge Geduld abverlangt hätten. Ich wurde mit einer großen Schwäche geboren: der Unfähigkeit, schnelle Entscheidungen zu treffen. Dabei spielt es auch keine Rolle, wie nichtig diese auch sein mögen.

„Nur damit du es weißt, ich bezahle das Abendessen", sagt Melvin, als ich den Kofferraum meines Autos zuknalle, nachdem wir alle Taschen hineingepackt haben. Gerade als ich den Mund öffnen will, um zu antworten, fährt er fort. „Keine Widerrede, Sonnenschein. Ich habe dich für deine Sachen bezahlen lassen, weil es dir wichtig war, dass du sie mit deinem ersten Gehaltsscheck kaufst, aber lass uns

Kapitel 11

Melvin

"Gut gemacht, Max!", rufe ich und klatsche ein paar Mal in die Hände. Er hat zwar kein Tor geschossen, aber sein Freistoß war, wie schon neulich im Club, einfach klasse. Doch der Torwart der gegnerischen Mannschaft hat auch echtes Talent.

Neben mir pfeift Cody laut, und der Stolz in seiner Stimme ist groß, als er sagt: „Der kann was, verdammt."

„Ja, er liebt den Sport wirklich."

Das ist für mich das Wichtigste. Welche außerschulische Aktivität er auch immer wählt, es ist mir egal, ob er wirklich gut darin ist oder nur durchschnittlich. Solange er es liebt, werde ich ihn unterstützen. Ich möchte, dass mein kleiner Bruder die beste Kindheit hat, die ich ihm bieten kann. Ich denke, dass ich das bis jetzt gar nicht so schlecht mache.

„Oh, hat Lilly heute Morgen mit dir gesprochen?", fragt mich Cody, obwohl seine Augen immer noch auf das Spiel gerichtet sind.

„Nein, warum?"

Lilly verpasst selten Max' Spiele, aber heute Morgen musste sie länger als sonst im Fitnessstudio bleiben. Die Wochenend-Empfangsdame hat sich krankgemeldet, und diejenige, die wochentags arbeitet, kann erst ab Mittag für sie einspringen.

„Brent und Fi besuchen eine Woche lang Brents Schwester. Sie reisen heute Nachmittag ab. Am Montag gehen sie in einen Wasserpark und haben noch andere lustige Sachen für die Kinder geplant. Brent hat mir und Lilly angeboten, mit ihnen zu fahren und Max mitzunehmen. Er dachte, das würde ihm vielleicht gefallen. Was hältst du davon?"

„Nun, ich denke … ich weiß es nicht. Ich meine, es hört sich toll an und Max wäre bestimmt begeistert. Aber bist du dir sicher? Ihr macht doch schon so viel …"

„Hör auf." Sein Ton ist fest. „Das klingt so, als ob wir es als lästig empfinden, ihn mitzunehmen. Wir lieben es, ihn um uns haben zu können."

„Ich weiß, dass ihr das tut. Er liebt es auch, bei euch zu sein."

Daran habe ich keinen Zweifel. Die Unterstützung, die sie mir zuteilwerden lassen, und die Liebe, die sie Max entgegenbringen, sind unbezahlbar. Vielleicht liegt es daran, dass sie noch nie Kinder hatten und Max irgendwie einen Elterninstinkt geweckt hat. Ich weiß nur, dass sie mir eine große Hilfe waren und dass sie Max lieben, als wäre er ihr eigener Sohn.

„Außerdem bin ich mir sicher, dass es dir nichts ausmacht, ein wenig Zeit mit deiner neuen Freundin allein zu verbringen."

Ich lache und schüttle den Kopf. „Ich hoffe, das hast du Brent nicht erzählt."

„Bist du verrückt?" Schmunzelnd fügt er hinzu: „Mir liegt viel an meinem Leben. Also, ist es abgemacht? Wir nehmen ihn mit?"

„Ja, natürlich. Er war noch nie in einem Wasserpark. Er wird durchdrehen." Ich muss lächeln, als ich mir seine Reaktion vorstelle. „Danke", sage ich dankbar.

„Du musst dich nicht bei mir bedanken."

„Doch, das muss ich. Er ist im letzten Jahr aus seinem Schneckenhaus herausgekommen, du und Lilly habt viel damit zu tun." Das ist einfach nur die Wahrheit. „Außerdem wäre es die perfekte Ablenkung für ihn. Es scheint ihm trotz Jules Wiederauftauchen gut zu gehen, aber je weniger er an sie denkt, desto besser. Ich bereite seine Sachen vor, sobald wir zu Hause sind. Hey, wie wäre es, wenn ihr mit uns zu Mittag esst? Ich hole uns auf dem Rückweg eine Pizza."

„Hört sich gut an."

Der Schiedsrichter pfeift das Spiel ab und in Sekundenschnelle rennen alle Kinder auf dem Spielfeld zu denjenigen, die sie angefeuert haben.

„Habt ihr das Tor gesehen!" Max strahlt, als er uns erreicht.

Er ist außer Atem, verschwitzt und seine dunklen Haare, die meinen sehr ähnlich sind, stehen kreuz und quer vom Kopf ab, aber das ist ihm völlig egal, denn der Stolz steht ihm ins gerötete Gesicht geschrieben.

„Na klar." Cody strahlt genauso und hält seine Hand für ein High Five hoch.

„Lilly konnte nicht kommen?", fragt er, da er sie jeden Samstag hier zu sehen gewohnt ist.

„Sie muss noch eine Viertelstunde oder so im Fitnessstudio bleiben, weil sich jemand krankgemeldet hat", erklärt Cody. „Sie trifft uns dann zum Mittagessen bei dir zu Hause. Und was hältst du davon, wenn du, Lilly und ich dann mit Fi, Brent und Jo für ein paar Tage zu Brents Schwester fahren? Sie haben geplant, in einen Wasserpark zu gehen und ein paar andere lustige Aktivitäten zu unternehmen."

Ich kann genau sehen, wie die Augen meines Bruders vor Begeisterung aufleuchten, und er sieht mich mit einem Blinzeln an, wobei sein Blick bereits flehend wird.

„Kann ich mitkommen? Bitte?"

Als ob ich nein sagen würde.

Ich kichere über seinen Eifer. „Natürlich darfst du. Aber wir müssen uns beeilen. Wir holen uns Pizza, dann musst du duschen und eine Tasche fertig machen, bevor wir essen."

„Okay!", ruft er und springt vor Aufregung auf. „Danke!", sagt er zu uns beiden und hüpft zu einer Bank in der Nähe, um seine Tasche zu holen.

Meinen kleinen Bruder buchstäblich vor Glück hüpfen zu sehen, macht mich immer froh, obwohl ich nicht leugnen kann, dass es etwas anderes gibt, das mich im Moment genauso glücklich macht: mein Abend allein mit Chloe.

***

„Es riecht wirklich gut", sagt Chloe, während sie sich ein Glas Wein zu dem Roastbeef und den Bratkartoffeln einschenkt, die ich, glaube ich, nicht versaut habe.

Ich habe sie schon ein paar Mal ein Bier trinken sehen, aber nie etwas Stärkeres. Sie ist zwar noch nicht einundzwanzig, aber ich habe ja auch sogar schon vor meinem achtzehnten Lebensjahr angefangen, Bier und gelegentlich Schnaps zu trinken.

„Danke. Hoffentlich schmeckt es genauso gut", antworte ich. „Jetzt setz dich und iss, Sonnenschein."

Sie stellt mir eine Bierflasche auf den Tisch, bevor sie sich setzt, ich folge ihr und nehme auf dem Stuhl ihr gegenüber Platz. Ich habe den Esszimmertisch gedeckt, der nur genutzt wird, wenn wir Gäste zum Essen haben. Normalerweise sind das Cody und Lilly. Ansonsten essen Max und ich jede Mahlzeit am Frühstückstisch in der Küche.

Sie lächelt mich an, als sie ihre Gabel in die Hand nimmt, und Gott, sie sieht heute Abend wirklich wie die Sonne aus. Sie hat tatsächlich ein leuchtend gelbes Sommerkleid an. Es verdeckt ihre Beine vollständig, aber das Dekolleté, das ich zu sehen bekomme, zeigt gerade genug von ihrer cremefarbenen Haut, um das Bedürfnis zu wecken, mehr von ihr zu Gesicht zu bekommen. Besonders jedes Mal, wenn sich der Federanhänger ihrer Halskette mit ihren Bewegungen verschiebt und das Tal zwischen ihren Brüsten streichelt. Sie trägt heute Abend einen Hippie-Look. Das passt zu ihr. Ich bin es gewohnt, ihr beim Umstylen zuzusehen, und das hat mir schon immer an ihr gefallen. Egal, ob sie sich für einen lässigen Stil mit Jeans und einfachem Shirt, für feminine Sachen wie heute Abend oder für einen sportlichen Look mit Pullover und Turnschuhen entscheidet, sie scheint sich immer in ihrer eigenen Haut wohlzufühlen.

„Mmmm ..." Das Brummen, das sie von sich gibt, unterbricht meine Begutachtung. „Es schmeckt wirklich gut. Du kannst also kochen", sagt sie und lobt meine Kochkünste.

„Kann ich. Aber ich mache es nicht mehr so oft wie früher. Lilly verwöhnt wohl nicht nur Max."

„Das glaube ich." Sie gluckst, als sie mein Grinsen sieht. „Er klang so aufgeregt wegen morgen."

Das ist noch milde ausgedrückt. Er konnte gar nicht mehr aufhören, darüber zu reden, vor allem, nachdem Lilly und er sich den Wasserpark im Internet angesehen hatten.

„Ich werde nicht müde, ihn so zu sehen. Er hatte keinen leichten Start ins Leben, aber er ist glücklich, seit ich ihn zurückhabe. Das Zusammensein mit dem Club, und vor allem mit Lilly und Cody, war ein großer Wendepunkt. Wir hatten immer einander und das wird sich nie ändern, aber ich glaube, er sehnte sich nach einer Familie. Menschen, die sich um ihn kümmern, verstehst du?"

Sie nickt verständnisvoll. „Er scheint wirklich glücklich zu sein."

Ein weiterer Laut hörbarer Freude, der aus ihrer Kehle aufsteigt, lässt meinen Blick hinunter zu ihren Lippen wandern. Sie sind von Natur aus rosig und sehen so weich aus, dass es unmöglich ist, sich nicht daran zu erinnern, wie perfekt sie sich anfühlen.

„Weißt du was? Wenn du irgendeinem Mädchen eine Kostprobe deiner Kochkünste gegeben hättest, wäre ich nicht deine erste Freundin gewesen", erklärt sie. „Dann wärst du wahrscheinlich schon verheiratet. Dann wäre ich gar nicht erst deine Freundin geworden."

„Dann ist es ja gut, dass ich das nicht getan habe."

Sie lächelt, nimmt einen Schluck von ihrem Wein und sagt dann: „Gute Antwort."

Ich zwinkere ihr zu und liebe es, wie sie dabei errötet.

„Ganz zu schweigen davon, dass du noch eine weitere Premiere von mir bekommst. Das erste Mädchen, das in mein Haus kommt und meine wunderbaren Kochkünste genießt."

„Du hast recht. Das sind schon zwei erste Male. Nicht schlecht."

„Und du dachtest schon, du würdest keins bekommen." Ich stoße ein kleines Schnauben aus, was mir ein weiteres strahlendes Lächeln beschert.

Wir essen zu Ende, während wir uns über alles Mögliche unterhalten, wie Arbeit, Filme oder wann die nächste Ausfahrt geplant ist, – bei der sie wieder hinten auf meinem Motorrad sitzen wird, aber diesmal als mein Mädchen – dann gehen wir ins Wohnzimmer, sie mit einem zweiten Glas Wein und ich mit einem Bier.

„Sind das Cams Möbel oder habt ihr bei eurem Einzug umdekoriert?", fragt sie mich, als sie sich auf das samtige, graue Sofa setzt, nachdem sie ihr Glas auf den Couchtisch gestellt hat.

Max und ich wohnen in Cams Elternhaus. Als ich vor fast zwei Jahren meine Kutte bekam, hat Nate, der damals noch Präsident des Clubs war, weil Jayce eine schwere Zeit durchmachte, sofort angeboten, mir zu helfen, Max zurückzubekommen. Mason, der Anwalt des Clubs, kümmerte sich um den ganzen rechtlichen Scheiß, aber ich musste beweisen können, dass Max bei mir ein stabiles Leben haben würde. Ich wohnte damals im Club und das hätte nicht gereicht. Camryn war gerade dabei, mit Nate zusammenzuziehen, und sie bestand darauf, dass ich hier einziehe. Dieser Schritt machte die Dinge für mich verdammt noch mal einfacher. Max hingegen war es eigentlich egal, wo wir wohnten. Ich sah ihn immer noch einmal pro Woche, während er bei seiner Pflegefamilie lebte, und obwohl er in Sachen Pflegeeltern im Lotto gewonnen hatte, wusste ich, dass er zurückkommen und mit mir zusammenleben wollte. Ob wir in einem Haus oder einer Einzimmerwohnung leben würden, war ihm völlig egal.

„Alles ihrs", antworte ich, stelle mein Bier ab und lasse mich neben ihr auf das Sofa sinken.

Auf ganz natürliche Weise schmiegt sie sich an meine Seite, als ich einen Arm um ihre Schultern lege. Ich liebe es, wie entspannt sie mit mir ist. Wenn man sie so locker sieht, würde man nicht glauben, dass sie noch nie einem Mann so nahe war.

„Es war alles nagelneu, als ich einzog, denn sie hatte nach dem Brand gerade das ganze Haus renoviert. Sie brauchte nichts davon, weil Nate schon alles hatte, und ich sah keinen Sinn darin, etwas zu ändern. Ich habe nur die Möbel für Max' Schlafzimmer gekauft. Ich wollte, dass er sein eigenes Zimmer hat, mit Dingen, die er selbst aussucht und die ich dann mitnehmen kann, wenn ich ein eigenes Haus oder eine Wohnung kaufe. Ich hätte nicht gedacht, dass ich so lange bleiben würde, um ehrlich zu sein", gebe ich zu. „Aber als ich gesehen habe, wie gut es Max geht, wollte ich nicht riskieren, dass er noch einmal umzieht, um es nicht unter einen schlechten Stern zu stellen. Also wohne ich immer noch zur Miete in Cams Haus."

„Unter einen schlechten Stern?" Ihr Grinsen soll wohl spielerisch sein, aber in meinen Augen ist es verdammt sexy. „Du glaubst nicht zufällig an diese Art von Aberglauben, oder? Ich kann dir die Karten lesen, wenn du willst", bietet sie mir neckend an.

„Ich passe, aber danke, du Schlaumeierin."

„Nichts zu danken. Das Angebot steht", sagt sie. „Aber im Ernst, ein Umzug in eine andere Wohnung bringt nichts durcheinander. Es ist ja nicht so, dass er wieder in eine Pflegefamilie kommt oder dass du ihn aus dem Club und dem Leben, in dem er sich eingelebt hat, herausreißen würdest. Ein Haus ist einfach nur ein Haus. Solange er bei dir ist, wird es ihm nichts ausmachen."

„Du hast recht", stimme ich zu. „Und ja, er hat sich wirklich schnell in unser neues Leben eingelebt. Ich bin froh, dass er im Umfeld des Clubs aufwachsen kann. Zu wissen, dass so viele Menschen für ihn da sind, beruhigt mich ein wenig."

„Das verstehe ich. Das Clubleben kann großartig sein, auch wenn manche Leute eine andere Meinung darüber haben. Ich würde meine Kindheit gegen keine andere tauschen wollen. Sicher, das Leben im Club kann auch hart sein, besonders wenn man jemanden verliert, aber die Familie, die man dadurch bekommt, ist es wert."

„Du denkst an Jayces Familie? Hast du ihnen nahegestanden?"

„Isaac war wie ein Großvater, Connor wie ein On-
kel und Billy war eher wie ein älterer Bruder, der mir
gerne dumme Witze beigebracht hat."

Sie lacht bei der Erinnerung an die Männer, die für
sie genauso zur Familie gehörten wie für Jayce. Ihr
subtiles Lachen ist ein wenig traurig, aber auch von
tiefer Zuneigung geprägt. Es macht mir klar, wie
viel sie durchgemacht hat. Zuerst der Verlust ihrer
Großmutter, der sie sehr nahestand. Ein paar Jahre
später verliert sie drei Männer, die sie aufwachsen
sahen, und nicht lange danach wird sie von drei
Drecksäcken angegriffen, denen beigebracht wurde,
dass sie sich nehmen können, was sie wollen und
wann sie es wollen. Wenn ich daran denke, dass all
das während ihrer Teenagerzeit passiert ist, kann ich
sie nur mit Ehrfurcht betrachten. Brent hatte recht;
sie ist stark. Die Leute sehen ein Mädchen wie sie,
sanft und diskret, so verdammt süß, und sie halten
das für Schwäche. Aber sie ist nicht schwach. Sie ist
stark und widerstandsfähig.

„Ich bin in ihrer Nähe aufgewachsen. Sie waren
meine Familie", fährt sie fort. „Es ist ein Segen, so
viele Menschen zu haben, die man als Familie bezeichnen kann, aber wenn einer von ihnen stirbt,
besonders auf diese Weise, ist das hart. Damals war
es sehr schwer. Mehr als ein Jahr lang, nachdem sie
gestorben waren. Bis Cam auftauchte."

„Das hat alles verändert, besonders für Jayce", sage
ich. „Ich habe die Veränderung in ihm gesehen."

Sie nickt zustimmend. „Das Wissen um sie hat ihm geholfen, zu trauern. Dann kam Lilly wieder zurück. Besser gesagt, sie kam wieder dorthin, wo sie sein sollte. Ich glaube, die Jungs hörten auf, sich in ihrer Trauer im Kreis zu drehen und fingen an, sich vorwärtszubewegen."

„Hat das, was mit ihnen passiert ist, eine Rolle bei deiner Entscheidung gespielt, nach der Highschool nicht wegzuziehen?"

„Nein", sagt sie, ohne eine Sekunde des Nachdenkens zu benötigen. „Ich war nie wie die meisten meiner Freunde, die unbedingt wegziehen wollten, als ob sie sich in ihrer Heimatstadt wie Gefangene fühlten. Ich wäre für ein paar Jahre weggegangen, wenn es einen Grund dafür gegeben hätte. Aber den gab es einfach nicht. Als ich dann nach der Schule in die Werkstatt kam und Cody anfing, mir etwas beizubringen, wusste ich bald, was ich machen wollte. Ich liebe meinen Beruf wirklich. Jetzt bin ich auch froh, dass ich die Stadt nicht verlassen musste, denn sonst wäre ich heute nicht hier. Ich wüsste immer noch nicht, ob du mit mir ausgehen willst oder nicht." Sie lächelt zu mir hoch. „Wobei es dann doch nicht so schwierig war, das herauszufinden."

Ihr Geständnis überrascht mich und allein mein Gesichtsausdruck muss ihr das verraten haben.

„Du hast mich ständig angeschaut, also habe ich mich gewundert. Du bist nicht so diskret, wie du denkst."

„Das hat man mir gesagt," murmle ich.

Ihr Lachen ist zu perfekt, als dass ich nicht mitlachen müsste.

„Das ist vielleicht einer der Nachteile, wenn man zu einem Club gehört", sagt sie, als ihr Lachen verklingt. „Jeder weiß alles über jeden, und ich sage dir, manche Männer beherrschen die Kunst des Tratschens besser als siebzigjährige Frauen, die sich die Zeit mit Klatsch vertreiben wollen."

„Da will ich dir nicht widersprechen, Sonnenschein."

„Nichts ist perfekt, oder?" Sie gluckst.

„Du bist perfekt."

Sie blickt überrascht auf, aber schnell werden ihre Augen von Dankbarkeit und Ehrfurcht erhellt, als sie sagt: „Bin ich nicht."

„Da muss ich widersprechen", entgegne ich ihr mit leiser Stimme, während das Verlangen tief in meinen Magen dringt.

Als sie meine Worte mit einem süßen Lächeln beantwortet, kann ich der Verlockung ihrer Lippen nicht widerstehen. Ich ergebe mich kampflos und in dem Moment, in dem sich unsere Lippen berühren, lehnt sich Chloe noch näher an mich heran. Ihr schlanker Körper fühlt sich so klein und zerbrechlich an meinem an. Wie eine zarte Blume, die mit größter Sorgfalt behandelt werden muss. Die beschützt werden muss. Während ich sie umarme, ist sie zu beschützen genauso wichtig wie ihr ein Stöhnen zu entlocken. Wie das, das ihrem Mund entweicht, als sich unser Kuss vertieft. Ihre Zunge ist sehnsüchtig. Meine ist noch begieriger. Als ihre Hand zum ersten Mal meinen Bauch berührte, während sie hinten auf meinem Motorrad saß, fühlte sich meine Jeans auf einmal zu eng an. Und als sie nun mit der Handfläche ganz langsam über meinen Bauch streicht, während ihre Zunge meine mit Hingabe kostet, fühlt sich mein Shirt wie eine unüberwindbare Barriere an. Gleichzeitig kommt es mir so vor, als wäre es keine ausreichende Hürde, denn so wie sie meine Lippen küsst, möchte ich jeden Zentimeter ihres Körpers spüren. Verdammt, ich wünschte, ich könnte sie auf das Sofa legen und mit meinem Mund an ihrem Hals entlangfahren, bis ich die Stellen finde, die sie nach mir wimmern lassen, aber dafür ist es noch viel zu früh. Anstatt also dem unbändigen Verlangen nachzugeben, das mich zum Handeln auffordert, komme ich wieder zur Vernunft und ziehe mich zurück.

„Du machst mich verrückt, Sonnenschein. Wir müssen es langsamer angehen."

In dem Moment, in dem mein Blick den ihren trifft, möchte ich ihr sagen, dass sie diese Worte vergessen und genau da weitermachen soll, wo wir aufgehört haben. Der Schimmer der Lust, mit dem sie mich anschaut, scheint mich anzuflehen, meine Lippen wieder auf ihre zu legen und meine Zunge wieder in ihren Mund zu stecken. Sie zu verschlingen, bis keiner von uns beiden mehr atmen kann.

Aber ich schätze, das hätte sowieso nicht lange gedauert, denn ihr Atem geht bereits stoßweise, als sie spricht.

„Wir müssen es langsamer angehen, weil ich dich verrückt mache? Ich weiß, mir fehlt es an Erfahrung, aber ist das nicht eigentlich etwas Gutes?" Ihr schüchternes Lächeln hilft meinem erhitzten Blut nicht, sich zu beruhigen.

„Ich habe nie gesagt, dass es etwas Schlechtes ist", stelle ich fest. „Verdammt, du machst es uns nicht leicht, Sonnenschein."

„Was leicht machen?"

„Ich habe dich nicht deshalb gebeten, heute Abend vorbeizukommen", sage ich ihr und das ist die Wahrheit.

Seit ich ihr nachgegeben und sie mitten auf dem Teich geküsst habe, weiß ich, dass ich so viel mehr will als nur einen Kuss. Ich will ihren Körper. Ich habe davon geträumt, sie auf diese Weise voll und ganz zu erobern. Aber ich kann warten. Ob es nun Wochen oder Monate sind, ich werde warten, bis sie dazu bereit ist.

„Das weiß ich", sagt sie mir. „Aber was ist das Problem, wenn es doch gar nichts Schlimmes ist?"

Ihr Blick fällt wieder auf meine Lippen, was meine eigene Lust zum Aufflackern bringt.

„Ich will längst mehr als einen Kuss, Sonnenschein."

„Das weiß ich auch. Und ich will auch mehr, Melvin."

Ihre Stimme ist jetzt sanfter, aber als ihr Blick wieder nach oben wandert, ist da nur noch Gewissheit zu sehen.

„Verdammt", murmle ich.

Das Bedürfnis, sie zu berühren, ist zu stark, als dass ich es unterdrücken könnte. Während ich mit meinem Daumen über ihre geschwollenen Lippen streiche, wird mein Verlangen nur noch größer.

„Ich kann nicht sagen, dass ich nicht nervös bin",
sagt sie und spürt den Kampf in mir. „Natürlich bin
ich ein bisschen aufgeregt. Aber ich will das. Mehr
als ich je irgendetwas gewollt habe. Ich würde nie
etwas tun, was ich nicht möchte. Wenn du dich
meinetwegen zurückhältst, dann lass es bitte."

Sie ist ehrlich. Ich weiß, dass sie nichts tun würde,
nur um jemandem zu gefallen. So ist sie nicht. Und
wenn sie nicht zugegeben hätte, dass sie nervös ist,
hätte ich bei dem Kuss einen Schlussstrich gezogen,
weil ich gewusst hätte, dass sie das nur gesagt hat,
damit ich mir keine Sorgen mache. Aber sie versucht nicht, mich zu beruhigen. Sie ist einfach so
ehrlich, wie sie nur sein kann.

Nachdem ich ihr lange genug in ihre schönen smaragdgrünen Augen geschaut habe, um zu wissen,
dass sie sich ihrer Entscheidung sicher ist, packe ich
sie an den Hüften und ziehe sie auf meinen Schoß.
Sobald sie auf mir sitzt, hebe ich sie in meine Arme,
während ich aufstehe.

„Ich nehme dich mit in mein Bett", sage ich ihr
und meine Stimme wird tiefer, je mehr ich sie begehre.

Das Lächeln, das ihre Lippen umschmeichelt, ist
schüchterner als sonst, aber sie schlingt ihre Arme
ohne das geringste Zögern um meinen Hals. Eine
Bewunderung, von der ich nicht einmal weiß, ob ich
sie verdiene, leuchtet in ihren Augen, während ihre
Finger mit dem Haar in meinem Nacken spielen.
Die Zärtlichkeit ihrer Berührung jagt mir ein Kribbeln über den Rücken und einen Ruck der Lust in
meinen Schwanz.

„Du hast keine Ahnung, wie sehr ich dich will. Ich will dich schon so lange, dass es ein Wunder ist, dass ich noch bei Verstand bin." Ich grinse, aber verdammt, das ist nicht einmal ein Witz.

Nachdem ich uns in mein Schlafzimmer gebracht habe, setze ich mich auf die Kante meines Bettes, ohne Chloe loszulassen. Ich lasse sie auf mir sitzen, während ich mir die Zeit nehme, mich meines Shirts zu entledigen. Auf dem Weg hierher habe ich beschlossen, dass das Oberteil eine zu große Barriere darstellt und Chloes Reaktion nach zu urteilen, sind wir uns darüber einig. Anerkennung zeichnet sich in ihren Augen ab, als sie beginnt, meinen Oberkörper eingehend zu mustern. Beim Anblick meiner nackten Brust streckt sie ihre Zunge heraus, um über ihre Lippen zu lecken, aber sie tut es unbewusst. Ich glaube, sie merkt es nicht einmal.

Meine Muskeln zucken und mein Atem stockt, als ihre Handflächen auf meiner Brust zur Ruhe kommen. Gemächlich streicht sie über meine Haut, ihre Bewegungen sind zaghaft, als sie beginnt, meinen Körper zu erforschen. Von ihren Händen berührt zu werden, ist, als würde ich zum ersten Mal gestreichelt werden. Noch nie hat sich die Berührung einer Frau so gut angefühlt wie ihre. Schon bei diesen sanften, zaghaften Berührungen würde mein Schwanz sofort anschwellen, wenn er nicht ohnehin schon ganz hart wäre.

Als ich mich nicht mehr zurückhalten kann, lasse ich meine Handflächen an ihren Seiten hinaufgleiten und streife nur die Konturen ihrer Brüste, bevor meine Finger die nackte Haut ihrer Schultern erreichen. Ich streiche ihr Haar zurück und gewähre mir Zugang zu der cremefarbenen Haut ihres Halses, die ich unbedingt kosten möchte.

Als meine Lippen ihre Haut berühren, stößt sie einen Seufzer aus, während sie ihren Kopf leicht zur Seite neigt.

„Gefällt dir das, Sonnenschein?", frage ich sie, bevor ich mit meinem Mund wieder nach oben wandere und ihren Kiefer finde.

„Ja." Das Wort strömt aus ihr heraus, voller Verlangen.

„Es wird nur noch besser," verspreche ich, bevor ich ihr einen weiteren Kuss entlocke.

Ihre weiche, warme und begierige Zunge, die nach meiner sucht, treibt uns unaufhaltsam weiter an den Rand des unbändigen Begehrens, das uns erfüllt. Was dieses Mädchen mit mir macht, ist unerklärlich. Je näher ich ihr komme, desto näher will ich ihr sein. Ich fahre mit den Fingern durch ihr Haar und genieße das seidige Gefühl, während sie meine Ohren mit kleinen Stöhnlauten füllt, die meinen Schwanz darum betteln lassen, freigelassen zu werden, um an dem Spaß teilzuhaben.

Erst als wir nicht mehr atmen können, brechen wir den Kuss ab, aber ich werde meinen Mund auf keinen Fall von ihrem Körper lösen. Ich küsse wieder ihren Hals, dann wende ich mich nach links, um ihre Schulter zu streicheln, während ich auf ihren Atem höre. Er ist rau wegen unseres Kusses, aber nicht nur. Ihr schweres Atmen kommt auch von einem immer größer werdenden Bedürfnis. Einem brennenden Verlangen, das ich gerne schüre.

Widerwillig zwinge ich meinen Mund, sich von ihrer Haut zu lösen und greife nach den dünnen Trägern ihres Kleides. Während ich sie langsam an ihren Armen hinuntergleiten lasse, folgt sie meinem Blick und beobachtet, wie der fließende Stoff an ihrer Brust herabfällt und sich um ihren Unterbauch legt, wobei ein sexy BH zum Vorschein kommt. Die schwarze Spitze lässt meine Kehle trocken werden und zwingt mich, den Lustkloß im Hals herunterzuschlucken.

„Du bist umwerfend", rufe ich aus, während ich mit meinen Fingern die runden Umrisse ihrer Brüste nachzeichne. „Du bist die sexieste und schönste Frau, die ich je gesehen habe."

Der Anblick ihrer Brustwarzen, die sich durch die dünne Spitze abzeichnen, ist faszinierend. Es ist ein weiterer Beweis für ihre Erregung. Und eine weitere Versuchung, die ich mit dem Mund erkunden möchte. Ich folge diesem Verlangen und lege meine Lippen auf die straffe Haut, die mir immer noch weitgehend verborgen ist.

„Ich …"

Beim Klang ihrer atemlosen Stimme ziehe ich mich sofort zurück und schaue ihr in die Augen, um mich zu vergewissern, dass sie immer noch damit einverstanden ist, dass ich sie berühre. Die Lust, die ich dort schimmern sehe, sagt mir, dass sie es ist, aber ich will es trotzdem von ihr hören.

„Willst du mehr, Sonnenschein?"

Mein inneres Gebet, dass sie Ja sagen möge, dauert nicht länger als eine flüchtige Sekunde, denn wieder einmal kommt das einzige Wort der Zustimmung mit einem Eifer über ihre Lippen, der mein eigenes Verlangen nach ihr noch verstärkt.

„Ja. Ja", wiederholt sie dieses Mal sogar.

Ich greife hinter ihren Rücken und löse den Verschluss, den ich dort finde, um ihre Brüste von der beengenden Hülle zu befreien.

„Verdammt perfekt", stöhne ich.

Mit nur einem Blick werden ihre runden, cremefarbenen Brüste zu meiner Leidenschaft. Ihre rosigen Brustwarzen verlangen wieder nach meinem Mund, ihre Straffheit schreit förmlich danach, berührt zu werden. Gelekt zu werden. Ich gebe ihnen, was sie wollen, ohne zu zögern, genieße es, wie Chloe sich mit ihren Händen an meine Schultern klammert, und erfreue mich an dem Keuchen, das ihren Lippen entweicht, als ich mit meiner Zunge spiele.

„Ich … niemals …" Atemlos und verlangend, macht mich ihre Stimme genauso an wie ihre fantastischen Titten.

„Was, Sonnenschein?", frage ich gegen ihre Haut, bevor ich zu ihrer anderen Brustwarze übergehe.

„So habe ich mich noch nie gefühlt", erklärt sie und keucht ein wenig. „Ich … Deine Hände auf mir … Dein Mund … Ich liebe dieses Gefühl."

Und ich liebe es, dass sie sich bei mir so wohlfühlt, dass sie es mir gesteht.

Ich konzentriere mich wieder auf ihren Nippel, sauge an ihr und ernte ein weiteres zufriedenes Keuchen. Während ich sie weiter mit meinem Mund bearbeite, fahre ich mit meiner Hand ihren Bauch hinunter. Ich stöhne gegen ihre Brüste, als sie ihren

Hintern auf meinem Schoß bewegt. Die Bewegung war nicht beabsichtigt. Sie hat sich instinktiv bewegt, ausgelöst durch die Lust, die sich zwischen ihren Beinen aufgebaut hat, dessen bin ich mir sicher.

„Melvin …" Mein Name verlässt sie mit Erregung, während sie sich wieder gegen meinen Schritt reibt.

„Ja, Baby. Ich weiß." Gott, sie wird mein Tod sein. Zu wissen, wie verrückt ich sie mache, treibt auch mich in den Wahnsinn. „Ich kann riechen, wie erregt du schon bist."

Langsam gleite ich mit meiner Hand weiter ihren Bauch hinunter. Ihr Kleid ist bald im Weg, aber ich habe nicht die Kraft, Chloe zu bewegen, damit ich es hochziehen kann. Stattdessen ziehe ich es weiter nach unten, bis ich einen Blick auf das Spitzenhöschen werfen kann, das zu ihrem abgelegten BH passt. Dann schaue ich wieder hoch und sehe, wie ihre Augen auf meine Hand gerichtet sind. Sie schluckt in Erwartung und als ihre Hüften wieder zucken, nehme ich das als Einladung, meine Hand unter den Saum des sexy Spitzenteils zu schieben.

Ihr ganzer Körper versteift sich, als meine Finger ihre empfindlichste Stelle erreichen, aber sie entspannt sich schon nach einem kurzen Moment, und ich erforsche sie weiter. Ich streiche weiter nach unten, um ihre Lippen zu streicheln, und genieße ihre Nässe, wie ich noch nie etwas so sehr genossen habe. Natürlich ist es nicht das erste Mal, dass ich eine Pussy anfasse, aber verdammt, es fühlt sich so an. Es fühlt sich anders an. Es ist nicht nur sexuell. Ich berühre sie mit Ehrfurcht, denn das hier ist ein

Geschenk, das sie mir macht, indem sie mir erlaubt, sie dort zu berühren, wo es noch nie jemand getan hat.

Bald wird ihr Atem flach. Dies ist ein weiteres erstes Mal für sie. Ich weiß, dass nicht mehr als ein paar Streicheleinheiten ausreichen, um sie zu erregen, und das will ich mir nicht entgehen lassen. Mit meinem Daumen taste ich mich an den kleinen Nervenknoten heran, der förmlich nach Erlösung schreit, so wie er pocht. Ganz zu schweigen von dem Stöhnen, mit dem ich belohnt werde. Verdammt, das lässt meine Brust vor Stolz anschwellen. Ich habe gerade erst begonnen, mich ihr zu widmen, aber Chloes Körper scheint bereits auf meinen eingestimmt zu sein.

Das verflucht nochmal beste Gefühl.

„Oh mein … Melvin, ich …"

„Ja, ich weiß", beruhige ich sie, während ich weiter an ihrer geschwollenen Klitoris herumspiele. „Komm für mich, Baby. Lass einfach los."

Mit Hilfe meines Mundes, mit dem ich wieder an ihrer Brustwarze sauge, kann sie sich fallen lassen. Sie spannt ihren Körper an und ihr Rücken wölbt sich, während ihr erster Orgasmus durch sie hindurchschießt. Ich wünschte, ich hätte meine Finger in ihr, um zu spüren, wie sie sich zusammenzieht, aber dafür wird es noch andere Gelegenheiten geben. In der Zwischenzeit beobachte ich, wie sie sich vor Ekstase in die Höhe schraubt, während der Stolz durch mich rauscht, so stark wie die Wellen der Lust, die sie durchströmen.

„Gott, das ist das Schönste, was ich je gesehen habe."

Ich kann nicht sagen, ob sie mich gehört hat, denn es vergehen noch ein paar Sekunden, bevor sie von ihrem Orgasmus herunterkommt. Ihre fesselnden Augen öffnen sich und suchen instinktiv nach mir. Die Lust, die sich seit dem ersten Kuss zwischen uns aufgebaut hat, ist nicht verschwunden, aber sie vermischt sich jetzt mit etwas, das wie Dankbarkeit aussieht. Aber verdammt, sie muss nicht dankbar sein. Wenn sie will, dass ich das jeden Tag mache, solange ich lebe, muss sie nur danach verlangen.

„Das war absolut unglaublich. Nein, unglaublich ist nicht stark genug."

Ihr Gesicht leuchtet, als sie ein leises, sattes Lachen ausstößt und das liegt nicht nur daran, dass sie ein Lächeln hat, das heller strahlt als die verdammte Sonne. Sie ist absolut umwerfend, ganz errötet von ihrem Orgasmus. Diesem Grinsen zu widerstehen, ist unmöglich. Ich drücke meine Lippen auf ihre und ersticke den Rest ihres Lachens. Während unsere Zungen einen weiteren wilden Tanz vollführen, drehe ich uns um, lege sie auf den Rücken und lege mich über sie.

Es gibt kein Wort, das beschreiben könnte, wie hart ich bin. So hart, dass ich schon vor einer Weile den Punkt des Schmerzes überschritten habe. Wenn Chloe heute Abend nicht bis zum Äußersten gehen will, werde ich die kälteste Dusche aller Zeiten brauchen.

„Wir müssen nicht weiter gehen, wenn du …"

„Ich will es." Ihr Tonfall ist voller Überzeugung.
„Ich will dich, Melvin."

Ich streichle ihre Wange mit einer Bewunderung,
die mich überwältigt, schaue ihr in die Augen und
sage ihr: „Wenn du dir absolut sicher bist, dass du
das willst, dann werde ich dich ganz erobern, Sonnenschein. Aber wenn ich das getan habe, war's das.
Ich werde dich nie wieder gehen lassen. Ich will
verdammt sein, wenn ich zulasse, dass ein anderer
Mann dich vernascht. Nur ich darf dich anhim-
meln."

Das ist etwas, das ich mit aller Deutlichkeit weiß.
Es steckt mir in den Knochen, fließt durch meine
Adern und ist in mein Herz eingraviert. Chloe ge-
hört zu mir. Jetzt und in sechzig Jahren, wenn das
Schicksal uns so viel Zeit miteinander lässt. Manche
Leute würden sagen, dass ich das nicht mit Sicher-
heit wissen kann, aber nur, weil sie noch nie verliebt
waren. Wären sie es gewesen, würden sie es wissen.

Ich weiß es.

An dem Tag, an dem sie entführt wurde, drängte
mich die Angst, die mich überkam, mit solcher
Wucht an den Rand des Wahnsinns, dass rationale,
hilfreiche Gedanken nur schwer möglich waren. Es
konnte keine Welt geben, in der sie nicht mehr lebte. Das war der einzige Gedanke, der für mich leicht
zu fassen war. Es konnte nicht sein, dass sie nicht
mehr zurückkam.

Ich war gezwungen, sie monatelang aus der Ferne
zu beobachten und sie auf eine andere Art und Weise kennenzulernen, als Menschen sich normalerweise begegnen, aber ich lernte sie trotzdem ken-

nen. Ich habe sie durch ihre Gespräche mit allen kennengelernt, durch ihre Gewohnheiten, wie zum Beispiel, dass sie sich immer bereit erklärt, Jonas zu seinen Freunden zu fahren, wenn ihre Eltern nicht da sind; durch die Art und Weise, wie sie Max bei den Hausaufgaben hilft oder mit ihm im Garten Fußball spielt. Ich weiß vielleicht nicht alles, was sie je getan hat, oder jedes Geheimnis und jeden Traum, den sie hat, aber ich kenne sie. Ihre Seele ist liebevoll und schön, sie ist die Einzige, die ich an meiner Seite haben möchte, jetzt und in ein paar Jahrzehnten. Manche Leute würden sagen, das sei Wahnsinn, aber scheiß drauf, was die anderen denken.

„Ich will zu niemand anderem gehören.“

Als ich ihre selbstbewusste Antwort höre, durchströmt mich noch mehr Bewunderung. Ich habe immer gedacht, dass ein Mädchen wie Chloe mich niemals wollen könnte, aber hier ist sie und gibt sich mir hin, macht mir dieses Geschenk. Bewunderung durchströmt mich, aber nicht nur. Glühendes Verlangen und die tiefste Leidenschaft, die ich je verspürt habe, überschwemmen mich mit ebenso viel Kraft.

Im Augenblick bringe ich kein Wort heraus, also begnüge ich mich damit, sie regelrecht aufzusaugen. Die gleiche Bewunderung, die ich für sie empfinde, schimmert in ihren Augen, und ihre Brust hebt sich immer noch ein wenig schneller durch das Verlangen, das wir unbestreitbar teilen.

Sie ist wunderschön und sie gehört ganz zu mir.

Ihr Kleid liegt noch immer um ihre Taille und es wird Zeit, dass es verschwindet. Ich lasse mir Zeit, es nach unten zu ziehen, entblöße dabei noch mehr Haut und erreiche schnell ihr Höschen. Ich schiebe es zusammen mit dem Kleid herunter und mein Blut kocht, als ich zum ersten Mal einen Blick auf ihre rosige Pussy erhasche, die ich schon bald zu meiner machen werde. Geschwollen und glitzernd scheint sie nach meinem Schwanz zu lechzen.

„Perfekt", knurre ich, bevor ich das Kleid nach unten ziehe und dabei straffe Oberschenkel und endlos lange Beine entblöße.

Ich werfe das Kleid und das Höschen zur Seite und lasse meinen Blick über ihren nackten Körper schweifen. Sie windet sich auf dem Bett, und ich frage mich, ob das aus Nervosität oder Erregung geschieht. Wahrscheinlich ein bisschen von beidem. Vorsichtig nehme ich ihr die goldenen Sandalen ab und lasse sie hinter mir auf den Boden fallen.

Der Abstand von nur einem Meter zwischen uns, als ich aufstehe, um den Rest meiner Kleidung auszuziehen, ist fast schon unangenehm, aber die Bewunderung in ihren Augen, die jeder meiner Gesten folgen, ist es wert.

Ein Grinsen umspielt meine Lippen, als ihr Blick auf meiner steifen Erektion verweilt.

„Nervös?"

„Na ja, ein bisschen", antwortet sie ehrlich, auch wenn sie ihren Blick nicht von meinem dicken Schwanz wenden kann, sondern nur ein kleines Lächeln zeigt.

Ich klettere zurück auf das Bett und versuche, ihre Bedenken zu zerstreuen. „Ich verspreche, dass ich so sanft wie möglich sein werde."

Sie antwortet nicht, aber das liegt wahrscheinlich daran, dass sie nach Luft schnappt, als ich über ihr schwebe und ihre Lippen küsse, während ich meinen Schwanz gegen ihre Pussy drücke. Sie muss schon empfindlich sein, aber verdammt, ich werde sie in einer Minute noch mehr spüren lassen.

Meinen nackten Körper an ihrem zu fühlen, unsere Haut verbunden, ist ein Gefühl, das nicht von dieser Welt ist. Jenseits aller Vorstellungskraft.

Sie lässt ihre Hände weiter über meinen Körper wandern. Innerhalb von Sekunden wandern sie von meinen Schultern zu meinen Seiten und dann meine Arme hinauf und hinunter, sie scheint zu versuchen, alle Bereiche von mir auf einmal zu erforschen. In dem Moment, in dem sie die Erhebung meines Hinterns erreicht, zuckt mein Schwanz zusammen, um mir zu zeigen, dass er die ganze Geduld, die er ertragen kann, aufgebracht hat.

„Scheiße, nimmst du zufällig die Pille?"

„Ich nehme sie seit zwei Jahren", sagt sie und gibt mir Hoffnung, dass ich sie zu meinem Mädchen machen kann, ohne dass etwas zwischen uns steht.

„Ich habe mich vor Monaten testen lassen und bin seitdem mit niemandem mehr zusammen gewesen.

Sie lächelt und sieht erfreut über diese kleine Information aus. „Okay ", stimmt sie dann leichthin zu.

Zu wissen, dass sie mir vertraut, lässt noch mehr Stolz in mir aufsteigen.

„Bist du sicher, dass du nicht warten willst? "

„Ich bin sicher. " Sie nickt zusätzlich zu ihrer Antwort. „Mach mich zu deinem Mädchen, Melvin."

Diese Worte sind die einzige Ermutigung, die ich brauche. Ich drücke ihr den sanftesten Kuss auf die Lippen, den ich je jemandem gegeben habe, und das Vertrauen und die Hingabe, die ich in ihren Augen lese, als ich mich zurückziehe, sind ein weiterer Beweis dafür, dass dies das Richtige ist. Wir passen perfekt zusammen.

Das kleine Wimmern, das sie von sich gibt, als ich mich an ihren Brustwarzen erfreue, während ich ihre Beine auseinanderschiebe und ihre Pussy ein paar Mal streichle, raubt mir jeden Rest an Geduld. Während ich mich an ihrem Eingang platziere, schaue ich ihr in die Augen. Unsere Blicke bleiben ineinander verankert, während ich in sie hineingleite, und nur gelegentlich innehalte, sobald ich Widerstand spüre. Als ich mich ganz in sie hineinschiebe, beißt sie sich auf die Unterlippe und stöhnt leicht.

„Gott", murmelt sie.

Verdammt, sie ist so unglaublich eng, dass ich beinahe das Atmen vergesse.

„Du fühlst dich so verdammt gut und eng an, Baby, aber das ist nicht die Art von *Gott*, die ich hören will", sage ich ihr spielerisch.

Nachdem ich sie sanft geküsst habe, in der Hoffnung, den Schmerz etwas schneller zu lindern, schenkt sie mir ein beruhigendes Lächeln, als sie sagt: „Sagen wir einfach, dass sich das, was du vorher gemacht hast, ein bisschen besser angefühlt hat."

Ich bin mir sicher, dass es ein wenig unangenehm sein muss, aber da sie es schafft, mich anzulächeln, muss sie sich an mich in ihr gewöhnt haben. Ich lasse ihr mehr Zeit und versuche, den Drang, mich zu bewegen, zu unterdrücken. Ich merke, dass sie sich zu entspannen beginnt, als sie mit ihren Handflächen wieder meinen Körper erkundet.

Ich senke meinen Mund und flüstere an ihre Lippen: „Ich werde dafür sorgen, dass dir das genauso gut gefällt."

Das Verlangen steht ihr in den Augen und ihr Atem wird schwerer, während sie leicht mit den Hüften wackelt.

Ich neige meinen Kopf zu ihrem Hals und küsse sie dort, während ich gleichzeitig beginne, mich in sie hinein und wieder herauszubewegen. Langsam. Auf die sanfteste Art und Weise, auf die ich je jemanden genommen habe. Ich muss mich sehr zurückhalten, um nicht schneller zu werden, aber ich kann auf keinen Fall riskieren, ihr weh zu tun. Es soll gut für sie sein. Und den zufriedenen Klängen nach zu urteilen, die mir in die Ohren dringen, während sie mich umklammert, ihre Arme fest um meinen Hals geschlungen, dürfte ich es sogar mehr als gut machen.

Wir sprechen kein Wort mehr, bis unsere Körper schweißgebadet sind, unsere Küsse durch unser wildes Atmen durcheinandergeraten und unsere Höhepunkte kurz bevorstehen. Ich bewege mich in einem langsamen Tempo weiter, baue unsere Orgasmen Stoß für Stoß auf.

„Ich bin … Melvin!"

„Fuck, Baby, so ist es gut. Komm mit mir."

Meine Bitte klingt wie ein Flehen, und kaum ist sie ausgesprochen, krampft sich ihre Pussy kraftvoll um meinen Schwanz. Ihre Beine an meiner Seite fangen an zu zittern, während ich immer noch tief in ihr drin bin und den Moment genieße. Dieser Moment, in dem ich mein Mädchen endlich ganz für mich habe. Ich brülle die Erlösung heraus, nach der ich mich seit fast einem Jahr sehne, während ich immer noch spüre, wie sich ihre Pussy um mich krampft. Und es grenzt an ein Wunder, dass ich sie nicht mit meinem Körper zerquetsche, als ich fertig bin.

„Verflucht, um Himmels willen, Sonnenschein", platze ich zwischen zwei heftigen Atemzügen heraus.

Ihr sattes Kichern vermischt sich mit ihren keuchenden Atemzügen gegen meinen Hals, während ihre Hände wieder über meinen Körper wandern, wenn auch jetzt auf eine etwas trägere Art. Es ist, als könne sie nicht anders, als mich zu berühren, und das ist ein Gedanke, den ich verdammt gerne mag.

Vorsichtig ziehe ich mich aus ihr zurück, drehe mich auf den Rücken und drücke sie an mich. Wie selbstverständlich schmiegt sie sich an meine Seite, ihr Kopf findet einen bequemen Platz auf meiner Schulter und ihre Hand ruht auf meiner bebenden Brust.

„Bedeutet dieser Fluch, dass es gut war? Ich nehme nämlich zurück, was ich gesagt habe. Es hat sich genauso gut angefühlt, wie das, was du vorher gemacht hast. Vielleicht sogar besser."

„Gut? Benutze ein anderes Wort, Sonnenschein. Es war nicht gut, es war unglaublich. Wunderbar, erstaunlich ... die wären auch angebracht. Nicht einfach gut. Es war perfekt. Du warst perfekt", füge ich hinzu, denn ich weiß, dass sie das hören sollte. Sie ist verdammt fantastisch. „Ich könnte dich fragen, ob es schön für dich war, aber ich würde sagen, zwei Orgasmen ... ich habe keine schlechte Arbeit geleistet", prahle ich und grinse.

„Ich gebe zu, du darfst dir ein bisschen etwas darauf einbilden", gesteht sie und sieht mich an. „Das müssen wir wiederholen, wenn ich nicht mehr wund bin."

Verdammt, ja.

„Sieh an, ich habe eine Sexsüchtige geschaffen", scherze ich und freue mich über das Lachen, das aus ihr herausbricht.

„Beschwerst du dich?", neckt sie, als ihr Lachen verstummt.

„Solange ich deine einzige Sucht bin, wirst du von mir keine Klagen hören, Baby."

Ich lege eine Hand auf ihren Hinterkopf und führe ihre Lippen zu meinen. Ich genieße das Gefühl ihrer Zunge sehr, doch als mein Schwanz vor Lust reagiert und ich Chloes steife Nippel an meiner Seite spüre, ziehe ich mich zurück.

„Es wird schwer werden, meinen Schwanz daran zu erinnern, dass du wund bist", grunze ich. „Ich werde ihn ablenken müssen. Sobald ich sicher bin, dass meine Beine mich und dich tragen können, nehme ich dich mit ins Badezimmer und lasse uns ein Bad einlaufen. Was hältst du davon?"

„Ich bin mir nicht sicher, wie groß die Ablenkung sein wird, wenn wir beide nackt sind, aber ein heißes Bad klingt gut."

Wie immer ist ihr Lächeln umwerfend, ihre Augen scheinen regelrecht zu tanzen. Gott, dieses Mädchen ist der reinste Sonnenschein, den ich nie wieder aus meinem Leben weichen lassen möchte.

Kapitel 12

Chloe

Ein lautes, furchtbares Getöse reißt mich mit einem Ruck aus meinem friedlichen Schlaf. Ich öffne die Augen, ohne mich vorher müde dazu durchringen zu müssen und frage mich eine Sekunde lang, wo ich bin. Obwohl der wunderbar warme, feste Körper, der sich an mich schmiegt, mich in kürzester Zeit daran erinnert hätte, dass ich in Melvins Bett liege.

Zum Glück zieht sich das schrille Warnsignal nicht allzu sehr in die Länge und wird schließlich von Melvins Stimme abgelöst, die etwas verschlafen klingt.

„Wecker", murmelt er.

Er legt seinen Arm fester um mich, und ich kuschle mich an ihn. „Wecker?", wiederhole ich, meine Stimme ist genauso schläfrig wie seine. „Ich dachte, es gäbe einen Terroranschlag und wir müssten so schnell wie möglich von hier verschwinden."

Das war nur halb scherzhaft gemeint, um ehrlich zu sein.

Sein Kichern schüttelt seinen Körper ein wenig und bringt mich zum Lächeln.

„Du meinst, du bist mit dem Weckton nicht einverstanden, Sonnenschein?"

„Die Sirene geht gar nicht", bestätige ich.

Das Gefühl, neben ihm aufzuwachen, so eng in seine Arme geschmiegt, dass ich seinen kräftigen

Herzschlag spüren kann, ist schwer zu beschreiben. Es ist unglaublich. Noch besser, als ich es mir vorgestellt hatte. Es gibt einfach keinen anderen Ort, an dem ich jetzt lieber sein würde. Und die Sanftheit, mit der er meinen Scheitel küsst, lässt mein Herz flattern.

„Abgesehen von der Sirene, wie fühlst du dich?"

„Ich fühle mich großartig."

Ich drehe mich auf den Bauch, damit ich ihn ansehen kann, und lächle in sein verschlafenes Gesicht.

„Du bist wunderschön", sagt er unmittelbar.

Ich habe keine Zeit, ihm zu widersprechen und darauf hinzuweisen, dass meine Haare durcheinander sind, ganz zu schweigen davon, dass ich entweder durch das Kissen oder durch seine Brust Abdrücke im Gesicht haben muss. Er gräbt eine Hand in mein zerzaustes Haar, zieht meinen Kopf zu seinem und unsere Münder treffen sich, bevor ich etwas sagen kann.

Die Welt verschwindet. Das tut sie immer, wenn Melvin mich küsst. Unsere jeweiligen Pläne für den Tag verblassen und entschweben völlig aus meinen Gedanken. Die Zeit scheint still zu stehen, während er meine Lippen verwöhnt. Gestern Abend scherzte er, ich sei sexsüchtig, aber ich könnte wirklich süchtig nach ihm werden. Ich will das jetzt täglich.

Er zieht sich gerade so weit zurück, dass er gegen meinen Mund sprechen kann und sagt: „Am besten hören wir jetzt auf. Mein Schwanz wird mich hassen, wenn ich ihm deine Pussy vorenthalte. Du musst wund sein."

Ich spüre, wie sich meine Wangen bei seinen Worten erhitzen. Daran werde ich mich wohl erst gewöhnen müssen.

„Ein bisschen", gebe ich zu.

Die Wahrheit ist, dass ich etwas mehr als nur ein bisschen wund bin. Melvin ist ja auch recht großzügig ausgestattet.

„Außerdem", sagt er und streckt sich ein wenig, „muss ich um acht im Club sein und du triffst Olivia um halb neun. Ich würde dich aber lieber dort absetzen."

Ich dachte mir schon, er würde das anbieten.

„Ich komme schon klar", versichere ich. „Ich fahre direkt zum Café und danach ohne Umwege in den Club. Ich komme schon zurecht. Ich werde mich nicht jedes Mal babysitten lassen, wenn ich etwas unternehmen will, Melvin."

Das muss er verstehen, besser jetzt als nie. Mit ihm zusammen zu sein, ist noch erstaunlicher als alles, was ich mir hätte vorstellen können. Der Friede und die Freude, die ich in diesem Moment empfinde, müssen das sein, was der Ausdruck *auf Wolken schweben* bedeutet. Und je länger ich mich so fühle, desto besser. Aber ich habe immer noch mein eigenes Leben. Ich darf meine Freiheit nicht aufgeben. Nicht, dass er sie mir absichtlich nehmen würde, aber genau das wird passieren, wenn seine Sorge um meine Sicherheit obsessiv wird.

Ich habe das Gefühl, dass wir auf dem richtigen Weg sind, als er seufzt, aber nicht darauf besteht.

„Ich darf dich nicht mitnehmen und ich nehme an, dass ich dir auch nichts zu essen machen kann, weil du dich mit Olivia zum Frühstück triffst. Du machst mir diesen Morgen nach unserem ersten Mal nicht gerade leicht, oder?"

„Ich brauche keine romantischen Gesten", sage ich ihm ganz ehrlich. „Aber wenn es dir wichtig ist, wird es sicher noch andere Gelegenheiten geben, mich mit einem Frühstück im Bett zu verwöhnen."

„Da hast du verdammt recht, Sonnenschein", schwört er und sieht mir mit einem Verlangen in die Augen, das ich letzte Nacht schon oft bei ihm gesehen habe. „Verdammt, deine unordentlichen Haare sind sexy."

„Ja? Ich werde mich an die Vorzüge von unordentlichem Haar erinnern, wenn ich später versuche, die Mähne zu bändigen."

In dem Moment, in dem er wie ein Honigkuchenpferd grinst, weiß ich, was er vorhat. Dann tut er es, vergräbt zielstrebig eine Hand in meinem Haar und zieht mich zu sich, damit er mich wieder auf den Mund küssen kann.

So viel zum Thema Aufhören zu küssen.

Er fährt mit seinen Fingern durch die bereits verknoteten Locken und macht meine Mähne noch unordentlicher. Aber die Leidenschaft seines Kusses ist so intensiv, dass es mir die ganze Flasche Haarspülung wert ist, die ich brauchen werde, wenn ich erst einmal zu Hause bin. Verdammt, es würde mir nicht einmal etwas ausmachen, die nicht mehr zu rettenden Haarsträhnen abzuschneiden, solange er mich weiter so küsst. Genau wie zuvor, vergesse ich alles, außer seiner Zunge, die mit meiner tanzt.

Ich frage mich, ob es in der Highschool auch so gewesen wäre, einen Freund zu küssen, wie es die meisten meiner Freundinnen erlebt haben. Irgendwie bezweifle ich das. Melvins Kuss, aber auch seine Berührungen und die Art, wie er mich gestern Abend angeschaut hat ... Das ist alles viel intensiver als bei einem Teenager. Er geht mit mir um wie ein Mann, nicht wie ein Junge. Er ist sich seiner Sexualität völlig sicher. Er strahlt Männlichkeit aus. Wenn ich so darüber nachdenke, ist es eigentlich schwer zu glauben, dass er erst zweiundzwanzig ist.

„Du machst es mir auch nicht gerade leicht, dieses Bett zu verlassen", stöhnt er gegen meinen Mund.

Jetzt, wo er Schwierigkeiten hat, zu Atem zu kommen, klingt er noch sexier.

„Wie wäre es, wenn du heute Nacht wieder dein Bett mit mir teilst?", biete ich an.

„Dachtest du, ich würde dir erlauben, wieder nach Hause zu gehen, Sonnenschein?"

Das verruchte Grinsen, das seine Frage begleitet, verwandelt sich in ein Lachen, als ich meine Augen verenge und Empörung vortäusche. „Dachtest du, ich würde plötzlich anfangen, Befehle von dir zu befolgen?"

Mein Gesicht verzieht sich zu einem breiten Lächeln, als er sagt: „Das würde mir im Leben nicht einfallen, Sonnenschein. Nicht einmal im Traum."

„Gut", necke ich ihn. „Jetzt geh unter die Dusche, während ich einen Kaffee aufsetze. Sonst kommen wir beide noch zu spät."

Mit einem Stöhnen streckt er sich wieder und antwortet mir: „Wer gibt jetzt die Befehle?"

„Stimmt. Aber nur, weil du heute Morgen sehr abgelenkt bist."

„Du lenkst mich doch ab. Du trägst mein Shirt. Mein Gehirn versucht, mich davon abzuhalten, daran zu denken, dass das Oberteil einen sehr nackten, sehr sexy Körper verbirgt, aber es weiß auch, dass es sinnlos ist, das zu probieren."

Während er spricht, kommt er näher, um meine Lippen mit seinen zu berühren.

„Ein sehr nutzloses Gehirn", flüstere ich lächelnd, ohne mich von ihm zu lösen.

Ich muss die kürzeste Dusche aller Zeiten nehmen, wenn ich Liv nicht zu lange hängen lassen will, denn als er sich zu mir schiebt und sich über mich legt, lasse ich zu, dass er mich ein weiteres Mal küsst, und schon bleibt die Zeit wieder stehen.

***

„Danke", sage ich zur Kellnerin, nachdem sie mir einen großen schwarzen Kaffee eingeschenkt hat.

Ein Teller mit Eiern und Speck steht schon vor mir, aber ich habe ihn bisher nur mit den Augen verschlingen können. Ich bin am Verhungern. Dass Sex appetitanregend ist, scheint kein Mythos zu sein. Deshalb stürze ich mich auf mein Essen, sobald die Kellnerin weg ist.

Liv, die mir gegenübersitzt, scheint nicht so hungrig zu sein wie ich, denn sie macht sich nicht über ihr Omelett her. Stattdessen starrt sie mich an, ein kleines Lächeln umspielt ihre Lippen, die sie mit ihrem Rosenholzstift bemalt hat. Sie wechselt ihre

Lippenstiftfarbe genauso gern wie ihre Haarfarbe. In einem Monat ist sie brünett und im nächsten rothaarig, so wie heute. Sie hat immer gesagt, dass ihr natürliches dunkelblondes Haar leider fade sei.

„Was?", frage ich sie, nachdem ich meinen ersten köstlichen Bissen heruntergeschluckt habe.

„Du hast es getan, stimmt's?"

Ich lege meine Gabel sofort wieder hin. „Das sagst du nur, weil du weißt, dass ich gestern Abend mit Melvin zusammen war."

„Deswegen, und weil du so …" Sie gestikuliert mit ihrer Hand zu meinem Gesicht. „Du siehst glücklich aus. Anders glücklich als sonst, ich weiß nicht."

„Gott, bin ich froh, dass mein Dad nicht in der Stadt ist", murmele ich, nur halb im Scherz.

Ihr Lächeln ist breit, aber sie senkt ihre Stimme, als sie weiterspricht. „Wie war es? Ich kann nicht glauben, dass du es gemacht hast, und ich bin noch Jungfrau." Sie täuscht einen Schmollmund vor.

„Es war perfekt", sage ich und spüre, wie verträumt mein Lächeln ist. „Er war sanft und einfühlsam. Ich dachte immer, das erste Mal würde bestenfalls ein bisschen unangenehm, schlimmstenfalls eine peinliche Katastrophe werden. Aber das war es nicht. Ich habe mich sicher gefühlt und es war wirklich gut", füge ich flüsternd hinzu und das Seufzen, das ihr entweicht, steckt voller Neid.

„Vielleicht liegt das daran, dass er kein unbeholfener Teenager ist", sagt sie dann.

„Höchstwahrscheinlich. Ich hatte das Gefühl, dass er weiß, was er tut." Ich lehne mich auf den Tisch, damit ich noch diskreter flüstern kann. „Ich hatte zwei Orgasmen, und ich kann dir sagen, sich selbst zu berühren, kann der echten Sache nicht das Wasser reichen. Nicht einmal annähernd."

Ein weiteres Seufzen entweicht ihr, bevor sie sich eine Gabel voll Omelett in den Mund stopft.

Als sie mit dem ersten Bissen fertig ist, sagt sie: „Ich will das auch."

„Du wirst jemanden finden", versichere ich ihr. „Ich hätte nie gedacht, dass Melvin das, was er für mich empfindet, ausleben würde, und ich war sicher nicht mutig genug, den ersten Schritt zu tun. Jedes Mal, wenn ich ihn dabei erwischte, wie er mich beobachtete, fragte ich mich, ob er interessiert war oder nicht. Ob er aus Respekt vor meinem Vater oder aus einem anderen Grund Abstand hielt. Ich tappte völlig im Dunkeln, wenn es um ihn ging. Und eines Tages hat er mich einfach geküsst. Also wirst auch du jemanden finden, wenn du es am wenigsten erwartest."

„Hoffentlich, bevor ich sechzig bin. Aber zurück zu deinem Biker. Ist es etwas Ernstes? Ich meine, er hätte nicht den ersten Schritt gemacht, wenn es ihm nicht ernst mit dir wäre, vor allem, wenn man an deinen Dad und den Club denkt."

Ich wende mich wieder meinem Essen zu, bevor es kalt wird, und sage: „Er sagte, wenn wir miteinander schlafen, gehöre ich zu ihm."

Ein weiteres Stöhnen ertönt aus Livs Mund.

„Dann ist es also ernst", sagt sie. „Aber ernst, wie in lebenslang ernst?"

Man sollte meinen, dass allein die Frage ausreichen würde, um mir Angst zu machen, aber sie löst nicht einmal die geringste Beunruhigung aus.

„Das hat er nicht gesagt, aber aus irgendeinem Grund hatte ich das Gefühl, dass er es so gemeint hat. Ich habe keine Ahnung, wirklich. Ich weiß, dass ich jung bin, aber wenn er das gemeint hat, macht mir das nicht einmal Angst. Ich fühle mich nicht bedrängt oder gefangen. Ich fühle mich sogar freier als je zuvor. Findest du das komisch?"

Sie schüttelt den Kopf. „Ich denke, dass etwas, das dich so glücklich klingen und aussehen lässt, nicht komisch sein kann."

„Ja, ich bin wirklich glücklich." Sogar der Seufzer, den ich ausstoße, ist ein Seufzer des Glücks. „Aber genug von mir. Wie läuft's denn so im Laden?"

„Nicht so interessant wie dein Liebesleben", scherzt sie. „Nein, es läuft gut. Meine Mutter besteht darauf, dass ich ihr nur halbtags helfe und den Sommer ein wenig genieße, aber ich bin sowieso fast die ganze Zeit im Laden. Bisher hat sie mich noch nicht rausgeschmissen", sagt sie und grinst. „Ich liebe es einfach. Die Sträuße zu kreieren, an neuen Arrangements zu arbeiten … das könnte ich den ganzen Tag tun. Genauso wie du und die individuellen Aufträge, schätze ich."

Ich nicke und weiß genau, was sie meint. „Etwas zu tun, das man liebt, ist wirklich das Beste, nicht wahr?"

„Ja", stimmt sie zu.

Ich habe gerade einen weiteren saftigen Bissen heruntergeschluckt, als mein Telefon in meiner Handtasche klingelt.

„Ist es dein neuer Freund, der sich nach dir erkundigen will? Das wäre schön", sagt sie und die Sehnsucht in ihrer Stimme lässt mich erkennen, wie glücklich ich mich schätzen kann, jemanden wie Melvin zu haben – auch wenn er es nicht ist, der anruft.

Ein Stirnrunzeln vertreibt das Lächeln auf meinem Gesicht, als ich nach meinem Handy greife und Bens Namen auf dem Display sehe.

„Es ist Ben", sage ich zu Liv, während ich die grüne Taste drücke und das Telefon an mein Ohr halte. „Hallo?"

„Hey, Schatz. Kannst du mir einen Gefallen tun und deinem Loverboy sagen, dass er dich ein bisschen in Ruhe lassen und seinen Arsch in den Club bewegen soll?"

Sein Tonfall ist gewohnt lässig. Er ist sogar ein wenig neckisch, während er nicht gerade subtil andeutet, dass er weiß, dass Melvin und ich die Nacht zusammen verbracht haben. Aber die Sorge, die mich augenblicklich überkommt, lässt keinen Raum für irgendetwas anderes.

„Er ist im Club", dränge ich sofort, obwohl ich weiß, dass er es nicht ist, sonst würden die Jungs nicht auf ihn warten. „Er ist vor mehr als einer Stunde gegangen. Er ist vor acht Uhr losgefahren, Ben."

„Okay, Liebes", sagt er, seine Stimme ist unaufgeregt und beruhigend im Gegensatz zu meinem hektischen Tonfall. Aber es liegt auch eine Spur von Dringlichkeit darin. Ich kann es spüren. „Wo bist du? In Melvins Wohnung oder zu Hause?"

„Ich bin in der Stadt. Im Café mit Olivia. Was meinst du, wo er sein könnte, Ben?"

Die Frage kommt unwillkürlich. Ich weiß, dass er keine Antwort hat, aber ich kann nicht anders. Ich muss es einfach wissen.

„Hey, keine Panik, Liebes, okay? Ist er mit seinem Truck weg?"

„Ja. Sein Motorrad ist im Club. Der Truck war nicht in der Einfahrt, als ich gegangen bin."

„Okay, hör zu. Ich bin mir sicher, dass nichts ist, aber jemand wird dich trotzdem abholen und zum Club zurückbringen, in Ordnung?"

„Nein, ihr müsst ihn finden", flehe ich. „Ich habe mein Auto, ich kann allein hinfahren."

„Das werden wir", schwört er. „Aber wir bringen dich erst mal hierher zurück."

„Hat er sein Handy dabei?"

Das ist Blanes Stimme aus dem Hintergrund, seine Frage ist an mich gerichtet.

„Ja. Ja, er hat es bei sich."

Ben gibt die Info weiter und sagt mir: „Du bleibst an Ort und Stelle, Liebes. Geh nicht raus, nur für den Fall. Liam ist auf dem Weg."

„Okay."

Als wir aufgelegt haben, lege ich das Telefon auf den Tisch, während ich Liv erzähle, was sie bereits aus meinem Teil des Gesprächs herausgehört haben muss.

„Er hat es heute Morgen nicht in den Club geschafft. Sie können ihn nicht erreichen."

Olivia nimmt meine Hand, bleibt aber stumm. Es braucht keine Worte. Sie weiß, dass es nichts gibt, was sie sagen könnte, wodurch ich mich besser fühlen würde.

Wäre ich nicht im Clubleben aufgewachsen, wäre es nicht mein erster Instinkt gewesen, das Schlimmste zu befürchten. Aber nicht nur ich, sondern auch Melvins Mutter hat mit einem Club zu tun — oder wie auch immer man es nennen will —, der weit weniger gute Absichten hat. Das kann ich bezeugen. Die Angst schnürt mir die Brust zu und ich kann sie nicht unterdrücken. Es ist nicht das erste Mal, dass Melvin in Gefahr ist, aber es ist das erste Mal, seit wir uns nähergekommen sind, und die Gefühle, die mich durchfluten, sind schwer zu kanalisieren. Ich weiß nur, dass das Glücksgefühl, das mich gerade noch durchströmte, verschwunden ist. Es erscheint nun in weiter Ferne. Ich starre auf mein Handy und kämpfe gegen den Zwang an, Melvin anzurufen. Denn wenn er nicht abnimmt, so wie er die Anrufe seiner Brüder nicht beantwortet hat, wird die Angst noch bedrückender werden. Und sie ist schon so unerträglich genug. Mir bleibt nichts anderes übrig, als zu beten, dass meine erste Nacht mit Melvin nicht auch meine letzte war.

Kapitel 13

Melvin

Der faulige Geruch, der diesen Ort verpestet, ist fast schlimmer als der Schmerz, der den Großteil meines Körpers durchzuckt. Meine Rippen pochen bei jedem Atemzug und mein Magen schmerzt sowohl unter den Fäusten, die mit rasender Wucht auf mich einschlagen, als auch unter der unerbittlichen, instinktiven Kontraktion meiner Muskeln in der Hoffnung, den Schlag abzumildern. Meine Schultern müssen ihren Teil des Elends ertragen und haben keine andere Wahl, als das meiste von meinem Eigengewicht zu tragen, denn ich schaffe es kaum, mit meinen Zehenspitzen den dreckigen Boden unter mir zu berühren. Von meinen Handgelenken fange ich gar nicht erst an, die schmerzhaft mit ein paar dicken Seilen gefesselt sind, mit denen mich diese durchgeknallten Wichser an die niedrige Decke gehängt haben. Aber verdammt, der Geruch, der mir in die Nase steigt, während ich durch den unerbittlichen Angriff hindurchzuatmen versuche, ist auch kein Zuckerschlecken. Kanalisation, Pisse oder tote Tiere, die irgendwo verwesen ... Ich kann nicht mit Sicherheit sagen, was es ist. Nur, dass zu den Schmerzen, die mit jedem Schlag schlimmer werden, ein kaum zu bändigender Brechreiz hinzukommt. Aber weder die Schläge noch der Geruch sind quälend genug, um über das unbändige Grauen zu triumphieren, das mich durchströmt, sobald meine Gedanken zu Chloe wandern. Und das ist alle paar Sekunden der Fall.

Waren diese beiden Mistkerle wirklich allein, als sie sich vor meinem Haus auf mich stürzten und ihre Waffen auf mich richteten? Das haben sie gesagt, aber der einzige Grund, warum ich ihnen glauben will, ist, dass ich nicht einmal ausschließen kann, dass noch jemand in der Nähe gewesen sein könnte, um Chloe zu holen. Die Wichser sagten, sie würden sie in Ruhe lassen, wenn ich in meinen Truck klettere und mit ihnen wegfahre wie ein fügsames Hündchen. Ich hoffe verdammt nochmal, dass das die Wahrheit war.

„Sagst du mir jetzt, wer du bist und was du willst?", ächze ich mühsam durch meine keuchenden Atemzüge hindurch zwischen zwei Schlägen auf meine linke Niere.

Aber ich mache nur Konversation, denn das Emblem der Demented Cobras auf der Rückseite ihrer Kutten sagt alles.

„Oder vielleicht lässt du dir ein paar Eier wachsen und stellst dich einem fairen Kampf", fahre ich schnell fort.

Drei Schläge hintereinander; das ist es, was ich dafür ernte, dass ich sie Feiglinge nenne. Offensichtlich gefällt ihnen das nicht besonders gut. Zur Kenntnis genommen.

„Du erinnerst dich wirklich nicht mehr an uns, oder?", zischt der Schwarzhaarige. „Du steckst deine Nase in Dinge, die dich nichts angehen, und weißt nicht einmal mehr, mit wem du dich anlegst."

Das lässt mich innehalten. Sollte ich diese Wichser etwa kennen? Ihre Gesichter kommen mir nicht bekannt vor. Ich zweifle nicht daran, dass ich selbst nach tagelangem Nachdenken nicht annähernd herausfinden würde, wer sie sind.

„Ich frage mich, ob sich deine kleine Hure an uns erinnern wird, wenn wir ihr einen kleinen Freundschaftsbesuch abstatten", fügt der mit dem kahlgeschorenen Kopf hinzu.

Sein schadenfroher Tonfall und das spöttische Grinsen, das mich provozieren soll, sind der Beweis dafür, dass diese Wichser Chloe nicht nur bedroht haben, um mich dazu zu bringen, folgsam mit ihnen in meinen Truck zu steigen. Sie wissen, wer sie ist. Die Art, wie sie von ihr sprechen, lässt keinen Zweifel daran, dass es sich um eine persönliche Angelegenheit handelt. Und trotz der paar Schläge, die ich auch auf meinen Kopf bekommen habe, kann ich sehr wohl noch zwei und zwei zusammenzählen.

„Wenn du sagst, dass ich meine Nase in Dinge stecke, die mich nichts angehen, meinst du damit, dass ich deinen Vergewaltigungsversuch vereitelt habe?" Ich koche und wünsche mir verdammt noch mal, dass ich meine Hände frei hätte.

Ich kann nicht glauben, dass ich diese Drecksäcke nicht erkannt habe. Obwohl einer jetzt lange Haare hat und dem anderen ein ziemlich dicker Bart gewachsen ist. Außerdem haben sie in den letzten drei Jahren ein paar Kilo an Muskeln zugelegt.

„Das ging dich ja nichts an, oder?", knurrt er und bestätigt damit, dass ich richtig geraten habe.

Diese Wichser sind zwei von den Scheißkerlen, die versucht haben, Chloe zu vergewaltigen, als sie erst fünfzehn Jahre alt war.

Ich will sie ausschlachten. Sie aufschlitzen.

Das Kranke ist, dass der Tag, an dem ich den Vergewaltigungsversuch dieser Bastarde vereitelt habe, auch der Tag ist, an dem ich den Club kennengelernt habe. Der Club ist das Beste, was mir und Max je passiert ist, aber ich würde alles wieder hergeben, wenn das bedeuten würde, dass Chloe nie so etwas durchmachen muss. Ich kann mir nicht einmal ausmalen, was passiert wäre, wenn ich nicht nach einem weiteren fruchtlosen, demütigenden Vorstellungsgespräch, das mich wütender denn je gemacht hat, durch diese Gasse gegangen wäre.

Der Glatzkopf schnaubt mit offensichtlicher Gehässigkeit. „Anscheinend wolltest du sie für dich behalten."

Ein Knurren dringt aus meiner Kehle, als ich höre, wie er das, was ich mit Chloe habe, mit dem vergleicht, was er an diesem Tag von ihr wollte. Ich schwöre bei Gott, dass er mich besser nicht losbindet. Ich werde ihm das Genick brechen und das Geräusch seiner brechenden Wirbel genießen, bevor er auch nur einen Schlag landen kann.

„Worum geht es hier?", knurre ich. „Rache für die Prügel, die ich dir verpasst habe? Hast du Angst, keine Treffer mehr landen zu können, wenn ich die Hände frei habe? Ich kann es dir nicht verdenken. Ich habe euch Jungs den Arsch versohlt, ohne auch nur groß ins Schwitzen zu kommen. Wo ist Arschloch Nummer drei? Versucht er immer noch, sich zu erholen?"

Wie erwartet prallt in dem Moment, als ich zu Ende geredet habe, eine Faust in meinen Bauch.

„Vielleicht wollen wir nur beenden, was wir angefangen haben", spottet der mit den langen Haaren mit einem Grinsen im Gesicht. „Und glaub mir, Robbie ist mehr als erpicht darauf, auch seinen Anteil zu bekommen."

Ich bin mir nicht einmal sicher, warum sie so sehr versuchen, mich zu provozieren. Gefesselt wie ein verdammtes Tier, bin ich ihnen buchstäblich ausgeliefert. Aber das ist Nebensache, etwas anderes stört mich viel mehr. Die Hauptfrage, die mir durch den Kopf geht, ist, dass ich nicht weiß, warum sie wirklich hier sind. Als die jungen Vergewaltiger, die ich vor Jahren verprügelt habe oder als Hawks Prospects. Vielleicht beides. Das Einzige, was ich weiß, ist, dass sie mich nicht tot sehen wollen. Jedenfalls noch nicht. Sonst wäre das schon längst geschehen.

Ich habe keine Ahnung, was sie damit zu bezwecken versuchen, aber diese Scheiße geht schon lange genug.

„Wie wär's, wenn ihr mir jetzt sagt, warum ich wirklich hier bin? Was will Hawk?", füge ich hinzu und versuche es ihnen vielleicht so zu entlocken.

Himmel, diese Wichser haben die schlechtesten Pokerfaces überhaupt.

„Ja, ihr Sherlocks, ich weiß von eurem Club", spotte ich, als ich sehe, dass sie vor Überraschung verkrampfen.

Ich bin auch verwundert. Ich dachte wirklich, ich hätte mir mit meinem Tonfall einen weiteren blauen Fleck eingehandelt.

„Du weißt, was er will", antwortet Glatzkopf.

„Sag ihm, er soll seinen Arsch hierher bewegen, damit ich ihm mitteilen kann, dass er sich selbst ficken kann."

Diesmal war ich mir sogar noch sicherer, einen Schlag ins Gesicht zu kassieren. Man sollte meinen, die Respektlosigkeit, die ich ihrem Präsidenten entgegengebracht habe, würde mich etwas kosten, aber das hat sie nicht sonderlich gereizt. Ich hoffe, Hawk ist sich bewusst, wie wenig Engagement seine Prospects für ihn aufzubringen scheinen.

Nun, eigentlich ist mir das scheißegal.

„Ich bezweifle, dass mein Präsident das zu schätzen wissen wird", sagt der andere.

„Ehrlich gesagt, ist es mir ziemlich egal, was dein Präsident zu schätzen weiß oder nicht."

„Um ehrlich zu sein, ist mir der Junge scheißegal und die Hure des Präsidenten ebenso", gibt der haarige Kerl zu und verrät mir damit, dass er von Max weiß. „Aber als er uns das Foto von dem Kerl gezeigt hat, den wir vor ein paar Monaten verfolgen und ausschalten sollten, hatten wir nicht die Absicht, den Job zu delegieren. Wie geht es übrigens den Stichwunden? Sind sie gut verheilt?"

Mein Pokerface ist nicht viel besser als das von ihnen zuvor. Der Schock über diese Nachricht muss mir ins Gesicht geschrieben stehen, aber ich kann es nicht ändern.

Der Angriff zu Beginn des Jahres.

Für mich und meine Brüder gab es keinen Zweifel daran, dass der Überfall auf mich mit der Scheiße zu tun hatte, in die Lana damals verwickelt war. Ich war auf einen Drink in einer Bar, in der Hoffnung, eine willige Frau zum Vögeln zu finden, obwohl der Gedanke nicht im Geringsten verlockend klang, und wurde auf der verdammten Toilette überfallen. Der Wichser trug eine Skimaske, sein Messer hatte sich in mein Fleisch gebohrt, bevor ich realisieren konnte, was passiert war. Die Leute riefen den Notruf und das Nächste, was ich weiß, ist, dass ich nach einem kleinen Ausflug in die Chirurgie in einem Krankenhausbett aufwachte.

Das ist dafür, dass du dem Mädchen geholfen hast. Kümmere dich das nächste Mal um deine eigenen Angelegenheiten.

Das waren die Worte, die der Hurensohn zu mir sagte, als er sein verdammtes Messer in meine Haut rammte. Für uns alle war es klar, dass er Lana meinte. Sie steckte mitten in irgendeiner Angelegenheit, in die Politiker und sehr reiche, einflussreiche Geschäftsleute verwickelt waren, und sie hatte sich gerade bereit erklärt, sich von uns helfen zu lassen. Für uns gab es keinen Zweifel, dass es um sie ging. Klingt, als hätten wir uns geirrt.

„Kein Wunder." Ich schnaube. „Eine Skimaske, ein Überraschungsangriff und ein gescheiterter Mordversuch. Hört sich sehr nach etwas an, das ihr abziehen würdet." Wut wischt ihnen das arrogante Grinsen aus dem Gesicht, aber als immer noch keine Fäuste in meine Richtung fliegen, fahre ich fort. „Könnt ihr mir jetzt sagen, warum ihr so getan habt, als wärt ihr wegen etwas, das vor Jahren passiert ist, hier, obwohl ihr in Wirklichkeit im Auftrag eures Präsidenten da seid? Wenn er mich tot sehen will, warum atme ich dann noch?"

Ich weiß nicht, ob sie meine Fragen beantworten werden, aber einen Versuch ist es wert. Diese Scheiße wird von Sekunde zu Sekunde obskurer. Außerdem muss ich Zeit gewinnen. Ich habe keine Ahnung, wie lange es her ist, dass wir hier angekommen sind, aber es kann nicht mehr als eine Stunde sein. Meine Brüder müssen bereits herausgefunden haben, dass ich verschwunden bin. Wenn nicht, werden sie es irgendwann merken. Diese Idioten haben nicht einmal mein Telefon mitgenommen, das ich diskret in meinem Truck deponiert habe, als wir an diesem verlassenen Lagerhaus mitten im Nirgendwo ankamen. Blane wird das Handy irgendwann orten, aber je eher, desto besser.

Der Glatzkopf sieht mich immer noch an, als hätte ich sein ganzes Leben ruiniert und sagt: „Der Präsident wollte dich tot sehen, und was ich jemandem als letzte Worte mit auf den Weg gebe, ist meine Sache."

Das Ganze ergibt immer noch keinen Sinn.

„Okay, es gibt also keinen Grund, warum ich noch nicht tot bin", fasse ich zusammen. Ich richte meinen Blick auf den haarigen Kerl. „Was ist mit dir? Versuchst du dich zusammenzureißen, damit du nicht wieder so eine Scheiße baust wie letztes Mal? Bin ich deshalb noch nicht tot? Oder willst du einfach nur ein bisschen prahlen und sicherstellen, dass ich weiß, dass du gewonnen hast?"

Er sieht mich immer noch mit einem mörderischen Blick in seinen blauen Augen an und antwortet mit seiner mürrischen Stimme: „Die Befehle haben sich geändert. Leider", betont er die Tatsache, dass er mit der Planänderung nicht einverstanden war. „Jules wusste nichts von Hawks Absicht, dich loszuwerden. Als sie davon erfuhr, bat sie ihn, dich nicht zu töten. Wer hätte gedacht, dass Junkies ein Herz haben?", knurrt er, und wir beide teilen eindeutig eine Eigenschaft, nämlich eine tiefe Abneigung gegen meine Mutter.

Ja, wer hätte gedacht, dass Jules genug Herz hat, um zu versuchen, das Leben ihres Erstgeborenen zu retten?

„Hawk dachte, wenn du nicht mehr da bist, könnten sie versuchen, das Kind auf legalem Weg zu bekommen", sagt Glatzkopf. „Sie hätte vielleicht leichter das Sorgerecht für ihn bekommen."

Blödes Arschloch.

„Ernsthaft? Er hat es doch gerade selbst gesagt", sage ich zu Glatzkopf, während ich mit dem Kinn in Richtung seines Bruders zucke. „Jules ist ein Junkie. Niemand würde ihr so einfach das Sorgerecht für ein Kind geben."

Er zuckt abschätzig mit den Schultern, bevor er weiterspricht, was mein Blut wieder vor mörderischer Wut kochen lässt. Ich will diese Wichser umbringen.

„Ja, ist mir scheißegal, so oder so. Wie auch immer, der Club hatte irgendeinen Scheiß mit einem anderen Club am Laufen, also musste Hawk die Sache mit dem Kind für eine Weile beiseiteschieben. Dann hat Jules deine Hure nett gefragt, aber das hat auch nicht viel besser geklappt. Und hier sind wir nun."

Ich atme ein und aus und ignoriere, dass er Chloe eine Hure genannt hat, denn es wird mir nicht helfen, die Fassung zu wahren.

„Ja, hier sind wir", wiederhole ich. „Du prügelst mir die Scheiße aus dem Leib. Aber für was genau? Um mich zu überreden, meinen Bruder auszuliefern? Glaubt Hawk wirklich, das klappt? Seid ihr alle so dumm?"

Das wird mir auch nicht helfen, aber verdammt, ich verliere langsam die Geduld. Und das Wissen, dass ich heute dem Tod entkommen könnte, hilft mir, das imaginäre Geräusch einer tickenden Uhr aus meinem Kopf zu verbannen.

„Wie ich schon sagte, ich befolge nur Befehle", antwortet Glatzkopf. „Okay, ich gebe zu, wir haben es mit dem Prügeln etwas übertrieben. Unser Fehler. Aber ich sag dir was", fährt er fort und sein höhnischer Ton macht mich wütend. „Wir geben dir eine Pause, während mein Bruder zu der kleinen Blondine geht, die wir alle mögen. Was hältst du davon?"

Die Dunkelheit in seinen Augen passt zu der Finsternis in seinem Lächeln. Es überzieht meine Haut mit einem Schauer des Grauens und formt einen neuen Feuerball der Wut in meinem Magen. Aber die Wut ist alles, was übrigbleibt, als er sich auf dem Absatz umdreht und auf die große Metalltür zugeht, die mit buntem Graffiti beschmiert ist.

„Wenn du sie anrührst, verspreche ich dir, dass das, was ich dir vor drei Jahren angetan habe, eine schöne Erinnerung sein wird, verglichen mit der Hölle, durch die ich dich schicken werde, bevor ich dir eine Kugel in den Schädel jage!", rufe ich ihm hinterher, aber er lacht nur und geht weiter in Richtung Ausgang.

Dann ist er aus der Tür und lässt mich vor Wut schäumend zurück. Meine Nasenlöcher blähen sich auf wie die eines wütenden Stiers, meine Fäuste ballen sich nutzlos über meinem Kopf, während sich der Glatzkopf hämisch freut.

„Du wirst uns nicht finden, wenn wir mit ihr fertig sind, und in der Zwischenzeit kannst du nicht viel tun, oder?"

„Der einzige Grund, warum ich nichts tun kann, ist, dass ihr immer noch die kleinen Jungs seid, die ihr vor drei Jahren wart und keine Ahnung habt, wie man gegen echte Männer kämpft. Aber das überrascht mich auch nicht. Ohne eure Daddys kriegt ihr wohl nichts auf die Reihe."

Sein Kiefer zuckt vor Wut, und verdammt, ich genieße es, sein gerötetes Gesicht zu sehen. Wenn der Haarige wirklich auf dem Weg zu Chloe ist, habe ich sowieso nichts zu verlieren. Ich werde den Wichser so lange ärgern, bis er wieder Lust hat, auf mich einzuschlagen. Aber wenn er mir das nächste Mal zu nahekommt, werde ich ihm zeigen, dass meine Hände nicht die einzigen Teile meines Körpers sind, die ich benutzen kann.

„Oh, das tut mir leid", spotte ich. „Gehörte dein Daddy zu den Wichsern, die wir ausgeschaltet haben oder hatte das Kartell die Ehre, ihm eine Kugel zu verpassen? Gehörte er vielleicht zu den Feiglingen, die mit eingezogenem Schwanz aus Texas abgehauen sind? Wenn ich so drüber nachdenke, würde ich auf die dritte Möglichkeit tippen. Ich meine, wie der Vater, so der Sohn, sagt man doch, oder?"

Mehr braucht es nicht, um ihn zum Reagieren zu bringen. Sein Gesicht ist hochrot und wenn Rauch aus seinen Ohren kommen könnte, stünden wir jetzt beide in Nebelschwaden. Aber ich komme nicht dazu, ihm einen Kopfstoß zu verpassen. Er macht nur einen Schritt in meine Richtung, bevor draußen ein Schuss ertönt und wir beide zur Tür blicken.

Das Arschloch braucht ein paar Sekunden, um zu begreifen, dass es eine gute Idee wäre, seine Waffe zu ziehen, und während er das tut, frage ich mich in Gedanken, was hinter dieser Tür vor sich geht. Hoffentlich ist es das, wofür ich es halte. Der Schuss bedeutet, dass jemand da ist, der nicht hier sein sollte und dass er gerade dem Haarigen begegnet ist. Ich hoffe auch, dass es meine Brüder sind, die mich aufgespürt haben, und dass es der Prospect der Cobras ist, der mit einer Kugel im Bauch auf dem Boden liegt.

Der Glatzkopf scheint völlig ratlos zu sein, was er tun soll. Zum Glück hat er nicht die Zeit, sich darauf zu besinnen, dass er schon ein großer Junge ist und in Aktion treten sollte. Die Tür wird aufgerissen, während er immer noch wie erstarrt dasteht, seine Waffe dummerweise auf den Boden gerichtet, und erst als er meine Brüder hereinstürmen sieht, hebt er sie. Aber es ist zu spät. Nate feuert ohne Vorwarnung und trifft Glatzkopf in die Brust. Sein

Körper fällt wie ein nasser Sandsack, der Bastard ist wahrscheinlich tot, bevor er den Boden berührt hat.

„Wie viele sind es?", fragt Jayce mich, seine eigene Waffe vor sich gerichtet, während er den kahlen Raum absucht.

Ihm folgen Ben, Blane und Karl, alle bewaffnet und bereit, für was auch immer sie erwarten wird.

„Nur der, der gerade gegangen ist", grunze ich. „Habt ihr ihn erwischt?"

„Ja, auch tot", sagt Ben zu mir. „Geht es dir gut?"

„Ich muss zu Chloe. Weißt du …"

„Sie ist im Club", unterbricht Nate meine Frage, während er und Ben damit beschäftigt sind, mich zu befreien. „Sie ist in Sicherheit. Geht es um sie?"

Gott sei Dank. Das heißt, der Plan der Wichser heute Morgen war es nicht, mich von Chloe wegzubringen, um zu ihr zu gelangen. Zumindest nicht zu Beginn.

„Es ist komplizierter als das", antworte ich. „Ich erkläre es dir, wenn wir zurück sind. Scheiße", stöhne ich durch den Schmerz hindurch, als ich endlich auf meinen eigenen zwei Beinen stehen kann. „Ich wünschte, ich hätte sie selbst ausschalten können. Die Wichser müssen mir eine Rippe gebrochen haben. Wie geht es Chloe? Ich nehme an, sie weiß, dass ich verschwunden bin?"

„Das tut mir leid", sagt Ben und zieht die Stirn in Falten. „Ich habe sie angerufen, weil ich dachte, du gehst nicht ans Telefon, weil du zu sehr mit ihr beschäftigt bist", erklärt er und grinst. „Ich habe auch Brent und Cody angerufen. Ich habe Brent gesagt, dass niemand sie angefasst hat. Außer dir jedenfalls."

Der Schmerz, der mich von Kopf bis Fuß überfällt, wird plötzlich unbedeutend, als ich ihn panisch anschaue. Sein Gesicht sieht so ernst aus, wie sein Tonfall klang, und ich bin kurz davor, in Schweiß auszubrechen, als er loslacht.

„Fuck. Das ist echt mies, Idiot", murmle ich, während Nate und Jayce in sein Lachen einstimmen.

„Dachtest du wirklich, ich würde ihm das sagen? Der Mann hätte einen Weg gefunden, mir über das Telefon die Eier abzureißen, nur weil er deine gerade nicht erreichen konnte."

Selbst wenn meine Rippen es verkraftet hätten, hätte ich nicht gelacht. Das ist nicht witzig.

Als wir gerade aus dem Lagerhaus treten wollen, komme ich wieder zur Sache.

„Wir müssen uns um die Leichen kümmern", sage ich.

„Wir haben das im Griff", sagt Jayce. „Du und Ben nehmt den Truck und fahrt zurück in den Club. Wir kümmern uns um diesen Ort. Braucht ihr Doc?"

„Nein, nicht nötig. Mir geht's gut."

Er nickt. „Ruf Cody auf dem Rückweg an. Er hat uns eine Stunde Zeit gegeben, bevor sie zurückfahren würden. Die Stunde ist fast um."

„Okay. Wir sehen uns dann im Club. Seid vorsichtig", sage ich ihnen, bevor ich Ben zu meinem Wagen folge und auf den Beifahrersitz klettere.

Sobald ich mich niedergelassen habe, rufe ich Cody an, der sofort abhebt, als Ben losfährt.

„Melvin?"

„Ja. Mir geht's gut."

„Gott sei Dank." Er atmet tief durch. „Ich wollte gerade losfahren. Was zum Teufel ist passiert? Du bist auf Lautsprecher. Brent ist hier."

„Es waren die Cobras. Zwei Prospects."

Jetzt kommt der Teil, von dem ich wünschte, ich könnte ihn weglassen. Ich weiß nicht, wie Brent auf das reagieren wird, was ich gleich andeuten werde, aber ich werde nicht anfangen, Spielchen zu spielen oder ihn mit Samthandschuhen anzufassen. Er hat mir seinen Segen gegeben, mit seiner Tochter zusammen zu sein; er kann sich genauso gut daran gewöhnen, zu hören, dass wir die Nächte zusammen verbringen. Chloe gehört jetzt in jeder Hinsicht zu mir und ich werde es nicht verheimlichen.

„Ich habe mein Haus heute Morgen eine halbe Stunde vor Chloe verlassen. Die Wichser haben mich direkt vor der Tür überfallen. Entweder ich steige mit ihnen in meinen Truck oder sie jagen mir eine Kugel in den Kopf und holen Chloe. Es war zu riskant, irgendetwas zu versuchen. Hätten sie mich erschossen, hätte es niemanden gegeben, der sie von ihr ferngehalten hätte. Sie brachten mich in ein heruntergekommenes Lagerhaus. Die Idioten haben mir mein Handy nicht abgenommen und ich habe es im Wagen zurückgelassen, in der Hoffnung, dass die Jungs mich aufspüren würden. Als Ben Chloe anrief und merkte, dass etwas nicht stimmte, haben sie das getan."

„Wo sind die Wichser jetzt?", Cody stöhnt.

„Tot. Aber da ist noch etwas anderes", sage ich und leite sofort zu diesem Teil über. „Das waren die

Mistkerle, die Chloe vor drei Jahren überfallen haben."

„Was zum Teufel?!", brüllt Brent. „Du willst mich doch verarschen!"

„Was soll das heißen? Ging es um Chloe oder um die Scheiße mit Jules? Ich verstehe das nicht", schaltet sich Cody ein.

„Um beides", gebe ich zu. „Den Prospects zufolge haben sie mich mitgenommen, weil Hawk sie darum gebeten hat, und die Tatsache, dass ich sie damals verprügelt habe, war nur ein Zufall. Aber es ist das Beste, wenn wir euch zurückrufen, wenn wir alle wieder im Club sind. Dann gehen wir alles durch."

„Von mir aus", stimmt Cody zu. „Soll ich zurückkommen? Ich kann …"

„Nein. Mir geht's gut. Du hast Max nichts gesagt?"

„Nicht ein Wort. Er spielt im Pool mit Lilly, Madeline und den Kindern. Lilly habe ich auch nichts gesagt, aber sie hat gemerkt, dass etwas nicht stimmt."

„Sag ihr, es ist alles in Ordnung, und im Ernst, bleib einfach bei ihnen. Max hat sich sehr auf diese Woche gefreut. Ich will nicht, dass er sie verpasst. Außerdem ist es vielleicht ganz gut, dass er nicht da ist. Dort kommt niemand an ihn heran. Und ich möchte nicht, dass er mich so zugerichtet sieht."

„Stimmt", sagt er zustimmend. „Dann bleibe ich eben."

„Hast du ein Auge auf mein Mädchen, Melvin?", vergewissert sich Brent.

„Das habe ich", schwöre ich.

„Gut. Vergiss nicht anzurufen, wenn du bereit bist, den Mist durchzusprechen. Ich will dabei sein."

„Klar doch. Wir reden später."

In dem Moment, in dem wir das Gespräch beenden, kocht Ben neben mir hoch. „Das waren die gleichen Drecksäcke, die versucht haben, Chloe zu vergewaltigen?"

„Das waren sie. Glaub mir, ich wünschte, sie wären viel langsamer und schmerzhafter gestorben."

Ächzend lehne ich meinen Kopf gegen den Sitz.

Meine Mutter muss dringend ihren Scheiß auf die Reihe kriegen und verschwinden. Denn selbst wenn ihr neues Arschloch von einem Freund seine Pläne in Bezug auf mich geändert hat – vorausgesetzt, seine Prospects haben die Wahrheit gesagt, was nicht sicher ist –, heißt das nicht, dass er nicht wieder den Kurs ändert. Und die Chancen stehen nicht schlecht, dass das passiert, sobald er herausfindet, dass wir zwei seiner Prospects getötet haben.

Seien wir ehrlich, diese beiden Kugeln könnten uns in Teufels Küche bringen.

Kapitel 14

Chloe

Ich umklammere mein Telefon. Ich habe es schon so lange in der Faust, dass meine Handfläche feucht geworden ist und ich mich an die Schmerzen in meinem Handgelenk gewöhnt habe. Es ist, als würde das Festhalten meines Handys die Wahrscheinlichkeit erhöhen, dass Melvin mich anruft. Das ist ein törichter Gedanke und so sehr ich innerlich bete, dass das Display aufleuchtet, ist es doch in den letzten vierzig Minuten hoffnungslos schwarz geblieben.

Außer, als mein Vater mich angerufen hat. Er und ich haben zehn Minuten lang telefoniert, während ich versucht habe, nicht wie ein kleines Mädchen zu klingen, das seinen Daddy mehr denn je braucht. Er versprach, dass er und Cody nach Hause fahren würden, wenn Melvin nicht innerhalb einer Stunde gefunden würde, aber ich will mir diese Möglichkeit nicht einmal vorstellen. Ich brauche ihn jetzt sofort zurück.

Dad wollte am Telefon bleiben, aber ich habe ihm gesagt, dass es mir gut geht und dass es nützlicher wäre, wenn er sich bei den Jungs meldet. Aus einer Entfernung von fast vier Stunden kann er nicht viel tun und die Sorge in seiner Stimme machte meine Angst nur noch schlimmer.

„Bist du sicher, dass du deine Mutter nicht anrufen willst?", fragt Alex mich.

Wir sitzen beide an einem Tisch im Hauptraum, genau wie der Rest der Mädchen. Sie sind alle um mich versammelt und stärken mir mit ihrer Anwesenheit den Rücken.

„Mit ihr zu reden, könnte helfen", stimmt Camryn zu.

Ich hebe meinen Blick von meinem leblosen Bildschirm und schüttle den Kopf. „Mein Dad wird ihr nur sagen, was los ist, wenn etwas …" Ich stoße einen zittrigen Seufzer aus. „Es hat keinen Sinn, sie zu beunruhigen, bevor wir mehr wissen. Vielleicht ist es nur Jules, die ihn um ein Treffen gebeten hat. Sie hat eine Gabe, wenn es darum geht, ihn zu verwirren. Vielleicht hat er sich verzettelt und vergessen, den Jungs Bescheid zu sagen?"

Als mir eine Träne über die Wange läuft, streckt Erin die Hand aus und drückt sie. Irgendwann mussten die Tränen ja raus. Je mehr Zeit vergeht, desto stärker wird meine Sorge. Mittlerweile ist es eigentlich mehr Angst als Sorge.

„Ich weiß, meine Erklärungsversuche sind lächerlich."

„Du versuchst, positiv zu bleiben, und das ist gut so", tröstet mich Erin sanft. „Glaube mir, ich weiß, wie es sich anfühlt, im Dunkeln zu tappen. Sich das schlimmste Szenario auszumalen, wird dir nicht helfen. Es ist gut, positiv zu denken", wiederholt sie.

„Ich habe solche Angst, ihn zu verlieren", gebe ich leise murmelnd zu.

Ich versuche, Zuversicht zu bewahren. Ich versuche, meine dunkelsten Gedanken nicht die Oberhand über die Hoffnung auf einen glücklichen Ausgang gewinnen zu lassen. Ich gebe mir wirklich Mühe, aber es ist schwer. Melvin hat sich seit zwei Stunden mit niemandem mehr in Verbindung gesetzt. Nicht mit seinen Brüdern und nicht mit mir. Das ist eine einfache Tatsache, die nichts Gutes verheißt. Das macht es im Moment etwas schwer, zuversichtlich zu bleiben. Und gerade als alles hoffnungslos scheint, erwacht mein Telefon zehn Minuten später endlich zum Leben.

Als ich Melvins Namen auf dem Display sehe, überkommt mich eine so starke Welle der Erleichterung, dass ich froh bin, zu sitzen. Selbst ohne Belastung zittern meine Beine unter dem Tisch.

„Melvin?", frage ich drängend, als ich abhebe.

„Hey, Sonnenschein."

„Oh, Gott. Wo steckst du? Geht es dir gut?"

Den Klang seiner Stimme in meinem Ohr zu hören, beruhigt mich noch deutlich mehr, als seinen Namen auf dem Bildschirm zu lesen.

„Mir geht's gut, Baby. Allen geht es gut. Ich bin mit Ben auf dem Rückweg. Und wie geht es dir?"

Ich bin ein Wrack. Ein totales, komplettes Desaster. Ich weiß, das klingt redundant. Aber so durcheinander bin ich nun mal.

„Jetzt geht es mir gut." Das ist die ehrlichste Antwort, die ich ihm geben kann.

„Du klingst nicht so ", entgegnet er ebenfalls ehrlich.

„Ich habe mir Sorgen gemacht." Angst besser gesagt. „Was ist passiert?"

„Wir sprechen uns …"

Es kommt nichts mehr und ich brauche eine Sekunde, um zu merken, dass der Anruf beendet ist.

„Melvin?", rufe ich trotzdem unbeholfen. „Ich glaube, der Anruf wurde unterbrochen."

Gerade als ich mir wieder Sorgen mache und ihn zurückrufen will, zwitschert mein Handy mit einer eingehenden SMS.

Melvin: *Der Empfang ist scheiße hier draußen. Ich bin gleich da.*

„Oh, er hat einfach keinen guten Empfang."

„Es hat sich alles geklärt, Süße. Du kannst dich entspannen."

Bei Liams Stimme blicke ich auf und sehe ihn die Treppe herunterkommen. Er schenkt mir ein beruhigendes Lächeln, sagt aber nichts weiter. Er kann und will es nicht, aber ich wünschte, ich wüsste mehr darüber, was passiert ist. Aber wenigstens weiß ich, dass es allen gut geht, und das ist das Wichtigste.

Er geht direkt zum Tisch und gibt Erin einen Kuss auf ihr feuerrotes Haar, bevor er sich neben sie setzt. Keiner rührt sich, während wir alle auf die Rückkehr der Jungs warten. Zum Glück müssen wir nicht lange ausharren, bis draußen das leise Geräusch von Melvins Truck zu hören ist. Ich stehe blitzschnell von meinem Stuhl auf und laufe schon die Treppe hinunter, als Melvin vom Beifahrersitz klettert.

„Oh mein Gott", flüstere ich, als mich ein neuer Anflug von Panik überkommt. „Du hast gesagt, es geht dir gut!", schnauze ich, als ich auf ihn zustürme.

„Weil es mir gut geht", hat er die Frechheit zu sagen. Gut, von wegen. „Es sind nur blaue Flecken. Ich habe dir gesagt, dass es mir gut geht, weil es so ist, Sonnenschein."

Ich kann das Zittern meiner Hände nicht kontrollieren, als ich sie zu seinem Gesicht hebe und versuche, den Zustand abzuschätzen. Er hat zwei blaue Augen, die linke Seite seines Kiefers ist violett verfärbt und ein paar andere rötliche Blutergüsse haben sich an seiner Schläfe und seinem Wangenknochen gebildet.

„Bist du sonst noch irgendwo verletzt?"

„Lass uns reingehen, Babe", ist seine Antwort.

„Das ist also ein Ja", sage ich, wobei meine Erwiderung vor Sarkasmus trieft.

Ben geht an uns vorbei und zwinkert mir zu. Nachdem ich ihn leicht angelächelt habe, schaue ich wieder zu Melvin, der aus irgendeinem Grund ebenfalls lächelt.

„Warum lächelst du?"

„Ich bin nur froh, dass es dir wieder gut geht."

Ich seufze, meine Verärgerung lässt ein wenig nach. „Ich hatte Angst."

„Ich weiß. Komm her", flüstert er und zieht mich zu sich.

„Ich sollte diejenige sein, die dich tröstet", murmle ich gegen seine Brust und schäme mich für meine momentane Schwäche.

„Das machst du", sagt er. „Und wenn du darauf bestehst, mehr zu tun, habe ich nichts dagegen, dass du heute Abend meine blauen Flecken küsst", bietet er an und sein anzüglicher Ton bringt mich zum Lächeln.

„Abgemacht", stimme ich mit einem aufrichtigen Grinsen zu und meine Stimmung bessert sich leicht.

Aber als ich ihn fester umklammere, entweicht ihm ein Zischen und ich ziehe mich zurück, als würden wir beide sonst in Flammen aufgehen.

„Was ist los? Bist du ..."

Ich beende meinen Satz nicht, als mein Blick auf seinen Oberkörper fällt und bevor er mich aufhalten kann, hebe ich sein graues Shirt hoch.

„Nun, wenn du nicht bis heute Abend warten kannst ..."

Ich müsste über seinen Witz lachen, wenn ich nicht so viele weitere blaue Flecken freilegen würde – Blutergüsse, die er absichtlich nicht erwähnt hat. Aber ich lache nicht. Ich lächle nicht einmal. Stattdessen werfe ich ihm einen bösen Blick zu. Zumindest versuche ich es. Es ist nicht sehr effektiv, denn die Sorge hat sich wieder in meine Magengrube geschlichen.

„Das sind nur blaue Flecken, Sonnenschein. Die wirst du heute Abend auch wieder gesund küssen."

„Gott, hör auf mit den Witzen", zische ich, als sich erneut eine Träne ihren Weg aus meinen Augen bahnt.

„Hey, sieh mich an", fordert er, seine Ernsthaftigkeit ist zurück, während er sein Oberteil wieder nach unten zieht. Er fährt fort, während er mir mit dem Daumen die Träne von der Wange streicht. „Diese Blutergüsse werden im Handumdrehen heilen, Chloe. Es ist alles gut. Wenn die Jungs zurück sind, muss ich mit ihnen noch ein paar Dinge durchgehen. Aber dann springe ich unter die Dusche und danach weiche ich für den Rest des Tages nicht mehr von deiner Seite. Wie hört sich das an?"

„Perfekt", gebe ich leise zu.

Meine Stimme und mein Lächeln sind so sanft wie der Kuss, den er mir auf die Nase drückt. Seine Zärtlichkeit würde mich zum Dahinschmelzen bringen, wären da nicht die hässlichen blauen Flecken, die ich später auf jeden Fall noch wegküssen werde.

Kapitel 15

Melvin

„**D**ie Spiders tauchen einfach immer wieder auf, oder? Diese verdammten Mistkerle sind uns ein verfluchter Dorn im Auge", murmelt Ben, nachdem ich alles durchgegangen bin, was die jetzt toten Prospects mir mitgeteilt haben.

„Nur, dass diese Typen nie Spiders werden konnten, weil ihre Väter nicht klug genug waren, sich nicht mit den falschen Leuten anzulegen. Das Kartell hat sie ausgeschaltet, soviel ich weiß", erzählt uns Blane.

„Sie scheinen nicht besonders schlau zu sein und haben sich für die gleiche Art von beschissenem Club entschieden, der sich an Frauen vergreift, um einen Streit zu klären", wettert Nate.

„Vielleicht haben sie sich für den ersten Club entschieden, der sie haben wollte", sagt Ben.

„Und, wie ist das für sie gelaufen?" Cody schnaubt, sein spöttischer Ton kommt aus dem Lautsprecher meines Telefons, das in der Mitte des Tisches liegt. „Sie sind mit einer Prospect Kutte auf dem Rücken gestorben. Sie sind nicht sehr weit gekommen."

Brents wütendes Knurren ertönt als nächstes aus dem Lautsprecher. „Ich wünschte, ich hätte mich ein wenig mit diesen Mistkerlen vergnügen können, bevor ihr sie zu ihren Vätern geschickt habt."

Er ist nie darüber hinweggekommen, dass er sie nicht hat umbringen können, als sie sich an Chloe vergriffen haben, so viel ist klar. Die Jungs hatten es damals auf den Tisch gebracht und beschlossen, keine Vergeltung zu üben, zum einen, weil die Scheißer noch Schüler waren, und zum anderen, weil ich sie aufgehalten habe, bevor sie etwas tun konnten, was unwiderruflich gewesen wäre.

„Welche von ihnen waren es? Creed, Matthews, Caldwell?", fügt Brent hinzu und beweist uns damit, dass sich ihre Namen seither in sein Gehirn eingebrannt haben.

Ich bin mir ziemlich sicher, dass sich auch ihre Gesichter in sein Gedächtnis gegraben haben.

Bevor ich antworten kann, dass ich keine Ahnung von ihren Namen habe, da ich sie nicht einmal erkannt habe, meldet sich Blane zu Wort und alle Augen richten sich auf ihn. „Buzz und Hammer alias Ricky Creed und Oliver Caldwell. Wie wir bereits wissen, waren sie die Söhne von zwei von Rods Männern. Als wir Rod und seinen inneren Kreis ausgeschaltet haben, wurden sie zu zwei von Bisons engsten Vertrauten und schließlich von dem Kartell ausgeschaltet."

Rod war der Präsident der Spiders, als Nate Camryn kennenlernte. Er war eine Bedrohung für sie, bis die Jungs ihn und seine engsten Männer töteten. Das passierte, als ich noch ein Prospect war.

„Sie sind verschwunden, genau wie der Rest des Clubs, als Bison sich selbst und ihre Väter in den Tod schickte", fährt Blane fort. „Damals waren sie tatsächlich Prospects für die Spiders. Danach ist nichts bekannt. Irgendwann haben sie offensichtlich angefangen, für die Cobras zu arbeiten, aber wer weiß, wann. Ich könnte es herausfinden, indem ich ein paar Kameras hacke, um zu erfahren, wann sie begonnen, dort herumzuhängen, aber das würde einige Zeit dauern, und es ist sowieso egal. Wie viele andere Clubs auch, scheinen die Cobras keine Aufzeichnungen über ihre Prospects zu führen. Das habe ich festgestellt, als ich sie überprüft habe, kurz nachdem Jules das erste Mal aufgetaucht ist."

Jetzt wissen wir, was sie in den letzten drei Jahren gemacht haben, aber ich interessiere mich mehr dafür, was sie kurz vor ihrem Tod getrieben haben. Da gibt es noch etwas, das mich stört.

„Was für ein Club schickt zwei Prospects allein zu so einem Job?", frage ich mich laut.

„Die Art, die sich einen Dreck um ihre Brüder schert?", bietet Ben an.

Er hat Recht. Ja, sie waren noch keine vollwertigen Mitglieder, aber wenn du einen Prospect aufnimmst, zeigst du ihm dieselbe Loyalität und denselben Respekt, den du für deine Brüder hast. Das sollte nicht einseitig sein.

„Hast du etwas über den Club herausgefunden, mit dem sie vor ein paar Monaten Streit gehabt haben sollen?", frage ich Blane.

„Das waren die Tortured Demons", antwortet er. „Die Cobras haben sie aus ihrer eigenen Stadt vertrieben. Sie haben versucht, ihr Territorium zu erweitern oder so einen Scheiß. Hawk hat in diesem Krieg ein paar Männer verloren. Einer von ihnen war sein eigener neunzehnjähriger Sohn. Aber die Demons mussten einen herben Schlag einstecken. Dreizehn ihrer Mitglieder sind gefallen."

„Scheiße. Wenn sie so etwas zustande gebracht haben, können sie nicht so dumm sein", mischt sich Liam ein.

„Ja, das ist es, was mich stört", sagt Brent. „Hawk lernt weiß Gott wie deine Mutter kennen, sie sagt ihm, dass sie ihren Sohn zurückhaben will, und er schickt seine Prospects los, um dich auszuschalten", beginnt er und fasst die Dinge kurz zusammen. „Dann sagt Jules ihm, er solle dich nicht töten, er zieht sich zurück und schickt seine Prospects schließlich nur, um dich einzuschüchtern. Der Kerl scheint völlig unorganisiert zu sein, als hätte er keinen richtigen Plan im Kopf. Trotzdem gewinnen sie einen Krieg gegen einen Club mit kaum Verlusten, während die anderen ein Dutzend Männer verlieren", sagt er und bringt es auf den Punkt.

„Ja, die Art und Weise, wie er die Sache mit Jules angeht, wirkt bestenfalls amateurhaft", stimmt Nate zu. „Das passt nicht zusammen."

Unsere Grübeleien werden durch das Klingeln eines der Telefone der Prospects unterbrochen. Wir sind sie noch nicht losgeworden, weil wir wussten, dass ihr Club irgendwann versuchen würde, sich zu melden. Sie haben eine Stunde gebraucht, aber jetzt ist es so weit.

„Hawk", informiert uns Blane über die Person hinter dem Anruf.

„Lass es auf die Mailbox gehen", rät Jayce. „Mit etwas Glück hinterlässt er eine Nachricht. Wenn nicht, wird er oder jemand anderes es wahrscheinlich später irgendwann tun. Vielleicht erfahren wir dann, was er als Nächstes vorhat, und sind ihm einen Schritt voraus, um uns zu revanchieren", sagt er, während das Telefon weiter klingelt.

Sein Vorschlag erweist sich als lohnend. Etwa zwanzig Sekunden nachdem der Klingelton verstummt ist, meldet sich das Telefon mit einer Voicemail-Benachrichtigung. Blane stellt das Handy auf Lautsprecher und alle am Tisch runzeln die Stirn, während wir Hawks rauer, verärgerter Stimme lauschen.

„Bewegt eure Ärsche sofort ins Clubhaus! Ich kann mich nicht erinnern, euch einen verdammten freien Tag gegeben zu haben! Es ist mir egal, ob ihr gerade über der Kloschüssel hängt und euch auskotzt oder ob ihr bis zu den Eiern in einer Fotze steckt. Bewegt eure verdammten Ärsche sofort hierher! Dafür werdet ihr den Laden vom Boden bis zur Decke schrubben!"

„Na, das ist ja interessant", sagt Nate mit offensichtlicher Ironie, als Hawks wütender Befehl zu Ende ist. „Klingt für mich so, als hätte der Präsident keine Ahnung, was seine Prospects heute Morgen getrieben haben."

„Die einzige Erklärung ist, dass unsere toten kleinen Prospects auf eigene Faust unterwegs waren", mischt sich Ben ein.

„Das würde erklären, warum sich zwei Prospects das Mitglied eines anderen Clubs schnappen, ohne dass mindestens einer ihrer Brüder dabei ist", sagt Cody.

„Das Problem ist, wenn sie in diesem Punkt gelogen haben, worüber haben sie dann noch geschwindelt?", fügt Karl hinzu und bringt damit ein gutes

Argument vor. „Soweit wir wissen, hatte der Anschlag auf dich in der Bar auch nichts mit Hawk oder Jules zu tun."

„Es scheint keine Logik hinter Hawks Vorgehen zu stecken und vielleicht liegt das daran, dass seine Handlungen und die der Prospects nichts miteinander zu tun haben." Liam scheint Karls Gedankengang zu befürworten. „Creed und Caldwell könnten irgendwann etwas über dich gehört haben", fährt er fort und sieht mich an. „Deinen Namen oder vielleicht unsere Stadt. Dass Jules ihr Kind zurückhaben will, ist nicht gerade eine Clubangelegenheit. Also können sie jederzeit etwas davon mitbekommen haben."

Ich nicke und weiß, dass er recht hat.

„Die Nachricht von dem Kerl, der sie verprügelt hat, könnte einen Rachedurst ausgelöst haben, der ihnen zu Kopf gestiegen ist", bekräftigt Ben die Theorie.

„Das ergibt durchaus Sinn, vor allem, wenn wir wissen, dass das, was sie heute Morgen getan haben, nicht Hawks Auftrag war", pflichtet Jayce bei. „Aber bis wir das hundertprozentig wissen, behalten wir Hawk im Auge. Es besteht immer noch das Risiko, dass er uns mit dem Verschwinden seiner Prospects in Verbindung bringt. Ich will, dass Chloe und Max jederzeit bewacht werden. Blane, du versuchst, Hawks Aufenthaltsort eine Weile im Auge zu behalten", sagt er ihm. „Auch wenn seine Prospects ihre Nebenaktivitäten geheim halten, versucht er immer noch, Jules zu helfen, Max zurückzubekommen." Nachdem Blane ihm zugenickt hat, wendet er sich an mich. „Bist du damit einverstanden, Melvin?"

„Bin ich."

Viel mehr können wir zu diesem Zeitpunkt sowieso nicht tun.

„Sonst noch etwas?", fragt er uns dann alle.

„Braucht ihr uns zurück?", fragt Brent.

„Fürs Erste ist alles in Ordnung", antwortet Jayce. „Dass Max weg ist, ist eine gute Sache. Niemand wird dort nach ihm suchen. Wenn etwas schiefgeht und wir euch brauchen, rufe ich euch an."

„Verstanden", bestätigt er. „Melvin, kann ich dich kurz sprechen?"

„Klar."

Jayce beendet die Versammlung und alle fangen an, den Saal zu verlassen.

Bevor er den Jungs nach draußen folgt, sagt Ben leise zu mir: „Was auch immer passiert, sprich nicht über letzte Nacht."

Sein Lachen dröhnt durch den Raum und ich schüttele den Kopf, während alle anderen über seinen Blödsinn kichern.

Arschloch, denke ich mir und lächle.

Sobald die Tür geschlossen ist, sage ich: „Wir sind allein."

„Wie geht's unserem Mädchen?"

Unserem Mädchen.

Das zu hören, tut gut. Wenn ich gewusst hätte, dass Brent so verständnisvoll sein würde, wenn ich mit seiner einzigen Tochter ausgehe, hätte ich schon an dem Tag mit ihm gesprochen, als sie achtzehn wurde.

„Ein bisschen erschüttert."

Er hat sein Vertrauen in mich gesetzt, als er mir seinen Segen gab. Ich werde ihm nicht vormachen, dass alles gut sei. Es mag manchmal nicht leicht sein, diese Dinge zu hören, aber ich bin ihm die Wahrheit schuldig.

„Aber sie hat mir eine Standpauke gehalten, weil ich ihr nicht gleich gesagt habe, dass diese Wichser meine Rippen als Sandsack benutzt haben, also denke ich, sie ist auf dem besten Weg, bald wieder wohlauf zu sein."

Er kichert und es liegt Stolz in seiner Stimme, als er sagt: „Das ist mein Mädchen. Ich weiß, dass du für sie da bist, aber ich will trotzdem wissen, wenn es ihr schlecht geht, okay?"

„Ich rufe dich an, wenn ich das Gefühl habe, dass etwas nicht stimmt. Du hast mein Wort. Wie geht es Max?"

„Er amüsiert sich prächtig. Er kann nicht aufhören, vom Wasserpark morgen zu fabulieren."

Perfekt.

„Da bin ich aber froh. Sagst du ihm, dass ich ihn anrufe, wenn ihr morgen zurück seid, damit er mir davon berichten kann?"

„Mach ich. Okay, ich werde Cody helfen, ein paar Steaks zu grillen."

„Ja. Wir reden später."

„Bis später, Bruder."

Kaum habe ich aufgelegt, bin ich schon auf den Beinen und ziehe eine Grimasse, als ich mich daran erinnere, wie verdammt lädiert mein Körper ist. Eigentlich sollte es nicht so leicht sein, das zu vergessen, aber meine Gedanken sind zu sehr auf Chloe konzentriert, als dass ich an viel anderes denken könnte.

Ich blicke suchend durch den Hauptraum und finde sie sofort. Sie sitzt mit den Mädchen zusammen, die sich alle ein paar Sofas teilen. Sie schauen zu mir herüber, als ich mich ihnen nähere, ich bin froh, dass ihre Augen den besorgten Schleier verloren haben, der ihren Blick verdunkelte, bevor die Jungs und ich uns im Besprechungsraum eingeschlossen hatten.

Als Chloe sich aufrichtet, fragt mich Alex: „Bist du sicher, dass du nicht zusammengeflickt werden musst?"

„Nein, mir geht's gut. Nur ein paar blaue Flecken", sage ich ihr noch einmal. „Ich weiß nicht mal genau, ob eine Rippe gebrochen ist. Ich kann mich gut bewegen. Aber danke, Liebes."

„Wenn alles in Ordnung ist, fange ich mit dem Mittagessen an", verkündet Camryn und lächelt mich liebevoll an.

Ihr Blick wandert zu Chloe, die zu mir tritt, sich an mich drückt und dabei auf meine blauen Flecken achtet. Ich lächle Cam ebenfalls an, ehe sie weggeht, denn ich weiß, dass sie sich für mich freut.

Dann richte ich meine ganze Aufmerksamkeit wieder auf mein Mädchen. „Willst du mit mir nach oben kommen?"

„Ja."

Ich habe ihr versprochen, den Rest des Tages nicht mehr von ihrer Seite zu weichen, und ich werde dieses Versprechen halten. Aber ich brauche wirklich eine Dusche. Vielleicht bilde ich es mir nur ein, aber ich habe das Gefühl, dass der widerliche Geruch des Lagerhauses an meinen Kleidern haftet.

Ich nehme Chloes Hand in meine und führe sie in mein Zimmer. Natürlich weiß sie, wo es ist, aber als ich die Tür öffne, dämmert es mir, dass sie noch nie hier drin war. Vielleicht hat sie im Laufe der Jahre mal einen Blick hineingeworfen, aber sie hat nie die Schwelle überschritten. Jedenfalls nicht, seit es mir gehört. Jetzt ist sie in meinem Zimmer und nimmt unsere bescheidene Umgebung in Augenschein. Ein Bett, eine Kommode und ein paar Nachttische sind alle Möbel, die ich benötige.

Ich stelle mich hinter sie und lege meine Arme um sie, bis mein Kinn auf ihrer nackten Schulter ruht. Sie trägt ein einfaches rotes Oberteil und ein Paar weiße Jeansshorts, die ihre langen Beine zur Geltung bringen.

„Ich wusste, dass ich dich hier in meinem Zimmer genauso gern haben würde wie in meinem Schlafzimmer zu Hause", flüstere ich ihr zu, bevor ich meine Lippen über ihre Schulter und ihren Nacken gleiten lasse.

Ihr Haar ist zu einem hohen Pferdeschwanz hochgesteckt, sodass ihre Haut frei liegt. Das ist etwas, das ich gestern herausgefunden habe; ich kann ihrer Haut nicht widerstehen. Sie ist einfach zu verlockend.

Das Geräusch, das sie bei meiner Berührung macht, erregt sofort meinen Schwanz. Es ist eine Mischung aus Seufzen und Stöhnen, und verdammt, ich könnte diesem Geräusch den ganzen Tag lauschen.

„Du gehörst hierher, Sonnenschein."

Sie drängt ihren Hintern gegen meinen Schwanz, was so schmerzhaft ist wie einige meiner blauen Flecken. Eine gute Art von Schmerz allerdings. Aber so verrückt mich die Berührung auch macht, sie erinnert mich auch daran, dass es einen Grund gibt, warum ich meinen Schwanz heute Morgen nicht in ihrer feuchten Wärme versinken lassen habe.

„Scheiße, du bist immer noch wund."

„Was?", erkundigt sie sich, wobei ihr Atem etwas kurz ist.

Sie klingt verwirrt, als hätte ich sie aus einer Trance gerissen. In gewisser Weise habe ich das wohl getan.

„Du bist immer noch wund von letzter Nacht, Baby", wiederhole ich.

„Oh, ich bin … nur ein bisschen."

„Ein bisschen ist genug, um zu warten."

Sie dreht sich in meinen Armen um und sagt: „Du reizt mich also mit deinen Küssen und deinen streichelnden Händen und dann lässt du mich hängen?"

Sie zeigt mir das Lächeln, das ich so gerne auf ihrem Gesicht sehe.

„Willst du mir etwa vorwerfen, dass ich dich necke?" Ich tue beleidigt und bedecke mein Herz mit einer Hand, als ob sie es brechen würde.

Sie zuckt mit den Schultern und kann ihr stolzes Grinsen nicht verbergen. „Ich sage nur, wie ich es sehe."

„Weißt du was? Ich habe mein Mädchen geil gemacht, also werde ich dafür sorgen, dass sich mein Mädchen besser fühlt. Komm her", fordere ich, doch sie hat keine Zeit, sich zu bewegen, bevor ich sie hochhebe.

Na ja, bevor ich versuche, sie hochzuheben.

„Scheiße", zische ich. „Scheiße."

Nachdem ich langsam ausgeatmet habe, nehme ich kleine Atemzüge, bis der stechende Schmerz in meinen Rippen aufhört.

„Geht es dir gut?"

„Mir geht's gut, Baby. Ich darf heute nur nichts heben."

Zum Glück bleibt die neue Welle der Besorgnis, die mein Schmerzanfall ausgelöst hat, nicht in ihren Augen stehen, als sie nickt. Stattdessen schleicht sich wieder ein kleines Lächeln auf ihre Lippen.

„Erst reizt du mich, dann lieferst du nicht und jetzt wiege ich zu viel?", brummt sie. „Du musst wirklich an deinen Verführungskünsten arbeiten, Romeo."

Das Lachen, das aus mir herausbricht, ist nicht viel besser für meine Rippen als mein kläglicher Versuch, mein Mädchen ins Bad zu tragen. Aber verdammt, das Glitzern in ihren Augen zu sehen, ist es absolut wert.

„Mensch, ich versage schon jetzt als Freund. Das hat ja nicht lange gedauert", scherze ich und seufze dramatisch.

Doch als ich meine Lippen auf ihre drücke und ihr verschmitztes Lächeln küsse, schmilzt alle Verspieltheit dahin. Sie weicht einer Leidenschaft, die in ihrem glühenden Kuss und ihren intensiven Berührungen lodert. Eine Leidenschaft, die schnell die Unsicherheiten des unschuldigen Mädchens, das ich gestern voll und ganz erobert habe, verdrängt. Sie lässt alle Vorbehalte fallen, die sie vielleicht noch hat, wenn es darum geht, ihre Sexualität zu erforschen, und das macht sie sogar noch erotischer und begehrenswerter. Unsere Zungen umschlingen sich und wir beide sehnen uns mehr als alles andere nach körperlicher Nähe. Ich will sie. Ich will, dass ihr Körper und ihre Seele mein sind. Außerdem will ich ihr zeigen, wie viele Möglichkeiten es gibt, ihr ein gutes Gefühl zu geben. Ich will unzählige Lusttropfen in ihr vergießen, bis sie alle zusammenfließen und der Orgasmus einen unaufhaltsamen Tsunami in ihr auslöst.

Sie stöhnt in meinen Mund und verliert sich in unserem Kuss, genau wie ich, ohne zu ahnen, wie schwer es für mich sein wird, meinem Körper zu verweigern, was ich mir wünsche.

Ich kann die Entschlossenheit spüren, die sie antreibt. Ich spüre es an ihrer Zunge, die meine Zunge verwöhnt, an ihren Fingern, die sich am Rücken in mein Hemd krallen, und an ihrer Stirn, die sie gegen meine drückt, als könne sie mir nicht nahe genug sein.

Als sie in meinen Mund wimmert, zwinge ich mich, den Kuss zu unterbrechen.

„Beweg deinen süßen Arsch ins Bad, Sonnenschein. Zeit zum Duschen."

Außer Atem und mit lusterfüllten Augen ist sie eine wahre Schönheit. Sie hat keine Ahnung, wie faszinierend und verführerisch sie ist. Allein, dass sie meiner Aufforderung nachkommt, ist sexy.

Ich ziehe mein Shirt aus und lasse es auf den Boden fallen, während ich ihr ins Bad folge, und als sie das Wasser laufen lässt, bin ich schon bis auf die Unterhosen ausgezogen. Bevor sie sich umdrehen kann, drücke ich meine Vorderseite wieder an ihren Rücken. Sobald ihr Blick wieder auf meinem Oberkörper landet, wird sie sich wieder unnötig quälen. Ich werde diesen Moment so lang wie möglich hinauszögern.

Ich merke, dass sie meinen Schwanz an ihrem prallen Hintern spürt, da sie instinktiv in eine Wiegebewegung verfällt. Ganz subtil, aber spürbar. Die Art und Weise, wie ihr Körper so natürlich auf meinen reagiert, ist etwas Neues für mich. Ich hatte schon Frauen in meinem Bett, die sich auf so offensichtliche Weise an meinem Schwanz gerieben haben, wobei ihre Bewegungen oft von lautem, exzessivem Stöhnen begleitet wurden, dass es sich alles andere als natürlich angefühlt hat. Ihre Handlungen sollten eine Chemie erzwingen, die nicht vorhanden war, doch letztendlich musste ich mich darauf konzentrieren, meinen Schwanz bei der Stange zu halten, denn dass sie so sehr versuchten, mich zu erregen, törnte mich eher ab, als dass es mich anmachte.

Chloe hat es nicht nötig, irgendetwas zu erzwingen. Die Chemie ist da, unsere Körper spüren das und reagieren darauf auf ganz natürliche Weise. Ohne überhaupt darüber nachzudenken. Es ist instinktiv. Es gibt nichts Erregenderes, als ihr dabei zuzusehen, wie sie sich den tiefen Bedürfnissen ihres Körpers hingibt.

Langsam beginne ich, sie zu entkleiden. Sie hebt ihre Arme, damit ich ihr das Oberteil ausziehen kann, und dann lässt sie mich ihre Brüste aus dem roten Seiden-BH befreien, der sie umhüllt. Ihre Brustwarzen sind bereits steif vor Erregung, so verlockend, dass es mich viel Kraft kostet, meinen Mund zurückzuhalten.

„Du bist so schön", flüstere ich ihr ins Ohr, während ich beide Hände an ihre cremefarbenen Brüste lege.

Zu wissen, dass ich der einzige Mann bin, der ihren Körper je gespürt hat, ist berauschend. Diese Tatsache bringt den Neandertaler in mir dazu vor Stolz zu grunzen, besonders als meine Hände zum Knopf ihrer Shorts wandern. Der Atem bleibt ihr in der Kehle stecken, die Erregung strömt förmlich aus ihr heraus. Sie entledigt sich ihrer Sandalen, bevor ich ihr die Shorts von den Beinen schiebe, wobei ich ihr rotes Höschen ebenfalls mit hinunterziehe.

Während ich mich bewege und uns in die Dusche führe, sage ich ihr: „Ich werde dich frühestens heute Abend wieder nehmen, aber ich kann meine Hände nicht von dir lassen." Während ich ihren Hals küsse, füge ich lächelnd hinzu: „Und meinen Mund."

Das heiße Wasser ergießt sich über uns, während ich mich daran mache, ihr einen überwältigenden Orgasmus zu bescheren, in dem sie sich verlieren kann. Ich greife wieder nach ihren Brüsten, umfasse eine von ihnen und genieße das Gefühl ihrer harten Brustwarze in meiner Handfläche. Fest vor Verlangen, scheint sie um mehr zu betteln. Ich zwicke sie, was ihr ein lautes Stöhnen entlockt, während meine andere Hand über ihren Bauch wandert.

Mein Schwanz hat bereits einen tiefen Hass auf mich entwickelt, weil er nicht in das feuchte, enge Paradies eintauchen kann, von dem er weiß, dass es direkt vor ihm liegt, ich mache die Sache nur noch schlimmer, als ich mit meinen Fingern ihre Klitoris necke und Kreise darauf zeichne.

Gott, sie ist so köstlich feucht.

Das Wimmern, das sich mit dem Rauschen des Wassers mischt, das über uns läuft, ist das beste Geräusch, das ich je gehört habe. Verdammt, ich beglückwünsche mich selbst, dass ich nicht in sie geglitten bin. Vor allem, als ich sie umdrehe und ihre vor Lust glühenden Augen sehe.

Nachdem ich sie mit dem Rücken gegen die Duschwand gedrückt habe, knie ich mich vor sie. Ein Schmunzeln breitet sich auf meinen Lippen aus, als sich ihre Augen weiten, da meine Position ihr eindeutig eine leichte Nervosität einflößt.

„Ein Bein über meine Schulter, Sonnenschein. Es ist an der Zeit für ein weiteres erstes Mal."

Mein Zwinkern scheint ihre Bedenken zu zerstreuen, und in dem Moment, in dem sie in Position ist und mir leichten Zugang zu ihrer Pussy bietet, koste ich sie bereits zum ersten Mal.

Sie verkrampft sich bei der fremden Berührung und atmet überrascht ein. Aber sie entspannt sich schnell und als sie mit den Händen nach meinem Kopf greift, tut sie das definitiv nicht, um meinen Mund wegzuschieben.

„Melvin …"

Ich gebe zu, dass ihre Reaktion verdammt gut für mein Ego ist, aber das Grinsen auf meinem Gesicht kommt und geht, da ich zu sehr damit beschäftigt bin, mich mit den weichen, samtigen Lippen ihrer rosigen Pussy vertraut zu machen.

Genau wie letzte Nacht, als ich sie zum ersten Mal berührte, baut sich ihr Orgasmus schnell auf. Das ist neu für sie. Das sind Empfindungen, die sie noch nie erlebt hat. Sie sind überwältigend. Und verdammt, ich liebe es, dass sie sich darauf einlässt, sie vollständig auszukosten. Mit ihren Fingern fährt sie durch mein kurzes Haar und versucht, sich darin festzukrallen, auch wenn das nicht leicht ist.

„Ich … Gott …"

Ich möchte ihr sagen, dass sie sich der Lust hingeben und ihrem Orgasmus nachgeben soll, aber dazu müsste ich meinen Mund in seinem Ansturm auf ihre Pussy unterbrechen. Stattdessen benutze ich meine Lippen, um sie zum Abheben zu bringen. Indem ich abwechselnd lecke und sauge, katapultiere ich sie in eine geradezu kaum erträgliche Glückseligkeit. Ich bin stolz darauf, ihr Stöhnen, Wimmern und sogar Flüche zu entlocken. Auch das zu hören, ist inzwischen ein Verlangen von mir. Verdammt, ich möchte von nun an mindestens einmal am Tag diese sinnliche Stimme hören, die nach mehr Streicheleinheiten bettelt.

„Melvin!"

Verdammt!

Mit einem explosiven Orgasmus stemmt sie ihre Hüften gegen mein Gesicht, während ihre Finger in meinen Haaren Halt zu finden versuchen. Zuerst nehme ich meinen Mund nicht von ihr, aber als ihre Beine nachzugeben drohen, stehe ich trotz des Schmerzes in meinen Rippen schnell auf, halte sie aufrecht und beobachte, wie sich ihr Gesicht vor Ekstase verzieht, bis ihr Höhepunkt abklingt.

„Ich warne dich jetzt gleich, Sonnenschein. Ich werde dich jeden verdammten Tag kommen sehen wollen. Der Anblick ist so schön", stöhne ich.

Träge erwidert sie meinen Blick. „Das ist die beste Drohung, die mir je jemand gemacht hat."

Ich weiß nicht, ob mein Schwanz auf den Klang ihrer befriedigten Stimme oder auf den Anblick ihres wilden Lächelns reagiert, aber er zuckt mit einem heftigen Verlangen gegen ihren Schenkel. Chloe schaut nach unten, ihr Lächeln wird schüchtern, als sie mit einer ihrer Hände zwischen uns greift.

„Fuck", zische ich und atme durch die Nase, als sich ihre schlanken Finger um meinen steinharten Schwanz legen.

Es ist das erste Mal, dass sie mich berührt, und ich weiß sofort, dass ich auch das regelmäßig will.

Sie beginnt mich langsam zu streicheln. Drückt mich ein wenig. Zögernd. Dann übt sie mehr Druck aus, während sich ihr Tempo beschleunigt, genau wie es mein Atem tut. Ich weise sie in keine Richtung. Und es überrascht mich nicht, dass sie das auch nicht braucht. Sie ist zwar unerfahren, aber sie hatte schon immer eine gute Beobachtungsgabe, um Menschen gut einschätzen zu können. Das ist jetzt nicht anders. Sie spürt meine Reaktionen und handelt danach. Sie nutzt mein Stöhnen, das Anspannen meiner Muskeln oder das Wackeln meiner Hüften in ihrem Griff, um herauszufinden, wie ich ticke. Das zahlt sich aus. Sie braucht nicht lange, um mich an den Rand eines Orgasmus zu bringen. Als tausende kleiner Nadeln meine Wirbelsäule hinunterlaufen, stütze ich mich mit den Handflächen auf den Fliesen hinter ihr ab.

Ein lautes Stöhnen schallt durch die Dusche, als die Erlösung, die ich nach dem Genuss ihrer Pussy so verdammt dringend brauchte, aus mir herausbricht. Zwischen meinem geschundenen Körper und der Wucht meines Orgasmus ist es schier unmöglich, nicht auf die nassen Kacheln zu sinken, aber irgendwie schaffe ich es, aufrecht zu bleiben, so wie ich zuvor mein Mädchen gehalten habe.

Nachdem ich auch meine Atmung wieder unter Kontrolle gebracht habe, küsse ich sie so auf den Mund, dass es schon fast wehtut. Doch sie unterbricht den Kuss viel zu früh.

„Wir müssen uns beeilen, damit du dich vor dem Mittagessen ein wenig ausruhen kannst", beschließt sie, immer noch kurzatmig, aber wieder auf die Sorge um mich konzentriert.

„Ich werde dich waschen." Ich grinse und zucke mit der Augenbraue.

Sie rollt mit den Augen, kann aber nicht verhindern, dass sich ein Lächeln auf ihren Lippen bildet, von denen ich hoffe, dass ich sie bald auf meinem Schwanz spüren werde.

„Nein, ich werde dich waschen", kontert sie meinen Plan entschlossen. „Du bist derjenige, der verletzt ist, also bin ich diejenige, die sich um dich kümmert. So einfach ist das."

Ihre Entscheidung ist endgültig und ich könnte nicht widersprechen, selbst wenn ich es wollte.

Ich bin diejenige, die sich um dich kümmert.

Ich bin sprachlos. Während ich ihr schweigend zusehe, wie sie etwas Duschgel auf einen Waschlappen drückt, versuche ich mich an das letzte Mal zu erinnern, wann sich jemand so um mich gekümmert hat. Als wäre ich das Wichtigste für sie. Keine Erinnerung kommt mir in den Sinn, denn die Antwort lautet: nie.

Sie beginnt, mit dem Waschlappen über meine Brust zu streichen, wobei sie behutsam über meine blauen Flecken fährt. Ich flüstere aus einem Gefühl heraus, das ich so gut wie möglich zu unterdrücken versuche, „Danke, Sonnenschein".

Kapitel 16

Chloe

Die wohlige Wärme des Lagerfeuers, das vor mir lodert, verdrängt die kühle Nacht-luft. Ich sitze zwischen Melvins Beinen, den Rücken an seine Brust gelehnt, und beobachte die Flammen, die zum langsamen Rhythmus der Melodie zu tanzen scheinen, die Jonas auf seiner Gitarre spielt.

Es ist schon spät, aber die meisten von uns sitzen noch hier, unterhalten sich oder genießen einfach die ruhige, sternenklare Nacht im Clubhof. Meine Eltern, Jo, Cody, Lilly und Max sind heute Nachmit-tag von Tante Madeline zurückgekommen und heu-te Abend haben die Jungs Burger gegrillt, dazu gab es Salate, die wir Mädchen zubereitet haben. Die meisten von uns müssen morgen arbeiten, aber um fast Mitternacht scheint es niemand eilig zu haben, ins Bett zu gehen.

„Ihr wisst, dass sich noch keiner von euch beiden bei mir bedankt hat", sagt Ben aus heiterem Him-mel und zeigt mit dem Finger auf Melvin und mich. „Ich habe gewartet, aber nein. Kein einziges Danke-schön", fügt er hinzu und gibt ein Räuspern von sich, um seine überdramatische Enttäuschung zu zeigen.

„Wofür?", frage ich, da ich keine Ahnung habe, wovon er spricht.

Aber so ist Ben nun mal. Wahrscheinlich hat er irgendeinen Scherz im Kopf. Seinem Tonfall nach zu urteilen, würde ich sagen, dass er nichts Ernstes meint.

„Das", antwortet er mir, wobei sein Finger noch heftiger zwischen Melvin und mir hin und her wackelt. „Ich habe ihm gesagt, er solle sich ein paar Eier wachsen lassen, als er auf der Hochzeit von Nate und Cam nach dir schmachtete. Zum wiederholten Mal, wenn ich das hinzufügen darf."

„Mein Gott", brummt Melvin hinter mir.

Ein breites Lächeln steht mir ins Gesicht geschrieben, als ich mich umdrehe und ihn ansehe.

„Muss ich mich wirklich bei Ben bedanken?"

Er neigt den Kopf, bis er nahe genug ist, um mir ins Ohr zu flüstern. „Du musst dem Tag danken, an dem du deinen süßen Hintern auf mein Motorrad gesetzt hast. Da wusste ich, dass ich etwas tun musste, weil ich auf keinen Fall riskieren konnte, dich eines Tages auf dem Bike eines anderen Wichsers zu sehen."

Nachdem er meine Schläfe mit einem zärtlichen Kuss gestreift hat, der mir einen Schauer über den Rücken jagt, richtet er sich wieder auf. Doch bevor ich etwas sagen kann, meldet sich Ben mit einem Grinsen in der Stimme zu Wort.

„Hat er etwas Schmutziges gesagt? Dafür musst du dich auch bei mir bedanken", sagt er hämisch, gerade als Jonas mit dem Spielen fertig ist.

Liam räuspert sich betont, während Jayce und Nate kichern, aber erst als ich das Wort ergreife, verliert

Bens Gesicht sein Lächeln und auch ein wenig seine Farbe.

„Hey, Dad", sage ich und werfe einen Blick über Bens Schulter.

„Mäuschen", grunzt er, aber seine Augen bleiben auf Bens Hinterkopf gerichtet, der sich wie in Zeitlupe umdreht.

„Hey, Dad", wiederholt er meine Worte und murmelt sie, als hoffe er, die Zeit zurückdrehen zu können. Nur dreißig Sekunden würden reichen. „Ich wollte nicht … Ich bin sicher, er hat nichts Schmutziges gesagt … Ich meine, wahrscheinlich nicht. Ich … Ja, ich halte jetzt die Klappe, bevor ich selbst keine Zunge mehr habe, um mit meinem Mädchen Dirty Talk zu führen." Als er sich wieder umdreht, während mein Dad sich neben Jo setzt, murmelt er zu den Jungs: „Vielen Dank für die Vorwarnung, Brüder."

„Das war einfach zu verlockend", gibt Nate lachend zu.

Obwohl sie den Kopf über das alberne Verhalten ihres Freundes schüttelt, küsst Colleen ihn auf die Wange. Und schon grinst Ben wieder über das ganze Gesicht.

„Sehen wir uns immer noch das Motorrad morgen an, Dad?", fragt Jo ihn, während er seine Gitarre neben sich ablegt.

„Natürlich", antwortet er.

„Du kaufst dir ein Motorrad?", mischt sich Jayce ein.

Die Frage war an meinen Bruder gerichtet, aber es ist mein Vater, der antwortet. Ich höre die beiden schon seit Wochen über Jonas erstes Bike reden, und ich schwöre, ich weiß nicht, wer sich mehr darüber freut.

„Ein älteres Modell, aber wir haben noch ein Jahr Zeit, bis Jo fahren kann. Wir werden sie in Schuss bringen und eine Schönheit aus ihr machen. So wie ich es mit meinem alten Herrn gemacht habe."

Ich erinnere mich nicht an meinen Großvater, weil er an einem Herzinfarkt starb, als ich vier war, aber mein Vater und er standen sich sehr nahe. Ich habe schon viele Geschichten über ihn gehört, entweder von meinem Vater oder von Isaac, als er noch lebte.

Mein Dad legt Jo eine Hand auf die Schulter, sein ganzer Stolz steht ihm ins Gesicht geschrieben.

Mein Bruder hat ein breites Grinsen im Gesicht. Es erinnert mich an das Lächeln, das er als Kind ständig trug. Er mag fünfzehn sein, aber wenn er so weiterwächst, wird er bald wie ein Mann aussehen. Seine Gesichtszüge haben bereits begonnen, sich in die eines jungen Mannes zu verwandeln, und seine Stimme hat einen tieferen Klang angenommen, der zu ihm passt und beim Singen wirklich magisch klingt. Außerdem hat er den Rockstar-Look mit seinen zerrissenen Jeans und den zerzausten dunklen Haaren perfektioniert. Es wird nicht lange dauern, bis die Mädchen in der Schule alle auf ihn fliegen werden, wenn sie es nicht schon tun. Dazu noch ein Motorrad, dann ist die Sache perfekt.

„Das ist verdammt großartig, Junge", sagt Nate.

„Ja", sagt er stolz. „Und Chloe wird es lackieren, wenn es fertig ist."

„Genau", stimme ich aufgeregt zu.

Jo und ich standen uns schon immer nahe. Ich will nicht sagen, dass wir uns nie gestritten haben, als wir Kinder waren, aber Mama und Dad haben immer darauf geachtet, dass wir uns nicht als Konkurrenten oder Ähnliches sehen. Sie haben uns von Anfang an beigebracht, einander zu respektieren und aufeinander aufzupassen. Jetzt, wo ich arbeite und Jo unabhängiger geworden ist, gibt es Wochen, in denen wir uns zu Hause kaum über den Weg laufen, aber das wird hoffentlich nichts daran ändern.

„Und da wir um sieben Uhr losfahren, solltest du vielleicht etwas schlafen, mein Sohn", fügt Dad hinzu.

„Okay", stimmt Jo zu.

„Ich werde auch reingehen und meiner Frau Gesellschaft leisten", sagt Liam und erhebt sich zur gleichen Zeit wie Jo.

Erin hat sich vor ein paar Stunden hingelegt. Da es nur noch etwa sechs Wochen bis zur Geburt ihres Babys sind, ist sie in letzter Zeit immer müder geworden.

Nach einer Gutenachtrunde entfernen sich die beiden vom Lagerfeuer. Da seit einiger Zeit niemand mehr nachgelegt hat, fängt es langsam an zu erlöschen.

„Es haut mich um, dass Jo schon sein erstes Motorrad in Angriff nehmen wird. Verdammt, es kommt mir wie gestern vor, als Isaac mich hierhergebracht hat und Jo noch ein kleiner Rotzlöffel war." Nate kichert bei dieser Erinnerung.

„Ehe wir uns versehen, ist er bereit, ein Prospect zu werden", fügt Jayce hinzu.

„Wird er das?", fragt Ben meinen Vater.

„Das werden wir sehen, wenn es soweit ist", sagt er. „Wenn er es will, werde ich ihn nicht aufhalten. Und wenn er einen anderen Weg einschlagen möchte, werde ich ihn auch unterstützen. Wir werden es sehen. Aber verdammt, so sehr ich mich auch darauf freue, mit ihm an seinem ersten Baby zu arbeiten, fühle ich mich verdammt alt."

„Wer muss jetzt ins Bett, weil er bei Sonnenaufgang aufstehen muss?", stichelt Cam und bringt ihn zum Lachen.

„Du hast völlig recht, Liebes", gibt mein Dad zu. „Ich sehe nach, ob der Film von Fi und Lilly zu Ende ist und bringe meine Frau ins Bett."

Als er aufsteht, sucht er meinen Blick.

„Du bist zu alt, um von mir ins Bett geschickt zu werden, aber du wirst an die vielen Male denken, die ich es getan habe, wenn es dir morgen schwerfällt, aus dem Bett zu kommen."

Ich lächle über das Grinsen, das er mir zuwirft. „Ich werde heute auch nicht mehr alt."

„Gute Nacht, Mäuschen. Gute Nacht, ihr alle."

„Gute Nacht, Dad."

In den nächsten fünfzehn Minuten gehen alle nacheinander wieder ins Haus und Melvin kümmert sich darum, das Feuer zu löschen, als wir ein paar Minuten lang allein sind.

„Meinst du, mein Leben wäre sicherer, wenn wir getrennt schlafen würden?", fragt er mich, während wir mit trägem Gang zur Haustür schlendern.

Ich lache über die Widerwilligkeit in seinem Ton. Er will nicht im Geringsten, dass wir getrennt schlafen, und ich auch nicht.

„Du willst, dass ich in meinem Zimmer schlafe?", frage ich ihn trotzdem.

Am Fuß der Treppe zwingt er uns, kurz innezuhalten, und zieht mich zu sich heran.

„Ich will dir die Shorts und das Top ausziehen und in deiner Pussy versinken, während mein Mund den Geschmack deiner Haut genießt."

Gott, die Vorstellung allein erregt meinen gesamten Körper.

Wir hatten die ganze Woche über jeden Tag Sex. Ich frage mich, ob das ständige Bedürfnis, das unser erstes Mal ausgelöst hat, irgendwann nachlässt. Bisher scheint es eher zuzunehmen und das Verlangen, das mich durchzuckt und Melvins Vorschlag, unsere Kleidung loszuwerden, Wirklichkeit lassen werden möchte, beweist, dass heute nicht dieser Tag gekommen ist.

Bevor ich ihm sagen kann, dass ich heute Nacht auf keinen Fall allein schlafen werde, nur weil mein Dad zurück ist, fährt er fort. „Aber wenn dein Vater nach dir sieht und du nicht in deinem Zimmer bist, wird er wissen, dass du bei mir schläfst."

Ich versuche, nicht über seine Sorge zu lächeln, die an Paranoia grenzt.

„Mein Dad ist nicht so dumm zu glauben, dass in der letzten Woche nichts passiert ist." Natürlich hänge ich mein Sexualleben nicht an die große Glocke, aber er ist ja auch nicht von gestern. „Außerdem hast du mir gesagt, dass er sich, nachdem er dir seinen Segen gegeben hat, auch daran gewöhnen muss, zu wissen, dass ich zu dir gehöre", erinnere ich ihn an seine eigenen Worte.

„Oh, das weiß er. Aber Babe, es ist ein Unterschied, ob man die sexuellen Aktivitäten seiner Tochter erahnt oder ob man Beweise dafür hat, wenn du mich fragst."

Ich sage ihm nicht, dass er ja nicht in eines unserer Zimmer eindringen und uns beim Sex erwischen würde. Das wäre ein Beweis.

„Dann können wir in meinem Zimmer schlafen, wenn er kommt und klopft, werde ich antworten. Er wird nicht belegen können, dass du bei mir bist, weil er nicht reinkommen wird. Dafür gibt es einfach keinen Grund."

Mit einem Grinsen sagt er: „Das ist gerissen."

„Clever", korrigiere ich. „Es ist clever, nicht gerissen. Aber es ist auch lächerlich. Wir sind nicht mehr fünfzehn", erinnere ich ihn. „Außerdem darfst du nicht vergessen, dass mein Zimmer direkt neben dem meiner Eltern liegt. Ich glaube nicht, dass man irgendetwas hören könnte, aber man kann nie vorsichtig genug sein."

Sein Grinsen ist im Nu verschwunden und seine Augen weiten sich. „Verdammt, das stimmt. Dann lass uns in mein Zimmer gehen, denn die sexuellen Aktivitäten seiner Tochter zu hören ist viel schlimmer, als den Beweis zu haben, dass sie im selben Bett wie ihr Freund schläft."

„Ich denke auch", stimme ich zu.

Er nickt. „Ja. Abgemacht. Lass uns in mein Zimmer gehen, damit du nicht aufpassen musst, wenn du meinen Namen stöhnst, Sonnenschein", sagt er und seine Stimme senkt sich vor Lust.

Das verstärkt das Kribbeln zwischen meinen Beinen und so beeile ich mich, wieder in den Club zu kommen. Nachdem wir die Tür verschlossen und die Alarmanlage eingeschaltet haben, trägt Melvin mich in sein Zimmer, während er mich innig küsst, was uns eine schlaflose Nacht verspricht. Anschließend lässt er sich Zeit, mir jedes Stück Stoff vom Leib zu streifen, und ich lasse zu, dass er mit seinen Händen und seinem Mund das Verlangen lindert, wie nur er es vermag.

***

„Du siehst gelangweilt aus, Sonnenschein. Hast du schon Feierabend?" Melvin zwinkert mir zu, als er mich aus der Werkstatt kommen sieht, die Hände lässig in den Taschen meines Overalls vergraben.

Er steht neben einem roten Pick-up-Truck, der nagelneu zu sein scheint, dabei sieht er in seinem eigenen fleckigen Overall sehr gut aus.

„Ja. Mr. Dale konnte sein Auto heute doch nicht bringen. Er wird es stattdessen am Dienstag vorbeifahren. Ich bin mit der Arbeit für Montag etwas vorangekommen, aber ich werde gleich duschen und mir mit dir und Cody das Spiel von Max ansehen, bevor ich mich mit Liv zum Mittagessen treffe."

Heute Morgen arbeiten nur Melvin, Cody und ich.

Früher war das in der Werkstatt am Samstag anders. Wir haben samstags immer noch geöffnet und sonntags und montags für die Kunden geschlossen, aber es ist schon über ein Jahr her, dass die Jungs ihre Gewohnheiten geändert haben. Samstags arbeiten immer mindestens zwei von ihnen, aber der Rest arbeitet entweder montags statt samstags oder sie teilen sich die Arbeit auf beide Tage auf. Den Rest der Woche sind sie entweder hier oder im Kellergeschoß des Clubs und arbeiten an Motorrädern.

Niemand hat mir je gesagt, was sie dort unten tun. Aber da ich über die Jahre hinweg Gesprächsfetzen gehört habe, konnte ich es mir vor einiger Zeit selbst zusammenreimen. Sie waren immer sehr vorsichtig, aber manchmal reichen schon ein paar Worte, um die Dinge zu verstehen. Außerdem habe ich nach der Schule oft genug in der Werkstatt gearbeitet, um herauszufinden, dass etwa die Hälfte der bestellten Teile im Lager landet, dem erwähnten Kellergeschoss des Clubs.

„Klingt nach einem Plan. Ich sollte in zwanzig Minuten fertig sein", sagt er, als ich bei ihm ankomme.

Nachdem er sich die Hände an den Oberschenkeln abgewischt hat, packt er mich an den Hüften, zieht mich zu sich und legt seine Lippen auf meine. Gott, wie jemand, der überall so hart ist, so sanfte Küsse geben und mich so zärtlich behandeln kann, ist ein Wunder. Dieser Charakterzug ist vielleicht der attraktivste, den er hat. Seine Handflächen, die auf die sanfteste Art und Weise über meine Hüften wandern, oder seine Lippen, die mir auf die zarteste Art und Weise versprechen, dass ich zu ihm gehöre, machen mich genauso an wie das Gefühl, dass sich seine Erektion in diesem Moment an mir verhärtet.

An meinem Mund sagt er: „Wir sollten uns besser nicht hinreißen lassen, sonst bringe ich dich in mein Bett, anstatt zum Spiel."

In diesem Augenblick unterbricht der Motor eines Autos die friedliche Stille in der Garage.

„Klingt so, als ob die Pflicht ruft", sage ich und hole uns in die Realität zurück.

Ich lächle über sein dezentes Stöhnen, aber es vergeht in Rekordzeit, als mein Blick aus dem Hauptraum der Werkstatt schweift. Die meisten Leute wissen, dass sie auf dem kleinen Parkplatz parken sollen und zu Fuß zum Empfangsraum für die Kunden gelangen, aber manche fahren weiter, bis sie nicht mehr weiter können, weil sie wahrscheinlich zu faul sind, ein paar Meter zu laufen.

Doch das ist nicht ein solcher Fall. Ich bezweifle, dass der Mann, der aus seinem Auto steigt, ein fauler Kunde ist.

„Melvin …"

Mein Tonfall ist hektisch, als ich seinen Unterarm packe und ihn auffordere, meinem Blick zu folgen.

In dem Moment, in dem er das tut, schiebt er mich mit dem Arm, an dem ich mich festhalte, hinter sich, während er bellt: „Cody, wir haben Besuch!"

Die Dringlichkeit, die in Melvins Stimme mitschwingt, hilft weder gegen meine klammen Hände noch gegen mein hämmerndes Herz. Panik macht sich in mir breit, und ich kann meinen Blick nicht von dem Mann wenden, der die Fahrertür des Wagens zuschlägt. Er ist groß, trägt zerrissene Jeans und einen Kapuzenpulli, aber was mich an den Rand der Panik treibt, ist die Skimaske, die sein Gesicht verdeckt. Ich versuche, mich damit zu beruhigen, dass er keine Waffen zu tragen scheint, aber es ist vergeblich.

„Was auch immer du hier zu suchen hast, überleg lieber noch mal, ob du nicht abhauen willst, solange du noch atmest", ruft Melvin, damit der Mann ihn hören kann.

Zum Glück sind wir im hinteren Teil der Werkstatt.

Der Maskierte steht auf unheimliche Art und Weise einfach nur da, rührt sich nicht und sagt nichts in den wenigen Sekunden, die Cody braucht, um im Türrahmen unseres Werkraums zu erscheinen. Er blickt in unsere Richtung, und Melvin redet mit ihm, ohne seinen Blick von unserem ungebetenen Gast abzuwenden.

„Skimaske, keine Waffe, soweit ich das beurteilen kann."

Cody antwortet nicht, sondern tritt ganz aus dem Raum heraus und hebt die Waffe in seiner Hand, wobei er den Lauf auf die Türöffnung richtet.

„Du hast drei Sekunden, bevor ich schieße!", brüllt er.

Ich frage mich, ob er blufft oder ob seine Drohung ernst gemeint ist. Ich werde es nie erfahren, denn der Mann geht wortlos von seinem Auto fort und entfernt sich von der Werkstatt, so wie ein Spaziergänger an einem Strand oder einer anderen Touristenattraktion spazieren gehen würde.

„Diese Scheiße gefällt mir nicht," murmelt Cody.

„Chloe, geh zurück in den Club", befiehlt Melvin, doch sein wachsamer Blick bleibt auf das nun führerlose Auto gerichtet.

Jede Zelle in meinem Körper will sich gegen diese Aufforderung wehren, aber Melvin ist angespannt. Ich habe meinen Vater auch schon oft genug am Rande der Belastbarkeit erlebt, um zu wissen, was Melvins Priorität im Moment ist. Mich zu beschützen. Das sind seine Gedanken. Aber ich habe keine Zeit, auch nur einen Schritt zur Hintertür zu machen, geschweige denn, ihn zu bitten, vorsichtig zu sein. Bevor ich auch nur einen Fuß bewegen kann, ertönt eine ohrenbetäubende Explosion, erfüllt den Raum um uns herum und lässt meinen Verstand wie betäubt zurück, während ich mich nicht von der Stelle bewegen kann. Plötzlich werde ich von einer unsichtbaren Wucht so brutal zu Boden geschleudert, dass ich nicht einmal mehr Zeit habe, mich auf den Sturz vorzubereiten, von dem ich weiß, dass er kommen wird. Als hätte ich keine Kontrolle über meinen eigenen Körper, gehe ich zu Boden und meine linke Schulter brennt vor Schmerz, als ich aufschlage.

„Chloe!" Melvins gequälter Schrei ist fast so laut, wie die Explosion es gewesen sein muss.

Hektisch drehe ich mich um und setze mich trotz meiner Benommenheit auf, gerade noch rechtzeitig, um zu sehen, wie er auf den Knien zu mir krabbelt. Hinter ihm versperren die Flammen und der Rauch, die aus dem brennenden Auto aufsteigen, die Sicht auf die Sackgasse. Mein Herz klopft noch heftiger in meinem Brustkorb als zuvor, vor allem, als ich feststelle, dass Cody nirgends zu sehen ist.

„Wo ist Cody? Er war doch gerade noch da", rufe ich Melvin drängend zu, den Blick auf die Tür des Werkraums gerichtet, während er mich eindringlich mustert.

„Hier, Liebes!", schreit Cody aus dem Werkraum, wohin ihn die Explosion wohl zurückgeschleudert hat.

„Du gehst jetzt zurück in den Club", befiehlt Melvin. „Hier ist es nicht sicher. Kannst du aufstehen?"

„Ja, mir geht es gut", versichere ich und beweise es ihm, indem ich mühelos aufstehe. Meine Schulter tut weh, aber es ergibt keinen Sinn, ihm das jetzt zu sagen. „Und du?"

„Mir geht's gut. Geh zurück in den Club. Die Jungs müssen auf dem Weg sein. Ich komme, so schnell ich kann."

Obwohl ich das Bedürfnis habe, an seiner Seite zu bleiben und mich zu vergewissern, dass er so sicher ist, wie er es sich für mich wünscht, widerspreche ich nicht.

„Sei vorsichtig", fordere ich ihn auf, bevor ich zur Hintertür gehe.

Als ich mich durch die Tür schiebe, die zum Clubhof am anderen Ende des Grundstücks führt, sind Ben und Nate schon da, gefolgt von Jayce, der ein paar Meter hinter ihnen herläuft.

„Geht's dir gut, Süße?", fragt mich Nate, der seine Schritte kaum verlangsamt.

„Ja."

„Geh in den Club, Liebes", fordert Ben und ich nicke gerade, als ich meine Mutter rufen höre.

„Chloe!"

Mit ihrer gepunkteten Schürze um die Taille gebunden – die sie immer beim Backen trägt – rennt sie auf mich zu, wobei sie sich offensichtlich nicht um das aktuelle Risiko kümmert, draußen zu sein. Sobald ich in ihrer Reichweite bin, zieht sie mich in ihre Arme.

„Mir geht es gut, Mama."

Sie löst sich von mir und nachdem sie mein Gesicht kurz gemustert hat, fordert sie mich auf: „Komm, lass uns reingehen."

Ich folge ihr, aber meine Gedanken sind immer noch in der Garage. Selbst als wir es unbeschadet in den Club schaffen, wo ich mich eigentlich sicher fühlen sollte, kann ich die Gefahr immer noch spüren. Die Sorge überflutet mich vollständig und dringt in jeden Teil meines Körpers vor.

„Gott, Chloe! Geht es dir gut? Komm, setz dich hierher", drängt Alex und zieht einen Stuhl vom Tisch, der am nächsten zur Eingangstür steht.

„Ja, mir geht es gut", sage ich ihr, nehme aber den angebotenen Platz gerne an.

Adrenalin ist eine mächtige Sache, die einem hilft, unmögliche Situationen zu meistern, aber sobald es nachlässt und sich blitzschnell aus dem Blut zurückzieht, werden die Beine zittrig und völlig unzuverlässig.

„Geht es Melvin und Cody gut?", fragt sie.

Ich nicke. „Ja. Es geht ihnen gut. Ein Typ mit einer Skimaske hat sein Auto direkt vor der Werkstatt geparkt. Er ist ausgestiegen, hat sich einfach umgedreht und ist zu Fuß gegangen. Dann explodierte das Auto. Es ging alles so schnell."

„Hier."

Ich blicke auf und sehe, wie Colleen mich anlächelt, als sie ein großes Glas Wasser vor mir abstellt.

„Danke", sage ich, aufrichtig dankbar für die Unterstützung meiner Mutter und der Mädchen. Ich trinke die Hälfte des Wassers aus, bevor ich sage: „Wer würde so etwas tun? Mein Gott, geht es um Melvin?" Ich frage niemanden bestimmten und mein Magen dreht sich vor Angst um. „Hat es jemand auf ihn abgesehen? Ich meine, er wurde entführt, und …"

„Süße", unterbricht mich meine Mutter, ihre Stimme ist ruhig und besänftigend, ein bisschen so wie damals, wenn ich mich als Kind aufregte, weil irgendein Bengel in der Schule einen dummen Spruch losgelassen hatte. Während ich ihren Blick erwidere, fährt sie fort. „Tu dir das nicht an. Sie werden es herausfinden. Wenn du dich verrückt machst und versuchst, Antworten zu finden, wird das nichts bringen. Die Jungs werden ihr Bestes tun, um sich und uns zu schützen, aber du musst sie das lösen lassen. Melvin wird tun, was nötig ist. Das werden sie alle."

Ich atme einen langen Seufzer aus. „Ich weiß. Es ist nur … Das Auto ist explodiert. Wenn einer von uns näher dran gewesen wäre, wäre er jetzt tot."

„Aber das war niemand", erinnert mich meine Mutter. „Quäl dich nicht mit *Was wäre wenn*-Fragen, Schatz", fleht sie, wird aber von einer SMS abgelenkt, die auf ihrem Handy erscheint. Sie liest sie schnell durch. „Dein Dad und Jo sind auf dem Rückweg. Sie werden Cody bei Max' Fußballspiel treffen. Cody ist schon auf dem Weg dorthin."

„Das ist gut", sage ich. „Ich hoffe, es geht ihnen gut."

„Keiner wäre so dumm, am helllichten Tag und in Anwesenheit so vieler Menschen etwas zu unternehmen."

„Hoffentlich nicht", murmle ich, aber nach dem, was ich vor ein paar Minuten erlebt habe, würde ich mein Leben auch nicht darauf verwetten.

Mein eigenes Telefon klingelt in meiner Tasche und ich nehme es heraus, weil ich weiß, dass es Liv ist, denn es ist ihr spezieller Klingelton, der zu hören ist.

„Es ist Liv", sage ich, bevor ich abnehme. „Hey", seufze ich schwer und bin ohnehin schon deprimiert, dass ich unsere Pläne absagen muss, aber wie es aussieht, ist mein Nachmittagsshopping gerade geplatzt. „Es tut mir leid, Liv, ich muss unser Treffen verschieben …"

„Oh Gott, ist es wahr? Die Werkstatt ist explodiert?", schreit sie mir ins Ohr.

„Woher zum Teufel weißt du denn schon von der Explosion? Es ist buchstäblich vor weniger als zehn Minuten passiert. Aber nein, die Werkstatt ist nicht explodiert. Das war ein Auto."

„Gott, sind denn alle wohlauf?"

„Ja, niemand wurde verletzt, zum Glück", sage ich.

„Gott sei Dank. Diese alten Damen sollten sich erst richtig informieren, bevor sie in der Stadt herumtratschen", murmelt sie. „Ich schwöre, jede Boulevardzeitung im Land könnte eine von ihnen in ihrem Team gebrauchen."

Nur Liv schafft es, mir in einer so nervenaufreibenden Situation ein Lachen zu entlocken.

„Das könnten sie", stimme ich zu. „Aber es geht allen gut. Ich kann den Club nur nicht verlassen, bis die Jungs mir grünes Licht geben. Ich sitze vorerst hier fest."

„Ja, keine Sorge. Verschieben wir es. Okay, ich muss meiner Mutter zur Hand gehen, denn die Klatschweiber sind immer noch da. Wenigstens geben sie gerne Geld aus, wenn sie tratschen", flüstert sie.

„Ein Silberstreif am Horizont." Ich kichere. „Viel Glück mit ihnen."

„Ich werde es brauchen. Ich rufe dich später an. Bye!"

„Bye."

Camryn, die eingetroffen ist, während ich telefoniert habe, schnaubt. „Wie ich sehe, verbreiten sich die Nachrichten bereits."

„Nun, zumindest die Neuigkeit, dass die ganze Werkstatt in Flammen aufgegangen ist, hat sich schon herumgesprochen", sage ich.

„Pfui, diese Leute", stöhnt Colleen.

Reflexartig rutsche ich auf meinem Stuhl herum, als sich die Eingangstür hinter mir öffnet. Ich bin sofort auf den Beinen, als ich Melvin hereinkommen sehe. In seinem Blick und seinen Schritten liegt Entschlossenheit.

„Hast du den Kerl gefunden? Ist er zurückgekommen?"

„Nein", antwortet er, und das ist alles, was er mir über ihn sagen wird. „Wir machen die Werkstatt zu. Ich wollte mich nur vergewissern, dass es dir gut geht. Hast du dir den Kopf gestoßen?"

„Habe ich nicht", bekräftige ich sofort. „Ich bin auf meiner Schulter gelandet, aber es geht mir gut. Musst du zurückgehen?"

„Ich treffe die Jungs im Lagerhaus. Dann werden wir eine Weile im Versammlungsraum sein. Es könnte ein paar Stunden dauern, bis ich fertig bin. Kommst du zurecht?"

„Ja natürlich. Ich werde in der Zwischenzeit duschen und mich umziehen."

„Hör zu, es ist besser, wenn du heute Nachmittag nicht rausgehst. Zumindest bis …"

„Ich habe Liv schon gesagt, dass ich es verschieben muss", schalte ich mich ein.

Seine Schultern sinken vor Erleichterung. „Okay. Ich komme zu dir, sobald ich kann."

Nach einem langen Kuss auf meine Stirn macht er sich auf den Weg, um bei dem zu helfen, was auch immer sie unten im Lagerhaus vorhaben.

Als sich die Tür hinter der Bar schließt, seufze ich. „Ich wünschte, sie hätten den Kerl gefunden."

„Das werden sie", sagt Cam mit Zuversicht in der Stimme.

„Warum gehst du in der Zwischenzeit nicht auf dein Zimmer und lässt dir ein Bad ein, anstatt zu duschen?", schlägt meine Mutter vor. „Das wird dir helfen, dich zu entspannen."

„Ein Bad klingt tatsächlich fantastisch."

Soweit ich mich erinnern kann, habe ich noch nie mitten am Samstagmorgen ein Bad genommen, aber es gibt für alles ein erstes Mal. Jetzt, wo ich weiß, dass Melvin in Sicherheit ist, klingt ein heißes Schaumbad nach der besten Art, auf ihn zu warten.

Kapitel 17

Melvin

W ir haben ein Gesicht", sagt Blane, sobald Karl die Tür des Versammlungsraums schließt.

Karl ist erst gestern Abend von einer viertägigen Liefertour zurückgekommen. Eigentlich sollte Ben heute Abend an der Reihe sein, aber Jayce hat Blane angewiesen, den Kunden mitzuteilen, dass die Lieferungen auf nächste Woche verschoben werden. Nach dem, was gerade passiert ist, will er alle hier haben.

„Gott sei Dank", murmle ich.

Chloe hätte schwer verletzt werden können. Verdammt, sie hätte getötet werden können. Sie hätte nur näher am Eingang stehen müssen. Dann wäre sie verflucht noch mal nicht mehr hier. Wer auch immer dieser Scheißkerl ist, er ist ein toter Mann.

Anstatt uns zu setzen, versammeln wir uns alle hinter Blane, der vor seinem Computer sitzt. Seine Finger fliegen über die Tastatur, dann beginnt ein Video zu laufen. Das Material stammt von der Kamera, die am Eingangstor aufgestellt ist, und die Uhrzeit verrät, dass es nicht einmal eine Stunde her ist. Es wird still im Zimmer, als wir sehen, wie das Arschloch ein paar Sekunden später in das Sichtfeld der Kamera tritt. Er läuft in einem recht gemächlichen Tempo über den Bürgersteig auf der anderen Straßenseite des Clubs und kommt offensichtlich aus der Werkstatt. Ich würde nicht sagen, dass er schlendert, aber er macht auch keine großen Schritte. Wahrscheinlich versucht er, keine Aufmerksamkeit auf sich zu ziehen. Das würde auch erklären, warum er die Skimaske bereits abgenommen hat.

Während der wenigen Sekunden, in denen er vorbeigeht, kann ich meinen Blick nicht von ihm abwenden, bis Blane das Video anhält, kurz bevor er das Sichtfeld der Kamera verlässt. Mit seinem blonden Haar und seiner schlanken Figur sieht er nicht viel älter aus als ich.

„Das ist das Beste, was wir an Bildmaterial haben", sagt Blane. „Die Gesichtserkennung funktioniert nicht, weil er nicht direkt in die Kamera schaut. Ich habe versucht, ihn über die Stadtkameras zu finden, aber ohne Erfolg. Entweder hat jemand auf ihn gewartet oder er hatte ein weiteres Auto. Das Auto, das in die Luft geflogen ist, wurde als gestohlen gemeldet, also ist es unbrauchbar. Das ist keine Überraschung. Sein Gesicht passt zu keinem der Cobras, die ich kenne. Ich werde ihre Mitglieder genauer unter die Lupe nehmen, falls es da eine Verbindung gibt, aber das wird einige Zeit dauern."

„Kommt er jemandem bekannt vor?", fragt Jayce in die Runde.

„Nö", antwortet Ben.

„Vage, ehrlich gesagt." Nate runzelt die Stirn und schaut auf den Bildschirm. Er sieht ihn an, als würde er versuchen, ein Rätsel zu lösen. „Ich weiß es nicht", fügt er hinzu und atmet tief durch.

„Ich habe nicht einmal die Wichser erkannt, die ich verprügelt habe, also erkenne ich den auch nicht", murmle ich grimmig.

„Der Scheiß, den er abgezogen hat, hat vielleicht gar nichts mit den Cobras zu tun", sagt Liam und setzt sich hinter Blane auf einen Stuhl.

Alle tun es ihm gleich, bis wir um den Tisch versammelt sind.

„Das würde bedeuten, dass eine weitere Bedrohung auf uns zukommt. Keine Ahnung, was ich davon halten soll", täuscht Ben ein Jammern vor. Er ist immer für einen kleinen Scherz zu haben, um die Stimmung aufzulockern.

Während meine Brüder versuchen, herauszufinden, wer ein Problem mit uns haben könnte, denke ich an die Zeit vor einer Woche zurück. Vielleicht war diese Bombe wirklich nicht Hawks Werk. Vielleicht waren seine Prospects letzte Woche wirklich im Alleingang unterwegs.

Und glaub mir, Robbie ist mehr als erpicht darauf, auch seinen Anteil zu bekommen.

„Kannst du den dritten Kerl finden, der Chloe vor drei Jahren angegriffen hat? Robbie irgendwas?", frage ich Blane hastig. „Scheiße, was war der Nachname, den Brent letzte Woche genannt hat?", frage ich laut.

Blane hinterfragt die Bitte nicht, während ich weiter versuche, mich an den dritten Namen zu erinnern, und seine Finger arbeiten wieder auf der Tastatur, während Jayce das Wort ergreift.

„Denkst du, es hat etwas mit den Prospects zu tun?"

„Wir hatten den Verdacht, dass sie letzte Woche auf eigene Faust gehandelt haben. Der heutige Tag hat vielleicht wirklich nichts mit Hawk zu tun, aber trotzdem mit diesen Wichsern", sage ich. „Einer der Prospects sagte etwas darüber, wie sehr sein Freund darauf erpicht sei, seinen Anteil an dem zu bekommen, was ich an jenem Tag verhindert habe. Er hat aber nicht gesagt, dass er auch ein Prospect der Cobras ist."

„Das ist es. Deshalb kommt er mir so bekannt vor", sagt Nate und schlägt mit einer Hand auf den Tisch. „Damals war er vielleicht dicker, aber er könnte es sein."

„Der Dicke", platze ich heraus und erinnere mich jetzt an das Gesicht des dritten Typen.

„Robbie Matthews", sagt Blane. Seine Finger tippen noch ein paar Mal auf die Tastatur, bevor er bestätigt. „Das ist er. Der Typ hat seither zwar etwas abgenommen, aber er ist es." Alle Telefone im Saal läuten oder summen mit einer eingehenden SMS. „Ich habe euch ein Foto geschickt."

In Sekundenschnelle wird es auf meinem Bildschirm angezeigt. Ich starre in das eingefrorene Gesicht des Kerls und wünschte, ich könnte das Schwein allein durch meinen Blick auf sein verdammtes Bild vernichten.

„Weißt du, wo wir diesen Wichser finden können?", fragt Jayce Blane rasch. „Sein Pech, dass er kein Kind mehr ist. Es ist mir scheißegal, dass heute Morgen niemand verletzt wurde. Er kommt mit dieser Sache nicht ungeschoren davon."

„Er wohnt ein paar Ortschaften von den Cobras entfernt. In einer Wohnwagensiedlung", sagt Blane ein paar Sekunden später, während er sich immer noch auf seinen Computer konzentriert. „Auf den ersten Blick gibt es keine Verbindungen zwischen ihm und denen. Nun, abgesehen von seinen toten Freunden. Vielleicht ist er ein Prospect von ihnen, so wie sie es waren, aber ich kann es nicht sagen. Wartet ...", sagt er, bevor er fortfährt. „Die letzte Arbeitsstelle ist eine Bar dreißig Minuten entfernt. Er arbeitet dort seit einem Monat, seit er einundzwanzig geworden ist. Der Laden scheint nichts mit den Cobras zu tun zu haben, also ist Matthews vielleicht doch kein Prospect. Das Stück Scheiße hat auch ein ganz schönes Vorstrafenregister. Er wurde ein paar Mal wegen Trunkenheit am Steuer, aber auch wegen Drogenbesitzes verhaftet und saß sogar ein paar Monate wegen versuchter Vergewaltigung ein."

„Dieser Scheißkerl", schimpfe ich.

„Wenn er von der Absicht seiner Freunde wusste, Melvin letzte Woche zu entführen, könnte er herausgefunden haben, dass wir sie beseitigt haben. Die Bombe könnte ein Vergeltungsschlag gewesen sein", sagt Liam.

„Ich wüsste nicht, warum er sonst auf uns losgehen sollte. Nicht drei Jahre später." Nate scheint Liams Gedanken zuzustimmen. „Und selbst wenn es einen anderen Grund für sein Handeln gibt, ändert das nichts. Wir müssen ihm einen Besuch abstatten."

„Ich würde sagen, heute Abend", schlägt Karl vor. „Es ist Samstag. Da ist die Chance groß, dass wir ihn in der Bar finden."

„Du hast recht", stimmt Jayce zu. „Wenn es heute nicht klappt, kriegen wir ihn morgen oder übermorgen. So oder so, wir werden ihn finden. Wir brechen heute bei Einbruch der Dunkelheit auf."

„Die Wohnwagensiedlung, in der er lebt, liegt mitten im Nirgendwo. Ihn zu überfallen wäre vielleicht eine gute Option", sagt Blane.

Ich bin voll dafür. Zu wissen, dass Chloe das eigentliche Ziel sein könnte, lässt meinen Bauch mit dem stärksten Gefühl von Mordlust brennen, das je in mir geweckt wurde. Ein Grund mehr für mich, Jules zu hassen. Wenn sie sich nicht mit diesem Club zusammengetan hätte, säßen wir jetzt nicht in diesem Saal. Aber wir sind hier und diesen Typ ins Gras beißen zu lassen, ist der einzige Weg, wie ich darauf vertrauen kann, dass Chloe in Sicherheit ist.

„Wir werden sehen, wie es heute Abend läuft. Nach allem, was wir wissen, hat er nach heute Morgen die Stadt verlassen."

„Hoffentlich nicht", schaltet sich Ben ein. „Er muss so schnell wie möglich den Löffel abgeben."

Genau mein Gedanke.

„In dem Moment, in dem wir ihn in die Finger bekommen, ist er tot", bekräftigt Jayce. „Brent wird dabei sein wollen, also kommt er heute Abend mit. Liam, Karl, ihr beide und Cody bleiben mit den Frauen zurück. Zu viele von uns da draußen würden nur Aufmerksamkeit auf uns lenken. Die Werkstatt bleibt heute geschlossen. Wenn jemand den Club verlässt, bildet ihr Paare. Wir fahren um zweiundzwanzig Uhr los. Ich werde Brent und Cody informieren, wenn sie zurück sind. Irgendwelche Fragen?"

Keiner meldet sich, das ist auch gut so. Ich muss in Chloes Nähe sein. Dieses Gefühl ist irrational, denn ich weiß, dass sie hier im Club in Sicherheit ist, aber es ist, wie es ist. Hoffentlich können wir diesen Mistkerl heute Abend erwischen. Wie Ben sagte, er muss so schnell wie möglich seinen letzten Atemzug tun. Das hätte er schon vor drei Jahren tun sollen. Ich hätte es nicht bei einer ordentlichen Tracht Prügel belassen sollen. Ich hätte ihn töten sollen. Ich hätte sie alle drei töten sollen. Wenn Chloe heute etwas zugestoßen wäre, hätte ich für den Rest meines Lebens mit diesem Reuegefühl in der Brust leben müssen.

„Melvin, warte mal kurz", fordert Jayce, als ich mein Handy vom Tisch nehme und aufstehe.

Ich schätze, der Besuch bei meinem Mädchen wird wohl noch ein wenig warten müssen.

Ich lehne mich an den Tisch und beobachte meine Brüder, wie sie den Raum verlassen, während ich darauf warte, dass mein Präsident mir sagt, was er mir mitteilen will.

„Geht es dir gut?", fragt er mich, als er sich auf einen Stuhl setzt, der näher bei mir steht. Als er mein Stirnrunzeln sieht, fährt er fort. „Diese ganze Scheiße ist beschissen und du bist vielleicht nicht das einzige Ziel. Auch Chloe könnte betroffen sein."

Ich seufze, als hätte mich die Erschöpfung übermannt, und verschränke die Arme vor der Brust.

Oder vielleicht bin ich schon so tief drin, dass mein Herz voll und ganz ihr gehört.

Unter der Dusche verschwende ich keine Zeit. Nachdem ich den hartnäckigen Rauchgeruch abgewaschen habe, lege ich mir ein Handtuch um und verlasse das warme Badezimmer.

Ein Lächeln umspielt meine Lippen beim Anblick meines Mädchens, das auf meinem Bett sitzt, doch bevor es sich vollends festsetzen kann, vergeht es wieder.

Chloe ist verdammt blass, während sie auf etwas hinunterschaut, und als mein Blick dem ihren folgt, sehe ich, dass sie mein Handy in der Hand hält.

„Baby, was ist los? Oh, Scheiße", murmle ich, bevor sie antworten kann.

„Es tut mir leid, ich habe nicht …", beginnt sie, ihre Stimme zittert. „Er ist …"

Sie bricht ab und ich bestätige, was sie nicht sagen kann. „Ja."

„Ich habe nicht geschnüffelt, es tut mir leid. Dein Telefon hat geklingelt, als ich hierherkam. Es war Max, also wollte ich abheben. Aber ich war nicht schnell genug. Dann war das Bild da."

All das sprudelt in Windeseile aus ihr heraus, um sich bei mir zu entschuldigen, obwohl das gar nicht nötig ist. Ich weiß, dass sie nicht in meinem Telefon herumschnüffeln würde. Ich habe das Bild auf dem Display gelassen, nachdem Blane es geschickt hat. Deshalb war es wohl auch noch da, als der Anruf unterbrochen wurde.

„Chloe, Baby, sieh mich an", verlange ich leise, als ihr Blick dem Telefon folgt, das ich ihr aus der

Hand nehme. Ich lege es auf dem Nachttisch ab, während ich mich vor ihr hinhocke, und warte, bis sie sich auf mich konzentriert, um fortzufahren. „Es tut mir leid, dass du das Bild sehen musstest. Ich hätte es schließen sollen."

Die ersten paar Sekunden starrt sie mich nur an. Dann blinzelt sie, schüttelt leicht den Kopf und reißt sich aus den Gedanken, in denen sie gerade versunken war.

„Er war es in der Werkstatt? Ist er der Typ, der für die Explosion verantwortlich ist?"

Das Ja liegt mir auf der Zunge, aber die Antwort kommt nicht heraus. Plötzlich weiß ich nicht mehr, was ich ihr sagen kann und was nicht. Nun, mir ist klar, dass Clubangelegenheiten nur im Club besprochen werden und nicht mit den Frauen geteilt werden sollten, wenn es nicht für ihre Sicherheit notwendig ist. Aber im Moment geht es mir nur darum, einen Weg zu finden, den Schmerz aus ihrem Gesicht zu wischen, und wenn ich zulasse, dass sie sich das Schlimmste vorstellt, wird das nicht helfen. Aber das Ironische daran ist, egal was ich ihr sage, ich weiß, dass sie sich weiter quälen wird.

„Ich weiß, es ist eine Clubangelegenheit. Ich will keine Details", versichert sie. „Ich will nur ... Geht es um mich? Ist er hinter mir her oder ist er hinter dir her, weil du mir an diesem Tag geholfen hast?" Ihre Augen weiten sich und ich kann die Fragen sehen, die in ihrem Kopf herumschwirren. „Oh Gott ... Ist er es, der dich neulich entführt und zusammengeschlagen hat? Das war er doch, oder?"

„Es ..."

Die Worte bleiben mir in der Kehle stecken. Ich stehe auf, reibe mir mit einer Hand über das Gesicht und atme aus, während ich zu meiner Kommode gehe, um mir etwas anzuziehen.

Ich spüre Chloes Blick auf mir, aber sie drängt nicht auf eine Antwort. Sie lässt mir die Zeit, die ich brauche, um meine Gedanken zu ordnen. Als ich in die Jeans geschlüpft bin und ein schwarzes T–Shirt anhabe, gehe ich zum Nachttisch und greife nach meinem Handy.

„Ich schreibe Max eine SMS und dann reden wir", sage ich und tippe schon ein paar Worte, um meinem Bruder mitzuteilen, dass ich bald da bin – sie sind bestimmt schon auf dem Rückweg vom Spiel. „Okay", beginne ich dann und richte meinen Blick wieder auf Chloe. „Nein, er hat mich nicht entführt. Er war es nicht." Ich seufze schwer und hoffe inständig, dass ich meine nächsten Worte nicht bereuen werde. „Es waren die beiden anderen Wichser, die dich an dem Tag angegriffen haben. Sie haben mich mitgenommen."

Das Entsetzen steht ihr augenblicklich ins Gesicht geschrieben.

„Warum?", flüstert sie, bevor sie tief einatmet. „Warum jetzt?", fährt sie mit ruhigerer Stimme fort. „Warum nach so langer Zeit?"

Diese Fragen sind der Grund, weshalb ich mir nicht sicher war, ob es eine gute Idee war, überhaupt darüber zu sprechen. Es wird immer mehr Fragen geben. Jede Antwort, die ich ihr gebe, wirft eine weitere Frage auf, von der ich nicht sicher bin, ob sie die Antwort darauf wissen sollte. Aber wie ich schon sagte, überhaupt nichts zu wissen, wird nur dazu führen, dass die Fragen früher oder später mit ihrem Verstand spielen.

„Die beiden, die mich entführt haben, waren Prospects für den Club, mit dem sich Jules zusammengetan zu haben scheint. Wir glauben, dass sie erfahren oder erzählt bekommen haben, was ihr Präsident für meine Mutter getan hat. Vielleicht haben sie von mir gehört, vielleicht aber auch nur von dem Club. Wie auch immer, es muss alten Groll geweckt haben und sie haben beschlossen, die Rechnung zu begleichen. Der dritte Typ, der auf diesem …"

„Robbie Matthews", mischt sie sich ein und überrascht mich für einen Moment. „Das Bild ist von Robbie Matthews. Ich habe ihre Namen nie vergessen", gesteht sie leise.

Die Verletzlichkeit, die ich in ihrem sonnigen Gemüt nicht zu sehen gewohnt bin, bricht mir das Herz und löst einen Sturzbach der Wut in meinen Adern aus.

„Ja", bestätige ich mit ruhigem Tonfall. „Soweit wir wissen, hatte Matthews nichts mit dem Club zu tun. Wir glauben, dass die Bombe eine Vergeltung für das Verschwinden seiner Freunde war. Wir glauben auch, dass die Prospects aus eigenem Antrieb hinter mir her waren, nicht im Auftrag ihres Clubs."

Sie fragt mich nicht, warum wir das annehmen. Stattdessen wiederholt sie: „Verschwinden?"

Ihr Tonfall und die Art, wie sie mich ansieht, lassen mich wissen, worauf ihre Frage abzielt.

„Keiner von beiden wird dich oder mich je wieder verfolgen", schwöre ich.

Ich spreche die Worte nicht aus, aber als sie nickt, ist klar, dass sie zwischen den Zeilen lesen kann, ohne dass ich es genauer ausführen muss. Sie werden nie mehr zurückkommen, weil sie tot sind.

Ich werde ihr nicht sagen, dass diese Arschlöcher auch diejenigen waren, die mich Anfang des Jahres niedergestochen haben. Es ergibt absolut keinen Sinn, dass sie das jetzt erfährt.

„Nunwerden wir uns um Matthews kümmern. Ich verspreche dir, dass er nicht noch einmal in deine Nähe kommt, Chloe."

Sie nickt wieder und zwingt sogar ein kurzes Lächeln auf ihre Lippen, aber es verhindert nicht, dass eine neue Welle der Sorge ihre Stirn in Falten legt.

„Ich habe dir das nicht erzählt, damit du dich verrückt machst. Verdammt, ich hätte es dir gar nicht gesagt, wenn du nicht das Bild von diesem Bastard gesehen hättest. Ich hasse mich jetzt schon dafür, was Jules dir angetan hat. Ich will nicht, dass du dich auch noch mit dieser Scheiße rumschlagen musst. Ich will damit abschließen, und ich will, dass du deinen Frieden hast."

Die Falten in ihrem Gesicht werden weicher, als sie mit ihrer Handfläche über meine Wange streicht.

„Das hier ist etwas anderes, weil es diese Typen sind, aber im Endeffekt ist es egal, ob ich von den Clubangelegenheiten weiß oder nicht. Ich merke immer, wenn du aufgebracht bist, und ich werde nur dann Ruhe finden, wenn ich sicher bin, dass es nichts gibt, um das man sich kümmern muss. Denn obwohl ich vielleicht in Sicherheit bin, bist du es nicht."

Ich schließe kurz die Augen, nehme ihre Hand und drücke ihr einen langen Kuss auf die Handfläche.

„Ich komme schon klar", sage ich ihr schließlich, aber ich fühle mich wie ein Trottel, ein solches Versprechen abzugeben.

Niemand kann jemals jemandem versprechen, dass es ihm gut gehen wird.

„Das hoffe ich", antwortet sie leise. „Und ich verspreche, dass ich nicht zu viele Fragen stellen werde. Ich weiß, dass ich schon zu viele gestellt habe."

Das freche Lächeln, das sie auf ihre Lippen zaubert, lässt mich ein wenig entspannen, aber ich bin nicht so verblendet zu glauben, dass sie diese Arschlöcher schon vergessen hat.

„Ich kann dir nicht versprechen, dass ich immer in der Lage sein werde, deine Fragen zu beantworten, aber du musst wissen, dass du immer mit mir reden kannst. Über alles, was dich bedrückt. Ich möchte nicht, dass du das Gefühl hast, du müsstest alles für dich behalten. Du musst wissen, dass ich bei jeder Entscheidung, die ich treffe, an dich, Max und den Club denke. Du bist das Wichtigste für mich, weißt du das?"

„Ich weiß", bekräftigt sie sofort und sieht mir so liebevoll in die Augen, dass mir ein Kloß im Hals steckt. „Ich weiß das", wiederholt sie.

Ein Blick in ihre Augen genügt mir, um sicher zu sein, dass ihr klar ist, wo meine Prioritäten liegen. Sie kennt mich. Es klingt surreal nach einer so kurzen gemeinsamen Zeit, aber es ist echt. Sie kennt mich. Sie kannte mich schon lange bevor ich sie zum ersten Mal geküsst habe. Sie weiß ohne jeden

Zweifel, dass ich alles tun würde, um sie zu beschützen. Dass ich sogar mein Leben für sie geben würde.

***

Es ist bereits nach ein Uhr nachts. So langsam werde ich unruhig. Jayce, Nate, Ben, Blane, Brent und ich haben in den vergangenen drei langen Stunden im Schatten gewartet, konzentriert auf Matthews Arbeitsstätte. Das Einzige, was mein Temperament im Zaum halten konnte, ist, dass wir den Wichser vor ein paar Stunden gesehen haben, als er rauskam, um eine Raucherpause zu machen. Wir sind auf der anderen Straßenseite und warten in der Wüste, ein paar hundert Meter entfernt, aber wir können in der Dunkelheit noch gut genug sehen. Das Wichtigste ist, dass sich Matthews in der Bar aufhält, was bedeutet, dass wir hier draußen nicht wie Idioten herumstehen, während er wieder versucht, den Club zu stürmen. Und an Chloe heranzukommen.

Die Bar soll um ein Uhr schließen, also sind wir bereit, wenn Matthews herauskommt.

„Du bist so still."

Brent stellt sich neben mich, aber sein Blick bleibt auf den Vordereingang der Bar gerichtet, so als würde er genauso ungeduldig wie ich darauf warten, dass die Tür sich öffnet.

„Ich warte nur darauf, dass diese Scheiße vorbei ist. Solange dieser Typ da draußen ist, ist Chloe in Gefahr. Selbst wenn er sich nur mit mir angelegt hat, wird er sie nur zu gern benutzen, um an mich heranzukommen."

„Er wird sich ihr nie wieder nähern", knurrt er. „Wir kriegen ihn heute Abend."

Gerade als ich denke, dass ich verdammt noch mal hoffe, dass er recht hat, meldet sich Ben zu Wort. „Showtime."

„Alle zurück in die Autos", befiehlt Jayce.

Das Letzte, was ich will, ist, den Hurensohn, der auf sein Motorrad zugeht, aus den Augen zu lassen, aber wir haben einen Plan, und ich soll verdammt sein, wenn ich ihn versaue.

Sorgfältig darauf bedacht, nicht gesehen zu werden, joggen wir alle den Straßenrand entlang in Richtung der Rückseite einer Sporthalle, wo unsere Autos versteckt sind. Wir achten darauf, die Kameras am Gebäude zu vermeiden, auch wenn Blane sich bereits um sie gekümmert hat. Der Kerl kann sich überall einhacken, aber Vorsicht ist besser als Nachsicht oder so.

Ich steige mit Ben und Brent in ein Auto, während Jayce, Nate und Blane in das andere steigen. Der Plan ist einfach: Matthews auf seinem Heimweg überfallen. Blane hat heute weitere Nachforschungen angestellt. Die Wohnwagensiedlung, in der Matthews wohnt, liegt mitten im Nirgendwo, und die verlassene Straße, die dorthin führt, sollte der ideale Ort sein, um unseren zukünftigen Gefangenen vor neugierigen Blicken zu schützen, vor allem um diese Uhrzeit in der Nacht. Die Betonung liegt hier auf *sollte*. Selbst ein einfacher Plan kann schief gehen; hoffen wir einfach, dass dieser reibungslos abläuft. Wenn uns dieser Wichser aus irgendeinem Grund durch die Finger schlüpft, drehe ich durch. Nicht nur, weil ich will, dass der Kerl so schnell wie möglich aufhört zu atmen, sondern vor allem, weil er verschwinden und sich verstecken wird, sobald er merkt, dass wir ihm auf der Spur sind. Dann wird es doppelt so schwer sein, an ihn heranzukommen. Es ist nicht das erste Mal, dass meine Brüder einen solchen Hinterhalt gelegt haben, aber für mich ist es das, und was auf dem Spiel steht, ist die Sicherheit meines Mädchens.

Blane setzt sich hinter das Steuer des ersten Wagens und fährt los, ohne eine Sekunde zu verschwenden. Er nimmt eine Abkürzung zur Seitenstraße, die zum Wohnwagenpark führt, und wartet dort auf Matthews, während wir drei ihm mit einigem Abstand folgen. Trotz der Dunkelheit, die uns umgibt, schaltet er seine Scheinwerfer nicht sofort ein, um Matthews Aufmerksamkeit nicht auf uns zu lenken. Dann sehen wir, wie die Rücklichter zu winzigen roten Punkten in der Ferne werden, und als Matthews Motorrad an uns vorbeifährt, setzt Ben unser Auto in Bewegung. So weit, so gut, aber es gibt ein Element, über das wir keine Kontrolle haben, und das ist die Möglichkeit, dass Matthews nicht direkt nach Hause fährt. Alles, was wir für diesen Fall zur Hand haben, sind Stoßgebete.

Der Wohnwagenpark ist etwa fünfzehn Minuten entfernt, aber kaum zehn Minuten später erhält Brent eine SMS von Nate, in der er uns mitteilt, dass sie vor Ort sind.

„Hoffen wir nur, dass der Mistkerl sich nicht noch eine Pussy für die Nacht sucht", grummelt Brent.

Er ist schlecht gelaunt, seit er heute Morgen von der Explosion erfahren hat, und niemand kann ihm das verübeln. Schon gar nicht ich. Den ganzen Tag über hatte ich diesen kaum zu bändigenden Drang, alles zu zerstören, was ich in die Finger bekam. Die Wut auf Matthews und die Angst, dass Chloe in die Sache verwickelt wird, sind eine grauenhafte Kombination. Die Qualen, die ich fühle, sind wie ein Orkan, der in mir tobt, und das Einzige, was ihn besänftigen kann, ist, dass Matthews seinen letzten Atemzug tut. Schlicht und einfach.

„Guter Junge." Bens Gemurmel ist düster, sein üblicher leichter Humor ist nicht zu hören.

Mein Magen kribbelt vor Anspannung, als ich Matthews dabei zusehe, wie er sein Bike direkt auf die außer Sichtweite liegende Straße lenkt, wo meine Brüder auf ihn warten. Bis wir ihm auf den Fersen sind, reißt Nate ihn bereits vom Motorrad, während Blane und Jayce ein paar Meter entfernt stehen, ihre Haltung entspannt, aber ihre Blicke wachsam, da sie ihre Waffen auf Matthews gerichtet haben. Ich sehe ihn an und mein Blick bleibt an ihm haften, als Ben das Auto anhält. Ich beobachte, wie er seinen Helm abnimmt. Er wird jetzt von Nate, der wahrscheinlich verlangt hat, dass er sein verdammtes Gesicht zeigt, an die Rückwand des Geländewagens gepresst.

„Schließen wir uns der Partyrunde an", sagt Ben und die gleiche dunkle Vorfreude, die durch meine Adern fließt, färbt seine Stimme.

Wir springen gerade noch rechtzeitig aus dem Auto, als Jayce in düsterem und spöttischem Ton sagt: „Du scheinst nicht überrascht zu sein, uns zu sehen. Dann haben wir wohl den richtigen Mistkerl erwischt."

Matthews bemüht sich sehr, seine Angst hinter einem verärgerten Blick zu verbergen. Aber der Kerl weiß offensichtlich nicht, dass die *Ich bin ein harter Typ und ihr macht mir keine Angst*-Ausstrahlung, die er forciert, leicht lebensgefährlich werden kann, wenn man den Mund aufmacht, um Blödsinn zu erzählen. Denn das ist genau das, was er für klug hält.

„Ich hoffe, ich habe heute Morgen etwas Schaden angerichtet", schnauzt der dumme Scheißer mit einem Grinsen im Gesicht.

Mit der Hand, die er um Matthews Hemdkragen geschlossen hat, zieht Nate ihn vom Auto weg, nur um ihn wieder dagegen zu stoßen. Sein Rücken prallt gegen das Metall, was ihm ein scharfes Keuchen entlockt. Als Nates Hand sich um seine Kehle schließt, wird es schwieriger, seine Angst zu verbergen.

„Der einzige Schaden, den du angerichtet hast, ist das Auto, das du gestohlen hast", knurrt Nate in seine nun verängstigten Züge. „Wenn du das nächste Mal dein Erspartes für den Kauf von Bomben im Dark Web verschwenden willst, dann sieh zu, dass du wenigstens das gute Zeug kaufst."

Das ist noch etwas, das Blane heute herausgefunden hat.

„Ihr denkt, ihr könnt Leute umbringen und bleibt unantastbar, richtig?"

„Eure Freunde wären noch am Leben, wenn sie nicht hinter einem von uns her gewesen wären. Wir verfolgen niemanden, der sich nicht zuerst mit uns anlegt", erklärt Jayce ihm, was er bereits wissen sollte.

Auch wenn es so aussieht, als gehöre er nicht mehr zu einem Club, wurde er doch in einen hineingeboren. Er weiß, wie es funktioniert. Er ist ein verdammter Heuchler. Trotzdem bin ich mir ziemlich sicher, dass die Spiders früher jeden gejagt haben, den sie wollten, egal, ob sie vorher hinter ihnen her waren oder nicht.

„Er hat es verdient", zischt der Dummkopf, der immer noch sein Maul aufreißt, während er mir in die Augen sieht.

„Was? Du bist auch immer noch nicht über die Prügel hinweg, die ich euch dreien verpasst habe?", spotte ich. „Ich hoffe, du hast seitdem etwas an deinen Kampffähigkeiten gearbeitet. Deine Bikerfreunde haben es dir vielleicht beigebracht. Nicht die verstorbenen Spiders", präzisiere ich. „Die Cobras."

„Hast du eine Kutte auf meinem Rücken gesehen?", spottet er. „Ich gehöre nicht zu ihnen. Ich bin niemandes Fußabtreter."

„Außer unserer heute Abend." Ben grinst und erntet von dem Wichser einen bösen Blick.

„Fick dich", knurrt er.

Er hat Mumm, das muss ich ihm lassen. Aber das wird ihm heute Abend nicht helfen, egal was er uns glauben machen will, wie groß seine Eier sind.

„Okay, lasst uns das in den Club verlegen", weist Jayce an.

Nate gelingt es jedoch nur, ihn von der Rückseite des Wagens wegzuziehen und ihm einen Schubs in die gewünschte Richtung zu geben, bevor Matthews wieder dummes Zeug redet und uns allen beweist, dass er nicht so schlau ist, wie er denkt. Er löst eine Welle der Wut in mir aus, die die Oberhand gewinnt.

„All das für eine Pussy. Die Schlampe hätte einfach ihr Maul halten und es hinnehmen sollen."

Ja, Wut beschreibt nicht einmal ansatzweise, wie ich mich fühle. Auch Zorn ist nicht das richtige Wort, denn beim Klang seiner Stimme wird mein Blut heißer als je zuvor. Hinter mir kann ich Brents tiefes Knurren kaum noch wahrnehmen, als ich mich mit drei Schritten dem Stück Dreck nähere, das mich in den Wahnsinn getrieben hat. Ich versuche gar nicht erst, das Bedürfnis abzuschütteln, ihn in die Finger zu bekommen. Ich gebe mich diesem Drang völlig hin. Ich lasse es für mich entscheiden, während ich hinter meinen Rücken greife und mit meiner vor Wut verkrampften Hand den Griff des Messers umschließe, das ich bei mir trage. Ich ziehe es so schnell, dass Matthews kaum Zeit hat zu begreifen, was passiert, bevor sich die Klinge in sein Fleisch bohrt. Zwei Stiche in sein Herz und innerhalb weniger Sekunden ist er nur noch ein lebloser Haufen, der zusammensackt, während das Blut aus seinem Körper sickert und den Boden tränkt.

„Nun, es ist wohl an der Zeit, wieder mit deinen lieben Freunden vereint zu sein", scherzt Ben, obwohl seine Stimme immer noch eine Dunkelheit ausstrahlt, die dieser Situation angemessen ist.

Die Luft strömt mühsam aus meinen Lungen. Es ist, als hätte ich gerade einen zweistündigen Lauf beendet, obwohl ich mich kaum angestrengt habe, als ich dem großmäuligen Arschloch das Leben aus dem Leib gerissen habe.

„Wir laden ihn ins Auto und verschwinden von hier", befiehlt Jayce. „Blane, du fährst sein Motorrad. Du weißt am besten, wie man den Kameras ausweicht. Los geht's!"

Die Wut gräbt sich weiter in meine Eingeweide, während wir zusehen, dass wir abhauen, bevor uns jemand über den Weg läuft.

Matthews genau hier, in aller Öffentlichkeit, zu töten, war nicht die klügste Idee, die ich je hatte, aber verdammt, der Idiot hat es nicht anders gewollt. Eine flüchtige Sekunde lang, als ich seine herabwürdigenden Worte gegenüber Chloe hörte, verließ mich jeglicher Hauch von Vernunft.

Wir brauchen mehr als einen Augenblick, um von hier wegzukommen, aber wir beeilen uns. Innerhalb einer Minute sind wir wieder in den Autos und auf dem Weg zurück in den Club.

„Woran denkst du, Melvin?", fragt mich Brent nach einer Weile.

Ich frage mich, ob die fehlende Aufregung in seiner Stimme darauf zurückzuführen ist, dass der letzte Mann, der seine Tochter fast vergewaltigt hätte, ihr nie wieder über den Weg laufen kann. Er klingt viel gefasster als zuvor und auch viel gefasster, als ich es bin. Davon abgesehen, bin ich völlig im Reinen damit, Matthews das Leben genommen zu haben.

„Ich wollte nicht so die Kontrolle verlieren", sage ich ihm.

„Keiner wird dir die Schuld geben. Der dumme Mistkerl hat es so gewollt", sagt Ben, was ich gerade gedacht habe, die Augen auf die Straße gerichtet.

„Ich wollte dem Wichser schon den ganzen Tag die Kehle aufschlitzen", stimmt Brent zu, wobei sein Tonfall wieder von Wut durchdrungen ist.

Dass sie mir keinen Vortrag halten, hilft mir, meinen Fehler herunterzuschlucken. Ich kann sowieso nicht mehr ändern, was ich getan habe. Chloe ist jetzt in Sicherheit und das ist am Ende des Tages alles, was für mich zählt. Der Seelenfrieden, der mit diesem Wissen einhergeht, überwältigt die Schuldgefühle, fast alles versaut zu haben.

Ben achtet darauf, seine Geschwindigkeit unter dem Limit zu halten, obwohl die Leiche im anderen Auto liegt. Wer auch immer Blanes Platz hinter dem Steuer eingenommen hat, hält vorsichtshalber Abstand von uns, aber trotzdem wäre jetzt der schlechteste Zeitpunkt, um von den Bullen angehalten zu werden.

Die meiste Zeit der fünfundvierzigminütigen Fahrt zurück zum Club herrscht Stille im Auto. Ich bin immer noch ein wenig aufgeregt und schätze die Ruhe. Ich werde mich erst beruhigen, wenn ich mein Mädchen wieder in meinen Armen halte.

Endlich durchqueren wir das Tor und als Ben das Gebäude umrundet, um zum Kellereingang auf der Rückseite zu gelangen, werfe ich einen Blick zum

Fenster meines Zimmers. Der schwache Schein, der davon ausgeht, verrät mir, dass meine Nachttischlampe eingeschaltet ist.

Sie ist noch wach, das besänftigt mich und lässt mein Herz auf eine verdammt gute Weise anschwellen. Es ist immer noch neu für mich, dass sich jemand um mich sorgt. Ein paar Monate, nachdem ich dem Club beigetreten war, hatte ich aufgehört, mich allein zu fühlen, weil ich mich darauf verlassen konnte, dass meine Brüder mir immer den Rücken freihalten, aber das, was Chloe in mir auslöst, ist nicht dasselbe. Wenn sie mich ansieht, sei es mit Zuneigung, Lust oder sogar Sorge, habe ich das Gefühl, dass ich alles habe, was ich mir je wünschen könnte. Sie bedeutet alles für mich.

Zehn Minuten später sind wir alle im Lagerhaus versammelt und Jayce gibt Anweisungen.

„Ben, Nate, wir kümmern uns um die Leiche", sagt er. „Um das Motorrad können wir uns morgen kümmern. Blane, du wirfst einen Blick auf die Kameras, um sicherzugehen, dass heute Nacht niemand auf der Lauer liegt." Blane nickt und geht weg, während Jayce weiterredet. „Melvin, Brent, ihr geht nach oben und seht nach, ob alles in Ordnung ist und macht euch einen Drink."

„Bist du sicher?", frage ich und runzle die Stirn.

„Absolut."

„Komm schon, lass uns gehen", sagt Brent.

Das ist buchstäblich mein Schlamassel, um den sie sich kümmern müssen. Ich fühle mich beschissen, weil ich sie damit allein lasse. Abgesehen davon hätten wir uns früher oder später sowieso darum kümmern müssen, denn Matthews hätte keinen Sonnenaufgang mehr erlebt, selbst wenn wir ihn lebend hierhergebracht hätten.

Als Brent und ich nach oben kommen, hat Cody bereits ein paar Gläser Whiskey für uns alle eingegossen. Er reicht mir eines, bevor ich es mir selber nehmen kann. Jemand muss ihn über die ungeplante Wendung des heutigen Abends informiert haben. Er sagt nichts, aber Karl spricht von dem Hocker aus, auf dem er sitzt.

„Bist du im Reinen mit dem, was passiert ist?"

Er, Cody und Liam sind die einzigen, die hier sind. Die Frauen scheinen alle oben zu sein.

„Ich habe Mist gebaut, indem ich meine Nerven verloren habe, wo uns jeder hätte über den Weg laufen können, aber ich bin hundertprozentig damit im Reinen, ihn erledigt zu haben", antworte ich, bevor ich ein paar Schlucke Schnaps trinke.

Ich lasse den Whiskey meine Kehle hinunterbrennen, während ich die Bar umrunde, und schaue über meine Schulter, als Jayce spricht und auf meinen entschuldigenden Tonfall reagiert.

„Ihn so auszuschalten, da draußen, war nicht der Plan", beginnt er und schließt die Kellertür hinter sich. „Und ja, es hätte uns alle in große Schwierigkeiten bringen können, wenn uns jemand gesehen hätte. Aber das passiert nun mal, wenn diese Idioten unsere Geduld auf die Probe stellen. Die Situation war zwar nicht identisch, aber ich bin genauso ausgerastet, als dieser Perverse Alex entführt hat. Ich habe ihn zu Tode geprügelt, ohne mit der Wimper zu zucken", erinnert er sich, während er sich selbst einen Drink holt. „Belassen wir es bei dem Wissen, dass uns niemand gesehen hat. Niemand wird mit dem Finger auf dich zeigen, weil du etwas getan hast, was wir alle getan hätten."

Das ist ein Freifahrtschein, den er mir gibt, und ich nehme ihn nur deshalb so gerne an, weil mein Versagen keine Konsequenzen hatte.

„Es wird nicht wieder vorkommen", garantiere ich ihm trotzdem und setze mich auf einen Hocker. „Wenn es ein nächstes Mal gibt, was ich verdammt noch mal nicht hoffe, werde ich mich zusammenreißen."

Er nickt langsam, aber bevor er einen Schluck Whiskey trinkt, sehe ich ein kleines Lächeln auf seinen Lippen liegen.

Ja, ich würde mein Leben auch nicht darauf verwetten, dass ich teilnahmslos bleibe, wenn irgendein Arschloch noch einmal so über Chloe redet, wie dieser Wichser es getan hat. Andererseits hat auch die Tatsache, dass Matthews versucht hat, sie zu vergewaltigen, einen großen Anteil daran, dass ich mich nicht zusammenreißen konnte.

„Ich wünschte, wir hätten uns vorher mit ihm unterhalten können", bedaure ich seufzend. „Er hätte vielleicht etwas über Hawk und den nächsten Schritt der Cobras bezüglich Max wissen können."

„Vielleicht, vielleicht auch nicht", sagt Cody. „Du brauchst dich jetzt nicht mit Fragen quälen."

„Was geschehen ist, ist geschehen", stimmt Brent zu. „Die drei sind weg und wir werden die Cobras und Max im Auge behalten, bis wir wissen, dass er in Sicherheit ist."

„Ja", stimmt Jayce zu. „Das eine Problem ist gelöst und mit dem anderen werden wir geschickt umgehen. Solange Hawk uns nicht angreift, werden wir nie sicher sein können, dass seine Prospects auf seinen Befehl hin hinter euch her waren. Wenn Jules zu lange schweigt, werden wir um ein Treffen mit ihm bitten, damit wir wissen, woran wir sind."

Ich nicke. Er hat recht. Das haben sie alle. Ob die Prospects nun hinter dem Rücken ihres Präsidenten auf Rachefeldzug gegangen sind oder nicht, wichtig ist nur, dass sie nichts mehr anrichten können und dass Chloe in Sicherheit ist.

„Du hast recht", gebe ich zu und stehe auf. „Okay, ich werde mal sehen, ob sie Hilfe brauchen", sage ich und kippe den Rest meines Drinks hinunter.

„Nein, du gehst zu deinem Mädchen. Sie kommt sowieso bald runter, wenn du zu lange brauchst. Wir machen das schon", sagt Jayce, sein Befehl ist eindeutig. „Geh", fügt er hinzu, als ich mich weder in die eine noch in die andere Richtung bewege, hin- und hergerissen zwischen dem Versuch, meinen Brüdern zu helfen und zu meinem Mädchen zu gehen.

„Danke. Dann sehen wir uns wohl alle morgen", sage ich dankbar und nehme sein Angebot an, Feierabend zu machen.

Ich lehne mich über den Tresen, um mein leeres Glas in die Spüle zu stellen.

„Wir sehen uns morgen, wenn ich nicht den ganzen Tag schlafe." Karl stöhnt, bevor ihm ein schroffes Lachen entweicht. „Ich werde zu alt, um so lange aufzubleiben."

„Ich verstehe dich", stimmt Brent zu und besetzt den Hocker, den ich gerade verlassen habe.

Ich schüttle den Kopf und bringe ein müdes Lächeln zustande, als ich meine Brüder zurücklasse. Ich bin etwa zweieinhalb Jahrzehnte jünger als sie, aber verdammt, ich bin genauso erschöpft. Doch ich bin noch wach genug, um die Treppe hinaufzujoggen.

Chloe ist im Bett, als ich mein Zimmer betrete, aber sie sitzt. Ihre Beine sind unter der Decke versteckt, mit ihrem hellgrünen, seidenen Oberteil, das die Wölbung ihrer Brüste umschmeichelt, und ihrer wilden Mähne, die ihr über die Schultern fällt, ist sie das sexieste Geschöpf, das ich je gesehen habe, wenn da nicht so viel Sorge in ihren Augen läge.

„Ich habe die Autos gehört", sagt sie. „Ich wusste nicht, ob ich nach unten kommen sollte."

Ihr Blick senkt sich auf mein Oberteil und ich bereue sofort, dass ich ein blaues statt eines schwarzen Shirts angezogen habe. Auch wenn es nicht gerade hellblau ist, so ist es doch hell genug, dass sich die Blutflecken deutlich abzeichnen. Zumindest, wenn man den Schrecken in ihren Augen glaubt.

Sie wühlt sich aus der Decke und steigt aus dem Bett, während ich mich zu ihr begebe.

„Nicht mein Blut, Baby. Mir geht's gut. Deinem Dad auch. Uns allen."

Ich beruhige sie aus einem Urinstinkt heraus. Ich hasse es, zu sehen, wie sie mit dieser Angst kämpft. Das ist nicht zu ertragen.

Sie nickt mit einem erleichterten Seufzer und akzeptiert die Tatsache, dass ich nicht ins Detail gehe,

„Wie geht's dir?", fragt mich Lana aus heiterem Himmel, was mich verwirrt die Stirn runzeln lässt. „Mit dem, was auch immer los war, meine ich. Blane hat nicht viel mit mir geteilt. Er hat nur bestätigt, was ich schon vermutet hatte, als ich sah, wie gereizt Melvin und dein Vater waren. Es war nicht schwer zu verstehen, dass du mittendrin steckst, in dem, was passiert ist. Und dann war da noch der Mist mit Melvins Mutter, die dich bedrängt hat. Wie hast du das alles verkraftet?"

„Na ja, mit einer Waffe bedroht und fast in die Luft gejagt zu werden, war nicht gerade lustig", gebe ich mit einem trockenen Lachen zu. „Aber es geht mir gut, denke ich. Der Typ ..." Ich beginne und halte kurz inne. „Ich sollte dir das wahrscheinlich nicht erzählen, aber der Typ, der die Bombe gelegt hat, und die Kerle, die Melvin entführt haben, haben das aus Rache getan. Meinetwegen, sozusagen. Vor etwa drei Jahren haben sie versucht, mich zu vergewaltigen", erzähle ich, wobei mir das Wort zum ersten Mal seit langer Zeit wieder über die Lippen kommt. „Sie waren damals noch in der Highschool, und ihre Väter waren Mitglieder der Spiders. Melvin kam zufällig vorbei und half mir. Wenn ich sage, er hat mir geholfen, dann meine ich damit, dass er den dreien eine Tracht Prügel verpasst hat, die sie wohl nie vergessen haben."

Und ich habe es auch nie vergessen. Melvin verteilte Schläge nach links und rechts, wie eine Art Racheheld, der aus dem Nichts auftauchte. Angesichts der Art und Weise, wie er Knochen zerschlug und Blut verspritzte, hätte ich noch mehr Angst haben müssen, als ich ohnehin schon hatte, aber das Gegenteil war der Fall. Ich fühlte mich sicherer. Ich hatte immer noch Angst, als ich überstürzt meinen Vater anrief, weil ich befürchtete, die Gelegenheit zu verpassen, ihn kontaktieren zu können, wenn ich wartete. Aber irgendwie wusste ich, dass, wer auch immer dieser Typ war, er nicht zulassen würde, dass sie mich noch einmal anfassen.

„Ja, Melvin hat mir erzählt, wie er dem Club beigetreten ist", sagt Lana und holt mich in die Gegenwart zurück. „Du warst noch so jung. Das muss schwer gewesen sein."

Ich nicke, denn es war nicht leicht, mit dem umzugehen, was an diesem Tag passiert ist.

„Meine Mutter hat mich zu einem Therapeuten gebracht. Einen, den Doc – der Arzt, den der Club auf der Gehaltsliste hat – kennt. Auf diese Weise konnte ich frei reden. Das hat geholfen. Aber wenn Melvin sie nicht aufgehalten hätte, wäre es noch viel schlimmer gewesen. Jedenfalls hat sich herausgestellt, dass die beiden, die Melvin entführt haben, für denselben Motorradclub arbeiteten, in dem auch seine Mutter Mitglied ist, weshalb sie ihn wahrscheinlich im Visier hatten. Der dritte Typ gehörte nicht zum Club, aber er hat die Bombe gelegt, um seine Kumpels zu rächen."

„Und dann ist er seinen Freunden gefolgt", sagt sie.

Da blicke ich sie unvermittelt an. „Du weißt davon?" Ich zucke zusammen und frage mich, ob ich überhaupt darüber reden sollte. „Oder hast du das aus dem, was ich gerade gesagt habe, abgeleitet?

Blane wird nicht erfreut sein, dass ich mit dir darüber gesprochen habe."

Lana und ich stehen uns nahe. Sie ist eine gute Freundin, aber ich will nicht, dass sie sich meinetwegen mit Blane streitet.

„Keine Sorge, ich weiß, wie der Club funktioniert. Blane legt Wert darauf, mir nichts zu erzählen, was ich nicht wissen muss, weil er denkt, dass ich schon genug Scheiße erlebt habe, sodass es für ein ganzes Leben reicht. Aber gerade wegen all dem, was ich durchgemacht und getan habe, kann ich nicht anders, als alles zu analysieren." Sie kichert, als ob das keine große Sache wäre. „Ich versuche immer herauszufinden, was vor sich geht. Das macht Blane verrückt." Sie grinst. „Außerdem, so wie er glaubt, dass es für mich am besten ist, nichts über die Clubangelegenheiten zu wissen, denke ich, dass es für ihn am besten ist, nicht zu wissen, dass ich mit dir darüber gesprochen habe. Wenn du also mal Dampf ablassen willst, bin ich immer für dich da."

Ich lächle aufrichtig und sage: „Danke."

Zu wissen, dass es noch eine Person gibt, die sich um mich sorgt und auf die ich zählen kann, ist ein schönes Gefühl.

„Das klingt jetzt furchtbar, aber ich bin froh, dass sie weg sind. Nach dem Überfall habe ich monatelang über meine Schulter geschaut. Irgendwann wurde es besser, aber ich hatte immer im Hinterkopf, dass sie zurückkommen könnten. Es ist auch gut, dass Melvin mir erst gesagt hat, dass sie es waren, nachdem die ersten beiden tot waren und nur ein paar Stunden vor ... du weißt schon", flüstere ich, denn obwohl wir leise reden, gibt es immer noch genügend Ohren um uns herum. „So hatte ich keine Zeit, zu viel nachzudenken."

„Zu viel Grübeln ist nie gut", stimmt sie zu. „Aber du hörst dich nicht furchtbar an. Glaub mir, ich habe schon so viele Drecksäcke getroffen, dass ich von einer Sache überzeugt bin. Manche von ihnen sind es einfach nicht wert zu leben, und es ist das Beste, sie loszuwerden, bevor sie uns oder jemandem, den wir lieben, schaden. Oder irgendjemand anderem, was das betrifft. Das ist meiner Meinung nach nur gesunder Menschenverstand."

In meinem Herzen weiß ich, dass sie Recht hat. Ich spürte es in dem Moment, als Melvin von dem Ort zurückkam, an dem sie Robbie Matthews gefunden hatten. Als ich das Blut auf seinem Hemd sah, wusste ich, was er getan hatte. Und ich war damit einverstanden. Ich war damit im Reinen, weil es Melvin gut ging. Er war in Sicherheit. Das waren wir beide, und das nur, weil der Mann, der uns hätte töten können, nun tot war. Robbie Matthews wäre weiter hinter uns her gewesen. Ob mit einer Bombe oder einer Waffe, ob jetzt oder in ein paar Monaten, er hätte es wieder auf uns abgesehen. Das ist eine Tatsache und das ist alles, was ich wissen muss, um mich damit abzufinden, dass Melvin einem Mann das Leben genommen hat. Er hat es getan, um mich und unsere Familie zu schützen.

„Manche mögen glauben, dass ich es verdiene, eines Tages in der Hölle zu schmoren, weil ich das gesagt habe, aber du hast recht, manche Menschen verdienen es nicht zu leben. Solange wir alle in Sicherheit sind und ich Melvin in meinem Leben haben darf, ist es mir egal, was mit diesen Typen passiert ist."

Lana stößt mit ihrem Smoothie gegen meinen an.

„Darauf trinke ich", sagt sie.

„Auf was trinkt ihr?"

Als ich dem Klang von Livs fröhlicher Stimme folge und sehe, wen sie mitgebracht hat, vergesse ich ihre Frage völlig.

„Logan!"

Es ist unmöglich, den Bruder meiner besten Freundin nicht anzustrahlen, und ich springe sofort auf die Beine.

„Hey, Knirps." Er grinst breit, und obwohl ich mit den Augen rolle, als ich ihn umarme, ärgert mich sein alter Spitzname für mich nicht.

Da er vor ein paar Monaten in Übersee fast gestorben wäre, während er unserem Land diente, bin ich froh, dass er mich überhaupt noch so nennen kann. Außerdem freue ich mich, dass sein Lächeln seine braunen Augen erreicht.

„Ich bin nicht die Größte, aber ich bin auch nicht gerade ein Knirps", bemerke ich, als ich mich von ihm löse. „Wie geht es dir? Bist du endgültig zurück?"

„Mir geht es gut, und ja, ich bin endgültig wieder zu Hause."

„Er hat uns heute Morgen überrascht", erzählt Liv aufgeregt. „Ich habe gerade deine Mutter angerufen. Sie hat gesagt, dass er gerne mitkommen kann, um ein paar Häppchen zu essen, bevor wir zu unserer Oma fahren."

Sie strahlt sogar noch mehr als ich. Sie hat Logan schon immer nahegestanden. Seit dem Tod ihres Vaters, als Liv noch ein Kleinkind war, hat ihr Bruder sie beschützt. Als sie und ihre Mutter herausfanden, dass er vor fast einem Jahr schwer verletzt worden war, blieb für sie die Welt stehen. Logans Verletzung und seine Genesung waren nicht nur für ihn schwer.

„Natürlich", sage ich, denn ich weiß, dass sich meine Eltern freuen werden, Logan wiederzusehen.

„Hey, hallo. Ich bin Logan, Olivias Bruder", wendet er sich an Lana und stellt sich vor, während er ihr die Hand zum Schütteln hinstreckt.

„Ich bin Lana. Freut mich, dich kennenzulernen."

„Gleichfalls."

„Seid ihr hier fertig?", fragt Liv und betrachtet ihre Umgebung, als ob die Geräte sie anspringen und sie zum Training zwingen könnten.

„Ich bin fertig", antworte ich. „Aber ich gehe erst mal duschen. Ganz schnell. Ist das in Ordnung?"

„Klar", sagt Logan. „Ich werde mich mal umsehen. Sobald ich grünes Licht vom Arzt habe, will ich wieder richtig trainieren."

„Ich zeige ihnen alles und leiste ihnen Gesellschaft, während ich meinen Smoothie trinke", sagt Lana. „Dann fahre ich wieder nach Hause. Blane war nicht gerade erfreut, dass ich heute Morgen in der Frühe gegangen bin." Sie lacht leise.

„Nichts für ungut, aber niemand, der bei klarem Verstand ist, wäre das", gibt Liv Blane recht.

„Okay, ich beeile mich", verspreche ich und lache meine beste Freundin an, während ich mit meinem Smoothie in der Hand davoneile.

***

„Deinem Bruder scheint es wirklich gut zu gehen. Er sieht gesund aus. Es ist toll, dass er sich so gut erholt hat", sagt meine Mutter zu Olivia, während sie mir die Haare flechtet.

Sie sind noch feucht von der Dusche im Fitnessstudio, also werde ich schöne Wellen haben, wenn ich den Zopf später löse.

Wir drei sitzen im Gras neben Mamas rosa Rosenstrauch, während mein Vater, Melvin und Logan auf der Terrasse etwas trinken. Melvin und Max sind vor einer Stunde angekommen, um mit uns zu Mittag zu essen.

„Es ist fantastisch, ja", sagt Liv nach einem Schluck Ananassaft. „Meine Mutter und ich sind begeistert, dass er hierbleibt. Sie war besorgt, dass er aus Twican wegziehen würde, weil die Dinge mit seiner Ex so schlecht gelaufen sind. Aber nach sechs Jahren scheint er darüber hinweg zu sein."

„Oh ja, ich weiß noch, wie er von seiner ersten Auslandsreise zurückkam", sage ich. „Er war am Boden zerstört, als er herausfand, dass sie ihn betrügt, obwohl sie seinen Antrag angenommen hatte."

Ich schwöre, es ist manchmal schwer, manche Leute zu verstehen.

„Ich sehe sie noch ab und zu, wenn sie ihre Tante in der Stadt besucht. Aber sie wohnt jetzt ein paar Städte weiter", murmelt Liv ein wenig verärgert. Doch ihr Lächeln ist im Nu wieder da. „Jedenfalls bin ich froh, dass er hierbleibt. Hoffentlich wird seine nächste Freundin treu sein. Dann bin ich die Einzige, die noch Single ist", murmelt sie, und schon ist ihr Lächeln wieder verschwunden.

„Du hast Zeit, Schatz", versichert ihr meine Mutter. „Glaub mir, es ist besser, ein bisschen auf den richtigen Mann zu warten, als sich in eine Beziehung zu stürzen und bei jemandem zu landen, der nicht zu dir passt. Du bist noch jung."

„Da stimme ich dir voll und ganz zu, ich weiß, dass ich noch jung bin und dass es keine Eile gibt und so, aber wenn ich den richtigen Mann in nur einem Wimpernschlag finden könnte, so wie Chloe, würde ich es zu schätzen wissen."

Ich lache. „In nur einem Wimpernschlag?"

„Ich meine, wie würdest du es sonst nennen?", quietscht sie fast, als ob sie sich nicht einmal erklären müsste. „Du warst kaum aus der Highschool raus, da hat er dich schon geküsst, verdammt noch mal. Das ist nicht fair. Aber ich freue mich für dich", fügt sie schnell hinzu und lächelt verlegen. „Ich wünsche mir einfach auch einen der guten Jungs."

„Da hat sie recht", sagt Mama. „Vielleicht werde ich eine junge Oma."

So wie sie strahlt, vor lauter Träumerei, verspüre ich das Bedürfnis, einzugreifen und sie auf den Boden der Tatsachen zurückzuholen. Aber sie fährt fort, bevor ich es kann.

„Was denkst du, Süße?", fragt sie mich und lacht laut, als ich ihr einen Blick über die Schulter zuwerfe.

Sie weiß schon, was ich denke, aber ich erinnere sie trotzdem daran.

„Du wirst noch früh genug Enkelkinder haben, aber ich denke, ich werde erst einmal meine Zwanziger genießen, wenn es dir nichts ausmacht."

„Na gut", lenkt sie ein.

„Wer weiß, vielleicht bekommt Liv ja zuerst ein Baby", sage ich.

„Wenn ich meine sechs Kinder haben will, muss ich mich ranhalten", brummt sie und bringt uns wieder zum Lachen.

Es sind Momente wie diese, die mich in meiner Überzeugung bestärken, dass der Club das Richtige getan hat, als er sich um diese Typen gekümmert hat. Sonst gäbe es jetzt diese Art von Sicherheit, Freiheit und Lachen in unserem Leben nicht.

Kapitel 19

Melvin

Wie geht es deiner Mutter? Sie muss auf Wolke sieben schweben, jetzt, wo du „ wieder zu Hause bist", sagt Brent zu Logan, während er uns beiden ein Bier reicht, bevor er sich zu uns an den Tisch auf der hinteren Terrasse setzt.

Ab und zu schweift mein Blick zu Chloe. Sie sitzt im Garten mit Olivia und ihrer Mutter im Schneidersitz und sieht entspannt aus, während sie an ihrem Fruchtsaft nippt und Fiona ihr Haar flechtet. Nach dem Debakel mit Matthews vor einer Woche hatte ich mir Sorgen um sie gemacht. Doch bis jetzt scheint es ihr gut zu gehen. Es war kein Problem für sie, wieder in die Werkstatt zu gehen, und sie hat auch gut geschlafen. Ich muss es wissen, sie hat jede Nacht in meinen Armen gelegen.

„Ja, aber es wäre ihr lieber gewesen, meine Karriere beim Militär hätte nicht mit einer Verletzung geendet, die mich fast umgebracht hätte", gibt er zu. Mit einem Blick auf mich fügt er hinzu: „Livs und mein Vater ist im Kampf gefallen, als ich zehn war, also war der Anruf wegen meiner Verletzung so, als würde sich die Geschichte wiederholen."

„Scheiße, darauf wette ich. Das mit deinem Vater tut mir leid."

„Ja, er war ein guter Dad", sagt er, kurz in Gedanken versunken. „Wie auch immer, es ist, wie es ist."

„Dir scheint es aber gut zu gehen. Ich meine, körperlich", sage ich.

„Der Rücken war hauptsächlich betroffen", erklärt er mir. „Die Physiotherapie läuft besser, als ich es mir je hätte vorstellen können. Ich habe noch ein paar Monate vor mir, aber nur noch einmal pro Woche. Ich hinke immer noch ein wenig, aber die Ärzte glauben, dass das mit der Zeit wieder weggeht. Ehrlich gesagt, ist mir das egal. Ich schätze mich glücklich, dass ich überhaupt keine Schmerzen habe. Wir haben alle schon von zu vielen Veteranen gehört, die von Medikamenten abhängig wurden, weil ihre chronischen Schmerzen so unerträglich waren. Ich kann laufen und Motorradfahren und das ist ein verdammter Segen, wenn man bedenkt, dass ich nur um Haaresbreite daran vorbeigeschrammt bin, den Rest meines Lebens im Rollstuhl zu verbringen."

„Du fährst?", frage ich zurück.

„Seit ich sechzehn bin." Er grinst wie ein Kind. „Das hat mir am meisten gefehlt, als ich in Übersee war. Ich überlege sogar, mir ein neues Bike zu kaufen. Meins gehörte meinem Vater. Ich werde es zwar auf ewig behalten, aber ich möchte etwas Neueres. Ein brandneues Motorrad für ein brandneues Leben."

„Hört sich nach einem guten Plan an." Ich gluckse über seinen Enthusiasmus.

„Du scheinst dich gut an das zivile Leben gewöhnt zu haben", bemerkt Brent. „Vermisst du die Armee nicht?"

„Am Anfang war es nicht leicht. Als ich nach meiner Verletzung nach Deutschland versetzt wurde, war es hart. Die Operation, die Schmerzen und das Wissen, dass einer von uns gestorben ist, als wir über die Granate gefahren sind … Ja, es war die Hölle. Ganz zu schweigen davon, dass der Rest der Einheit noch da draußen war."

„Ich nehme an, ihr standet euch nahe", vermute ich.

„Nun", sagt er und hält inne, als würde er nach Worten suchen. „Wir haben uns gegenseitig den Rücken freigehalten, ohne Frage. Jeder von uns wäre für ein Teammitglied gestorben. Aber letzten Endes war es das, was wir füreinander waren. Teammitglieder. Bevor ich mich meldete, dachte ich, es gäbe eine tiefere Verbindung als die, die ich erlebt habe, verstehst du? Ich bin mir sicher, dass es die meiste Zeit so ist, aber ich persönlich habe die Brüderlichkeit nicht so sehr gespürt, wie ich dachte. Vielleicht, weil ich der Jüngste war, ich weiß es nicht. Wie gesagt, wir haben uns gegenseitig den Rücken gestärkt und wenn einer von ihnen mich jemals braucht, werde ich da sein. Aber ich schätze, auch wenn man den Krieg gemeinsam durchsteht, entsteht nicht immer ein besonderes Band."

„Vielleicht macht es das leichter, zurück zu sein", sagt Brent.

„Vielleicht, ja. Ich bereue es nicht, dass ich zur Armee gegangen bin, aber ich bin auch gespannt, wie es für mich weitergeht."

„Hast du schon Pläne?", fragt er ihn und lehnt sich in seinem Stuhl zurück.

„Noch nicht. Ich hatte Zeit, darüber nachzudenken, aber außer ein bisschen zu fahren und die Freiheit zu genießen, ist mir nichts eingefallen. Meine Mutter hat mir gesagt, dass sie im Laden Hilfe gebrauchen kann, sobald Livs Kurse beginnen, aber seien wir ehrlich, die hat sie noch nie benötigt." Er gluckst. „Sie will nur sicherstellen, dass ich beschäftigt bleibe. Sie macht sich grundlos Sorgen. Außerdem habe ich keine Ahnung von Blumen. Ich würde das Geschäft innerhalb von ein paar Wochen in den Sand setzen, wenn sie mich an die Blumen ranlassen würde", scherzt er und bringt uns zum Lachen.

„Was hältst du von Motorradclubs?", fragt Brent ihn unumwunden.

Logans Bierflasche bleibt auf halbem Weg zu seinem Mund stehen. „Meinst du das ernst?"

„Aber sicher doch. Wir haben schon seit einer Weile vor, einen Prospect aufzunehmen. Wenn ich dir zuhöre, denke ich, dass es mehr als ein Job oder ein Zeitvertreib ist, den du suchst, sondern ein Ort, zu dem du gehörst. Im Club geht es in erster Linie um Brüderlichkeit. Ich kenne dich schon sehr lange. Du bist loyal, ehrlich und natürlich fährst du Motorrad. Denk einfach darüber nach. Als Prospect ist man nicht für immer an den Club gebunden. Wenn du das Gefühl hast, dass es nichts für dich ist, gehst du einfach, ohne Groll oder Vorwürfe."

Logan nickt ihm nachdenklich zu. „Ja, ich werde es mir auf jeden Fall überlegen."

„Perfekt", sagt Brent.

„Was ist mit euch?", fragt Logan, fährt aber schnell mit einem Kichern fort, „Ich hätte Jonas fast nicht erkannt. Der Junge muss in den letzten paar Jahren zehn Zentimeter gewachsen sein."

„Das ist er wirklich." Brent grinst und der Stolz, den er für seinen Sohn empfindet, ist deutlich zu sehen. „Wir haben gerade angefangen, gemeinsam an seinem ersten Bike zu arbeiten."

„Toll", sagt Logan. „Allerdings wirst du ihn hier nicht mehr oft sehen, sobald er fahren kann."

„Scheiße, das stimmt. Fühlt sich an, als ob meine Babys keine Babys mehr sind." Sein Blick fällt auf Chloe, genau wie meiner.

Sie lächelt über das, was Olivia gesagt hat, und sieht zweifellos wie eine umwerfende junge Frau aus.

„Aber beide scheinen glücklich zu sein", stellt Logan fest.

„Ja, im Moment läuft alles gut", sagt Brent.

Logan richtet seinen Blick auf mich. „Bist du schon lange im Club?"

„Erst seit ein paar Jahren. Ich war achtzehn, als ich als Prospect anfing. Eines der besten Dinge, die mir je passiert sind", gestehe ich ehrlich. „Max und ich haben ein Zuhause gefunden."

Er hat Max getroffen, als wir ankamen, kurz bevor mein Bruder in Jos Zimmer verschwand, um Videospiele zu spielen.

„Und Knirps? Ich meine Chloe." Er grinst.

Ich lache über den Spitznamen, der wahrscheinlich aus einer anderen Zeit stammt, aber ich sage nüchtern: „Ja. Sie ist wirklich das Beste von allem."

Sie und der Club bedeuten mir alles und wenn Logan sich entschließt, dem Clubleben eine Chance zu geben, wünsche ich ihm, dass er dasselbe Gefühl der Zufriedenheit erfährt, das ich gefunden habe.

***

Ein paar Stunden später sind Logan und Olivia gegangen und Cody und Lilly haben sich zum Mittagessen zu uns gesellt. Jetzt sitzen wir alle um den Tisch, immer noch auf der hinteren Terrasse, die Teller leer und die Mägen voll.

„Köstlich wie immer, Fi", sagt Cody zu ihr.

Alle stimmen mit einem Nicken oder einem Grunzen zu, als sie aufsteht.

„Danke", antwortet sie fröhlich. „Und jetzt räume ich ein bisschen auf und bringe uns einen Kaffee."

Wir alle wollen helfen, aber Lilly weist unseren Versuch mit einer Handbewegung zurück. „Ihr rührt euch nicht vom Fleck. Es dauert nicht lange."

Chloe setzt sich nicht wieder hin, sondern stapelt bereits die Teller, als Jonas seinen Vater fragt: „Können wir wieder mit dem neuen Spiel weitermachen?"

Neben mir kann ich sehen, wie begeistert Max ist, obwohl sie vor dem Mittagessen schon fast zwei Stunden durchgespielt haben.

Max ist zwar sechs Jahre jünger als Jo, aber er ist gerne mit ihm zusammen. Und obwohl er ein Teenager ist, hat Jonas ihm nie das Gefühl gegeben, dass sein Alter ein Problem sei. Wenn wir hierherkommen oder sie beide im Club sind, hat er sich nie geweigert, Zeit mit ihm zu verbringen.

„Klar, macht nur", sagt Brent.

„Danke!", ruft Max, und schon ist er weg, Jo folgt ihm.

„Wascht euch erst mal die Hände!", ruft Lilly ein paar Sekunden später, aber ich bin mir nicht sicher, ob sie sie gehört haben, denn keiner antwortet.

Ich lehne mich in meinem Stuhl zurück und sehe zu, wie Chloe mit einem Stapel Teller davonläuft. Sie trägt eine dunkelblaue abgeschnittene Hose und ein weißes Oberteil mit aufgestickten Blumen an den kurzen Ärmeln, die kaum ihre Schultern bedecken. Der Hippie-Stil des Tops passt zu den weißen spitzenbesetzten Ballerinas, die sie trägt.

„Immer noch keine Nachricht von Jules?", fragt mich Cody und ich wende meinen Blick von der davoneilenden Chloe ab.

„Nein. Kein einziges Wort." Ich seufze. „Ich kann mich nicht entscheiden, ob das ein gutes Zeichen ist oder nicht. Jedes Mal, wenn ich mir sage, dass sie vielleicht aufgegeben hat, fällt mir ein, wie verdammt seltsam es ist, dass sie Max überhaupt zurückhaben will."

„Ja, das frage ich mich auch immer wieder", gibt er zu. „Es ergibt keinen Sinn, wenn man bedenkt, wie distanziert sie vorher zu ihm war, außer wenn sie ihn fertigmachen wollte."

Cody weiß viel über Jules und darüber, was für ein Leben Max und ich hatten, als wir bei ihr aufwuchsen. „Ich denke auch immer wieder darüber nach, aber letztendlich sind die Gründe, warum sie das tut, gar nicht so wichtig", sage ich. „Jedenfalls kann ich nicht einfach abwarten und Tee trinken. Es macht mich wahnsinnig, nicht zu wissen, ob sie etwas mit diesen Wichsern vorhat. Sie hat Chloe einmal erwischt und sie könnte es wieder versuchen. Das kann ich nicht zulassen."

Ich bringe Jules um, bevor ich zulasse, dass sie oder die Cobras Chloe noch einmal in die Finger kriegen. Oder Max. Oder sonst jemanden. Mutter oder nicht, ich werde sie töten, wenn sie einen von ihnen angreift.

„Vielleicht hatte sie nur einen Anflug von Gewissensbissen", schlägt Brent vor.

„Vielleicht", gebe ich zu. „Und wie ich neulich schon sagte, wenn es nur um sie gegangen wäre, hätte ich nicht einmal einen zweiten Gedanken an sie verschwendet. Aber die Cobras bedeuten nichts Gutes, und ich fürchte, der einzige Weg, wie wir herausfinden können, warum sie ihr helfen, ist, Hawk zu fragen."

Brent nickt und stimmt dem zu, was ich gesagt habe. „Ja, ein Gespräch ist vielleicht die einzige Möglichkeit, die Sache zu klären."

„Ich werde morgen mit Jayce reden", beschließe ich, aber die Unterhaltung endet, als das Geräusch von Stimmen ertönt und die Mädchen wieder auf die Terrasse treten.

Die Erwähnung von Jules und den Cobras hat mein Blut vor Wut kochen lassen, aber wie immer beruhigt das warme Lächeln, das mir mein Mädchen schenkt, das unberechenbare Brodeln.

Wir verbringen die nächste Stunde damit, hier zu entspannen und über alles Mögliche zu reden, und jetzt rufe ich Max, dass er nach unten kommen soll, während ich meinem Mädchen die Tasche aus der

Hand nehme. Sie hat sich gerade für morgen umgezogen.

Es ist das erste Mal, dass sie bei mir übernachtet, während Brent in der Stadt ist. Es gibt kein Versteckspiel mehr. Er hat kein Wort darüber verloren, und darüber bin ich froh.

„Ja!", ruft Max zurück und erscheint eine Sekunde später am oberen Ende der Treppe.

„Wir gehen nach Hause, Kumpel."

„Jetzt schon?" Die Frage klingt wie ein Winseln und erinnert mich daran, dass er immer noch ein Kind ist, auch wenn er in seinen neun Lebensjahren schon eine Menge Mist mitgemacht hat. „Wir sind mitten im Spiel."

Vom Wohnzimmer aus sagt Lilly leise zu mir: „Wir bleiben noch ein bisschen, wenn es dir recht ist, dass er bei uns bleibt. Dann gehen wir alle in den Club. Cam hat uns eine SMS geschickt, um uns wissen zu lassen, dass sie heute Abend Pizza bestellen werden. Du und Chloe könnt mitkommen oder wir können Max danach nach Hause bringen."

„Es macht dir nichts aus? Ich habe das Gefühl, dass du ihn in den letzten Wochen mehr hattest als ich."

„Ich habe ihn sehr gerne." Sie lächelt sanft.

„Enttäusche meine Frau nicht, Bruder." Cody grinst, als er mit zwei Bieren in der Hand aus der Küche kommt.

„Das würde ich nicht wagen." Ich hebe meine Hände als Versprechen, bevor mein Blick wieder zu Max wandert. „Okay, du kannst bleiben. Chloe und ich treffen uns heute Abend mit euch allen im Club zum Pizzaessen. Einverstanden?"

„Ja, cool! Danke!"

Dann ist er wie ein Wirbelwind verschwunden und Lilly und ich glucksen zusammen.

„Danke", sage ich ihr.

„Du brauchst mir nicht zu danken. Geht jetzt. Wir sehen uns in ein paar Stunden wieder."

Nachdem wir uns von allen verabschiedet haben, gehen Chloe und ich zu meinem Motorrad und sind innerhalb einer Minute auf dem Weg zu meinem Haus.

Die Fahrt dorthin ist nicht annähernd lang genug. Mit Chloe auf dem Rücken meines Bikes zu fahren, wird nie alt. Ich kann mich kaum noch daran erinnern, wie es war, bevor sie ihren Platz eingenommen hat. Als ich also viel zu früh in meiner Einfahrt parke und sie ihre Arme von meiner Taille löst, stöhne ich fast vor Frustration auf. Sobald es sicher ist, dass wir die Stadt alleine verlassen können, werde ich sie auf eine verdammt lange Fahrt mitnehmen.

„Geht es dir gut?", fragt Chloe mich, als ich uns ins Haus lasse. „Du bist so still seit dem Mittagessen."

Ich ziehe sie zu mir und bringe uns zum Stehen, während ich sie zwinge, mich anzusehen.

„Wie oft habe ich gesagt, dass du dir zu viele Sorgen um mich machst?" Ich lächle sie an, aber ich wünschte wirklich, sie würde aufhören, jedes Mal zu bemerken, wenn mir etwas auf der Seele brennt.

„Wie oft habe ich gesagt, dass das nicht anders möglich ist?"

„Mir geht's gut, Baby. Ich mache mir lediglich Gedanken darüber, wie ich sicher gehen kann, dass Jules mit ihrem Schwachsinn fertig ist."

Sie nickt wissend. „Ich weiß, dass du eine Lösung mit dem Club finden wirst, aber ich bin auch hier. Wenn ich helfen kann, dann tue ich das."

„Du hilfst bereits, Sonnenschein. Allein, dass du hier bist, hilft schon. Mehr brauche ich nicht."

„Du bist wirklich ein Romantiker", stichelt sie und ein strahlendes Lächeln kehrt auf ihre Lippen zurück.

„Ich schätze, das bin ich."

Ich bin sowieso bereit, alles zu tun, was sie von mir will und braucht. Wenn sie möchte, dass ich ihr jeden Abend ein Candlelight-Dinner koche, werde ich einen Weg finden, das zu ermöglichen. Es wird vielleicht nicht jedes Mal genießbar sein, aber ich werde es auf jeden Fall versuchen.

Ihre Lippen erobern mein Lächeln in einem Kuss, nach dem ich mich sehne, seit ich sie vor ein paar Stunden durch die Tür ihres Elternhauses kommen sah. Ich habe sie da geküsst, aber alles, was ich vor Brent tun konnte, war, ihr einen flüchtigen Kuss zu geben, der mich nach so viel mehr verlangen ließ.

Sie muss auf diesen Kuss genauso ungeduldig gewartet haben wie ich, denn sie übernimmt das Kommando und vertieft ihn, ohne lange zu zögern. Ihre sanfte und forschende Zunge allein hat die Kraft, meinen Schwanz zu wecken. Und Chloe weiß verdammt gut, wie sehr sie mich erregt, denn ihre Handflächen auf meinem Rücken ziehen mich noch näher zu sich heran und pressen unsere Körper aneinander. Zu wissen, wie sehr sie es mag, meine Erektion an ihrer Pussy zu spüren, ist berauschend.

Ich schiebe eine begierige Hand unter ihr Oberteil und greife ihr an die Brust, wobei ich den BH verfluche, den sie trägt, während ich sie an die nächstgelegene Wand drücke. Nur ein Kuss. Ein einziger Kuss, und schon will ich sie besinnungslos ficken.

Es scheint, dass sie es genauso will.

Hastig zieht sie mir mein Shirt aus und öffnet dann den Knopf meiner Jeans. Sie schiebt sie schnell nach unten, gerade so weit, dass sie die Härte darunter sehen kann. Ich erwarte, dass sie sich als nächstes um ihren Slip kümmert, aber sie tut es nicht. Stattdessen berührt sie mit ihren Händen meine Brust und drückt mich leicht zurück, während ein kleines Lächeln auf ihren Lippen spielt, schüchtern und sexy zugleich. Dann geht sie vor mir in die Hocke, obwohl sie nur wenig Platz hat. Ich schlucke voller lustvoller Vorfreude, als ihre Hände auf dem Weg nach unten über meine Brustmuskeln und meine Bauchmuskeln streichen und erst aufhören, als sie meinen Schwanz erreichen, der jetzt vor ihrem sinnlichen Mund steht.

„Chloe …"

„Ich möchte versuchen, dich auf diese Weise zu befriedigen," sagt sie und man hört deutlich die Unsicherheit in ihrer Stimme.

Auf keinen Fall würde ich sie etwas tun lassen, was sie nicht will, und ich will nicht, dass sie denkt, sie müsse das aus irgendeinem Grund tun. Aber ich würde lügen, wenn ich behaupten würde, dass ich nicht davon geträumt habe, ihren Mund auf mir zu spüren. Deshalb bin ich froh, als ich in ihre Augen schaue und dort nur Verlangen sehe. Ich bin mehr als glücklich, sie diese neue Erfahrung machen zu lassen, obwohl ich bereits weiß, dass ich meinen verdammten Verstand verlieren werde.

In dem Moment, in dem ihre Lippen zaghaft die Spitze meines Schwanzes berühren, warm und feucht, spanne ich mich an und suche mit meinen Händen Halt an der Wand vor mir. Und als sie ihn umschließt, schließe ich kurz die Augen.

„Verdammte Scheiße … Fuck", knurre ich. Auch ihre Zunge fährt schnell heraus, um mich zu kosten, und ich bin hin und weg. „Gott ja, mit deiner Zunge, Baby."

Ich habe schon von erfahrenen Frauen, die wie Profis mit meinem Schwanz hantiert haben, einen geblasen bekommen, aber nichts hat sich je so gut angefühlt wie dieser sanfte Kontakt. Chloe geht nach Gehör vor, probiert alles aus und versucht herauszufinden, was mir gefällt. Als mein Glied zuckt, während sie mich weiter in den Mund nimmt und ihre Zunge über die Unterseite gleiten lässt, stöhnt sie und macht es noch einmal. Das donnernde Aufstöhnen in meiner Brust ist wie ein Lob für ihre Lippen.

Ich bin wie hypnotisiert von ihrem Mund, der mich unablässig auf einen Orgasmus zutreibt, den ich bereits spüren kann. Ich kann nicht wegschauen. Als sie ihre Hand zu ihrem Mund hinzuzieht und ihre Finger um meinen dicken Schaft legt, dauert es nicht mehr lange, bis ich mich in einem Schleier der Lust verliere. Sie benutzt ihre Hand genauso zögerlich, wie sie es zuvor beim Blasen war, aber ihr unsicherer Blowjob stellt alles in den Schatten, was ich bisher erlebt habe. Ich genieße die Feuchtigkeit ihrer Zunge, die Weichheit ihrer Lippen und die Sanftheit ihrer Handfläche, und mein Schwanz ist zu hundert Prozent begeistert. Ich schließe die Augen und lege den Kopf in den Nacken, als der bevorstehende Höhepunkt meine Wirbelsäule mit einem unglaublichen Kribbeln überzieht. Aber kurz bevor ich den Höhepunkt erreichen kann, bin ich zum Glück noch klar genug, um meinen Schwanz aus Chloes Mund zu ziehen und ihn von ihrem Gesicht wegzuhalten.

„Fuck!", rufe ich und brülle meine Erlösung heraus, während ich mich immer noch mit einer Hand an der Wand abstützte.

Keuchend wie ein wildes Tier brauche ich einen Moment, um meine Augen zu öffnen. Und als ich es endlich tue, sehe ich den schönsten Anblick, der sich mir je geboten hat. Chloe erhebt sich auf die Beine, ein Lächeln auf den feuchten Lippen und kleine Flecken von Röte auf den Wangen.

Ohne ein Wort zu sagen, umfasse ich ihr Gesicht mit beiden Händen, und mein Mund ist im Nu auf ihrem. Verdammt, ich bin ständig hungrig nach ihrer geschickten Zunge. Aber ich bin zu atemlos, um den Kuss länger als ein paar Sekunden dauern zu lassen.

„Das musst du unbedingt noch mal machen, bevor wir nachher aus dem Haus gehen."

Der Stolz, der sich auf ihren Zügen abzeichnet, ist so herrlich zu sehen, wie ihre Lippen auf meinem

Schwanz fantastisch zu spüren waren. Verdammt, fantastisch beschreibt nicht einmal ansatzweise, wie es sich angefühlt hat.

„Aber zuerst werde ich mich bei dir mit meiner Zunge bedanken, Sonnenschein."

Ihr stolzer Blick weicht begieriger Erwartung, als ich meine Jeans wieder hochziehe, um sie in meine Arme zu nehmen. Ihre Lippen bleiben nicht lange von mir weg, sie erkundet wieder meinen Kiefer und meinen Hals, während ihre Hüften gegen meinen Schritt wippen. In kürzester Zeit weckt sie wieder das Raubtier in mir und bringt mich dazu, die Treppe schnellstmöglich in Richtung meines Schlafzimmers hinaufzustürmen, wo ich jede Minute dieses Nachmittags damit verbringen will, mein Mädchen zu verwöhnen.

Kapitel 20

Chloe

Ich bin so erschöpft, dass ich mir schon fast selbst dazu gratuliere, mich gegen ein heißes Schaumbad entschieden zu haben. Mit großer Wahrscheinlichkeit hätte ich die Augen geschlossen und wäre ohne Weiteres in den Schlaf geglitten.

Nachdem ich meine bequemen, seidigen, gelben Shorts und ein schwarzes Oberteil angezogen habe, stecke ich mein feuchtes Haar zu einem Dutt zusammen und verlasse das Bad.

Mein erster Gedanke ist, in Melvins Schlafzimmer zu gehen, aber stattdessen lenke ich meine Schritte nach rechts, in Richtung der Treppe. Als ich vorhin nach oben gekommen bin, hat Melvin mir gesagt, dass er nur die Unordnung aufräumen wolle, für die er keine Zeit mehr hatte, bevor er heute Morgen zu meinen Eltern gefahren ist, geschweige denn, bevor wir nach einem Nachmittag mit Dauer-Sex in den Club gefahren sind, und dass er mich dann oben treffen würde. Aber es sieht so aus, als sei er immer noch dabei, denn unten sind alle Lichter an. Das Seltsame ist, dass ich kein Geräusch höre. Keine Schritte, die beweisen, dass er beschäftigt ist, und keinen Lärm von Geschirr, klirrenden Töpfen und Schränken, die zugeschlagen werden.

Als ich unten an der Treppe ankomme, stocken meine Schritte und mein Magen zieht sich gleichzeitig zu einem Knoten zusammen. Melvin sitzt auf der Couch und ist seltsam still. Im Haus ist kein einziger Ton zu hören, weil Max bei Lilly und Cody übernachtet hat, doch er nimmt meine Anwesenheit nicht einmal wahr. Wenn doch, dann lässt er es sich zumindest nicht anmerken. Sein Blick ist leer, anders als das Schnapsglas in seiner linken Hand, während er mit der rechten sein Handy umklammert.

Wenn es etwas gibt, das mir schon vor langer Zeit aufgefallen ist, dann, dass Melvin selten Alkohol trinkt. Das allein macht mich schon unruhig, als ich schweigend auf ihn zugehe. Auch als ich mich neben ihn setze, sage ich erst einmal nichts. Ich nehme ihm zunächst das Glas, dann das Telefon aus der Hand und lege beides auf dem Couchtisch ab.

„Was ist los? Hat jemand angerufen?"

Mein erster Gedanke, als ich das Telefon sah, war, dass Max oder einem der Jungs etwas passiert ist, aber ich verwarf ihn schnell wieder. Melvin wäre in diesem Fall schon auf dem Weg in den Club gewesen.

„Irgendein Arzt aus dem Krankenhaus", beantwortet er meine zweite Frage, bevor er die erste beantwortet. „Jules ist tot. Überdosis."

Für ein paar Sekunden erstarrt mein Gehirn. Damit habe ich beim besten Willen nicht gerechnet, weshalb ich kurz sprachlos bin.

„Oh Gott, Melvin …"

Diese dummen, nutzlosen Worte sind alles, wozu ich mich durchringen kann. Aber was soll ich sonst sagen? Was kann ich tun, außer seine Hand zur Unterstützung zu drücken? Nicht viel. Er hat seine Mutter gehasst und das aus gutem Grund. Aber sie war immer noch seine Mutter. Wie könnte jemand auch nur ansatzweise verstehen, was er jetzt fühlt? Niemand kann das, es sei denn, er hätte denselben Weg wie er selbst hinter sich. Und ich schon gar nicht. Ich bin mit einer wunderbaren Mutter aufgewachsen.

„Ich habe hier gesessen und versucht, mich an eine Zeit zu erinnern, in der sie kein egoistischer, seelenloser Junkie war." Das schnaubende Lachen, das er ausstößt, bricht mir das Herz, denn es drückt eine Bitterkeit aus, für die allein Jules verantwortlich ist. „Das kann ich nicht, denn es gibt keine solche Zeit, an die ich mich erinnern könnte. Wenn ich wenigstens *eine* gute Erinnerung an unsere gemeinsame Zeit hätte, einen Moment, in dem sie gütig und mütterlich war, könnte ich das, was aus ihr geworden ist, auf die Drogen schieben. Aber ich erinnere mich nur an Gleichgültigkeit, Geschrei und Beleidigungen. Meistens war es so, als wären Max und ich gar nicht da. Die Frau, die sich einen Dreck um uns geschert hat, ist die einzige, die ich je gekannt habe. Und morgen muss ich 45 Minuten fahren, um ihre Leiche abzuholen und alles zu regeln. Das Begräbnis. Einäscherung? Ich habe keinen blassen Schimmer. Scheiße, ich will mich nicht mal um diesen Mist kümmern. Sie hat überhaupt nichts verdient, verdammt noch mal." Er spuckt die letzten Worte aus, aber unter der Wut verbirgt sich eine Woge des Schmerzes.

Ich glaube allerdings nicht, dass er derjenige ist, der leidet. Nicht der Mann, zu dem er ohne die Hilfe seiner Mutter geworden ist. Es ist der Junge, der er einmal war, der trauert. Der kleine Junge, der sich so sehr wünschte, geliebt zu werden. Vielleicht auch der Teenager, der für seinen kleinen Bruder Berge versetzte. Der Junge, der dafür sorgte, dass er der beste große Bruder war, den Max sich je wünschen konnte. Er war der beste Elternteil, obwohl er das eigentlich gar nicht hätte sein sollen. Aber er hat diese Rolle trotzdem übernommen und das ist er für Max immer gewesen.

„Nein, das hat sie nicht", stimme ich leise zu und schaffe es, meine Stimme nicht von meiner eigenen Wut beherrschen zu lassen.

Aber ich werde ihn auch nicht anlügen. Ich habe die Frau gehasst, bevor sie mich überhaupt gezwungen hat, mit ihr zu sprechen. Ich habe sie dafür verabscheut, was sie Melvin sein ganzes Leben lang angetan hat. Sie verdient weder seine Zeit noch seine Güte. Das ist einfach die Wahrheit.

„Aber du wirst das nicht für sie machen", fahre ich fort, weil ich weiß, dass er sowieso tun wird, was er tun muss, weil ein guter Mensch ist. „Es ist für dich. Du brauchst einen Abschluss, Melvin. Sie ist nicht mehr da. Es ist vorbei. Sie wird dir und Max nie wieder wehtun. Was immer du also entscheidest, es geht nicht um sie, sondern um dich. Es geht darum, loszulassen. Aber du musst dich nicht heute Abend entscheiden. Du wirst die Dinge klarer sehen, wenn du dich ausgeruht hast."

Wenn er es überhaupt schafft zu schlafen.

Als er mir endlich in die Augen schaut, erwarte ich, dass ich Qualen in ihnen aufblitzen sehe. Aber das ist es nicht. Vielmehr blickt er mich mit Dankbarkeit an. Vielleicht ist es etwas Tieferes als das. Möglicherweise sind seine Augen auch von Liebe erfüllt. Ob ich das nur sehe, weil ich das sehen will, kann ich nicht sagen.

„Danke", sagt er zu mir, seine Stimme ist tief und bewegt. „Du bist das Beste, was mir je passiert ist, weißt du das?"

Ein zartes Lächeln legt sich trotz des schweren Moments auf meine Lippen.

„Das wusste ich nicht, aber es ist schön, das zu hören", sage ich leise. Nachdem er meine Stirn mit einem liebevollen Kuss gestreift hat, füge ich hinzu: „Ich habe keine Ahnung, warum sie so war, wie sie war, aber ich weiß, dass du für Max alles warst, was sie ihm nicht gegeben hat. Das macht dich auch zum Besten, was mir je passiert ist. Du bist ein wundervoller Mensch."

Ich glaube nicht, dass ich vorher geträumt habe. Er hat mich mit Liebe angesehen. Das sehe ich jetzt wieder. Und die gleiche Liebe muss auch in meinen Augen leuchten. Aber keiner von uns beiden sagt die Worte. Jetzt ist nicht der beste Zeitpunkt, um sie auszusprechen. Es wird aber bald so weit sein. Es ist sowieso nicht entscheidend, diese Worte zu sagen. Was zählt, ist, dass wir es beide fühlen.

Kapitel 21

Melvin

S ie ist kaum von meiner Seite gewichen. In den letzten paar Tagen war Chloe die meiste Zeit bei mir. Sie war da, als das Krankenhaus anrief und mich über Jules Tod informierte; sie saß auf dem Beifahrersitz meines Trucks, als wir am nächsten Tag dorthin fuhren, um ihren leblosen Körper offiziell zu identifizieren; sie war da und hielt meine Hand, als ich Max erzählte, dass die Mutter, die sich nie um ihn gekümmert hatte, gerade gestorben war. Sie war immer noch da und unterstützte meine Entscheidung, als ich mich für die Einäscherung von Jules entschied; genauso wie sie jetzt hier ist und Max' Hand hält, während sie mir dabei zusehen, wie ich Jules Asche über den grasbewachsenen Boden einer kleinen Lichtung verstreue, die einen schönen Blick auf den See bietet. Sie ist gut fünf oder sechs Kilometer von der Hütte entfernt, die dem Club hier gehört. Ich habe diesen Ort gewählt, weil er ruhig ist, und vor allem, da er nicht allzu nahe an den Orten liegt, an denen ich mich gelegentlich aufhalte. Ihr Tod hat nichts an meinen Gefühlen für sie geändert, und ehrlich gesagt glaube ich nicht, dass sie es verdient hat, dass ich mir einen ruhigen und schönen Platz wie diesen hier ausgesucht habe. Aber Chloe hatte gestern Abend recht: Meine Mutter ist tot und der heutige Tag hat mehr mit mir zu tun als mit ihr.

Das ist ein seltsamer Gedanke, vor allem, während ich die Urne komplett umdrehe, damit die Reste ihrer Asche im leichten Wind ein wenig fliegen können, bevor sie einen Platz im Gras finden. Aber ja, heute geht es nicht um Jules. Es geht um den Abschluss, den Max und ich brauchen und verdient haben. Es geht darum, die Wut loszulassen, für die sie verantwortlich ist. Wut sollte in keinem von uns beiden leben. Jules hat keinen Platz mehr auf dieser Erde. Sie ist fort und unsere Wut und unser Groll ihr gegenüber müssen mit ihr gehen. Wie Chloe sagte, werden wir nie erfahren, warum sie so war, wie sie war, und das ist auch gut so. Wenn ich in den letzten Tagen etwas gelernt habe, dann, dass ich um die Mutter getrauert habe, die ich verflucht noch mal lange Zeit nicht hatte. Jetzt ist sie tatsächlich tot und anstatt sie noch mehr zu hassen, werde ich versuchen zu hoffen, dass ihre Seele den Frieden findet, den sie verloren haben muss, lange bevor sie mich auf die Welt brachte.

Sobald die Urne leer ist, gehe ich zurück zu Max.

„Geht es dir gut, Kumpel?"

Seine Antwort ist ein Nicken. Seit ich ihm von Jules erzählt habe, ist er sehr ruhig. Er hat nicht geweint und ehrlich gesagt würde das auch niemand von ihm erwarten. Die harte Realität ist, dass er Jules kaum kannte. Er war fünf, als er in eine Pflegefamilie kam, und weniger als zwei Jahre später bekam ich das Sorgerecht für ihn, sodass sein neues Leben mit mir und dem Club beginnen konnte. Alles, woran er sich von Jules erinnert, sind Erinnerungen an traurige, bittere Zeiten.

„Wir gehen jetzt zurück in die Hütte und lassen euch zwei ein bisschen reden, okay?", sagt Lilly, die neben Max steht und seine Hand hält, genau wie Chloe. „Lass mich das nehmen", fügt sie hinzu und greift nach der Urne.

„Danke. Wir kommen gleich nach. Fährst du mit deinen Eltern zurück?", frage ich Chloe.

„Klar."

Ihre Lippen berühren meine Wange mit einer Zärtlichkeit, die ich für die wenigen Sekunden genieße, die sie andauert. Dann gehen sie und Lilly zurück zu meinen Brüdern und den Mädchen, die alle ein paar Meter entfernt stehen. Sie sind heute alle hier. Ich nicke ihnen dankend zu, bevor sie sich umdrehen.

Als sie auf dem Weg zurück zu den Motorrädern und Autos sind, richte ich meine Aufmerksamkeit auf Max.

„Willst du dich kurz setzen?"

Ich bekomme immer noch keine gesprochene Antwort, aber er setzt sich genau dorthin, wo er steht, und ich tue dasselbe.

„Wie geht es dir?"

Wie auch immer die Antwort lautet, ich hoffe, dass ich diesmal eine bekomme. Ich habe ihm diese einfache Frage gestern und vorgestern schon mehrmals gestellt und seine Antwort war immer die gleiche. Mir geht es gut. Ich weiß, dass es nicht so ist, aber ich erwarte, dass er auch dieses Mal so antworten wird. Ich bin überrascht, dass dies nicht der Fall ist.

„Ich bin nicht traurig", sagt er stattdessen.

Tatsächlich ist in seiner Stimme keine Traurigkeit zu hören. Aber es ist genug Schuld darin, um meine

Feindseligkeit gegenüber Jules wieder aufflammen zu lassen.

„Das ist schon in Ordnung", versichere ich ihm, sobald ich meine Gedanken gesammelt habe. „Das ist völlig richtig so, Kumpel. Du musst nicht traurig sein."

„Ich weiß nicht", entgegnet er sofort. „Leroy aus der Schule, sein Vater ist gestorben, und er ist einen ganzen Monat lang nicht zur Schule gekommen. Als er zurückkam, hat er manchmal geweint. Aber ich will nicht weinen", fügt er leise hinzu, als würde er ein beschämendes Geständnis ablegen.

Noch mehr verdammte Wut durchströmt mich. Jedes Mal, wenn ich denke, dass ich Jules loslasse, beweist mir dieser Hass, dass es gar nicht so einfach ist, ihren ganzen Scheiß gehen zu lassen.

„Wenn Leroy einen Monat lang zu Hause geblieben ist und dann in der Schule geweint hat, muss er einen tollen Vater gehabt haben, der sich um ihn gekümmert hat, wie es sich für Eltern gehört. Unsere Mutter war keine gute Mutter und man muss sich nicht schlecht fühlen, wenn man nicht weint. Wir trauern um die Menschen, die wir lieben, und es ist in Ordnung, jemanden nicht zu lieben, der dich verletzt hat."

Einen Moment lang ist er wieder still, doch nicht für lange.

„Warum hast du ihre Asche hier verstreut? Es ist lieb, das zu tun, und sie war nie lieb zu uns."

„Weil sie jetzt nicht mehr da ist und es steht uns nicht zu, über sie zu urteilen. Ja, sie war eine schreckliche Mutter, aber wenn wir wütend auf sie bleiben, verletzen wir uns selbst. Nicht sie. An dieser Wut festzuhalten, ist nicht gut. Es ist nicht gesund. Wenn wir glücklich sein wollen, müssen wir die Vergangenheit hinter uns lassen. Du bist doch glücklich, oder? Mit mir und dem Club?"

„Ja." Das Wort schießt nur so aus ihm heraus. „Ich lebe gerne mit dir zusammen und gehe gerne in den Club und zu Cody und Lilly. Ich will nicht, dass sich das ändert", sagt er und legt seine Stirn in Sorgenfalten.

„Das wird es nicht", verspreche ich ihm. „Es wird sich gar nichts ändern."

Er nickt und sein Gesicht wird vor Erleichterung weicher.

„Und es wäre cool, wenn Chloe bei uns einziehen würde. Sie ist cool."

Er sagt das ernst, aber ich kann mein Lachen nicht unterdrücken.

„Versuchst du etwa, eine Frau für mich zu finden, kleiner Bruder?", frage ich, als ich mich wieder beruhigt habe.

Er zuckt mit den Schultern, während sich ein Lächeln auf seinem Gesicht ausbreitet, über das ich verdammt froh bin. „Du wirst eines Tages jemanden heiraten und ich mag Chloe. Wenn du eine andere Freundin findest, mag ich sie vielleicht nicht. Ich wollte nur sicherstellen, dass du weißt, was ich denke."

Kichernd lege ich einen Arm um seine Schulter.

„Zur Kenntnis genommen, kleiner Bruder. Aber ich habe nicht vor, mir dieses Mädchen durch die Lappen gehen zu lassen. Ich werde sie heiraten, glaub mir. Doch das hat noch Zeit. Aber ich bin froh zu wissen, dass du das gut findest."

„Jep." Er nickt zur Bestätigung.

„Also, wie wäre es, wenn wir uns alle in der Hütte treffen? Ich wette, die meisten von uns haben nach dem Mittagessen Lust auf ein kurzes Bad im See."

Er steht schnell auf. „Okay, ich habe Hunger! Lilly hat auch Eis mitgebracht."

Die Frauen haben sich um das Essen für heute gekümmert. Manchmal kommt wochenlang niemand hierher, also achten wir darauf, dass wir keine verderblichen Lebensmittel zurücklassen, wenn jemand für ein oder zwei Tage kommt.

„Eis hört sich bei dieser Hitze super an", gebe ich zu.

Nach ein paar Minuten sitzen wir beide auf meinem Motorrad und ich fahre vorsichtig die kurvenreichen, engen Straßen entlang, die zur Hütte führen. Sie gehörte Isaac. Ich habe ihn nicht kennengelernt, aber dank der Geschichten, die mir die Jungs erzählt haben, habe ich irgendwie das Gefühl, dass ich ihn kenne. Er liebte seine Hütte. Er lebte hier sogar mit seiner Frau, bevor sie starb.

Alle sind im Garten versammelt und scheinen die Ruhe des Waldes zu genießen, als wir dort ankommen. Ben bereitet den Grill vor und Alex kommt mit einem Tablett voller leerer Gläser aus der Eingangstür, während Colleen ihr mit Flaschen mit verschiedenen Getränken im Arm folgt.

„Hey!", ruft Lilly uns zu, als sie beginnt, Getränke einzuschenken. „Gerade rechtzeitig für die Vorspeisen."

Ihr Lächeln ist so warm wie immer, aber ihre Sorge ist nicht zu übersehen, als sie Max ansieht. Ich lächle zurück, in der Hoffnung, ihre Bedenken zu zerstreuen. Ich habe mir in den letzten Tagen auch viele Gedanken gemacht, aber nach unserem Gespräch bin ich zuversichtlich, dass es ihm gut gehen wird. Wir werden unser Leben wieder aufnehmen und ich werde dafür sorgen, dass er sich wieder in die Routine einlebt, in der er sich seit fast zwei Jahren sicher und glücklich fühlt.

„Du holst dir was zu trinken und ich schaue mal, ob ich Chloe finde", sage ich zu Max.

„Okay", stimmt er zu und rennt schon in Richtung Lilly.

In diesem Moment kommt Cody aus der Tür.

„Hey, Max! Ich habe diesen Fußball im Schuppen hinter der Hütte gefunden. Er muss älter sein als ich, aber ich habe ihn ein bisschen aufgepumpt. Willst du ihn ausprobieren, bevor die Burger fertig sind?"

„Ja!"

„Dann trink was und lass uns in den Garten gehen, damit wir nicht alle fünf Sekunden die Getränke umschießen", schlägt er grinsend vor.

In Rekordzeit kippt Max ein Glas Saft hinunter und folgt Cody ins Innere der Hütte, während Jayce vom Grill aus nach mir ruft.

„Melvin. Alles in Ordnung, Bruder?"

Anstatt nach Chloe zu suchen, gehe ich in Richtung des Grills. Es sieht so aus, als hätte Jayce gerade ein Tablett voller Steaks herausgebracht.

„Ja. Ich denke, Max wird es gut gehen. Er ist verwirrt darüber, was er für Jules empfinden soll, jetzt, da sie tot ist, weißt du?"

„Das ist doch totaler Quatsch", sagt Ben und schüttelt den Kopf. „Sogar nach ihrem Tod bringt sie den Jungen noch durcheinander. Abgefahren."

Ich nicke, denn seine Zusammenfassung der Situation ist genau richtig.

„Aber ich glaube, er kommt wieder in Ordnung. Ich werde ein wenig warten, und wenn ich das Gefühl habe, dass etwas nicht stimmt, werde ich ihm einen Therapeuten suchen."

„Wenn ich ihn mit Cody und Liam da draußen sehe, glaube ich nicht, dass es dazu kommen wird." Ich schaue zu Nate hinüber, als er sich zu uns gesellt. „Bier?"

Ich nehme die Flasche gerne an, die er mir reicht. „Danke."

Die Bäume, die den Holzzaun umgeben, spenden dem Vorgarten genügend Schatten, aber das ändert nichts an der Tatsache, dass es Anfang Juli ist und die Temperaturen verdammt hoch sind.

„Bevor ich es vergesse, Besprechung morgen. Sieben Uhr", informiert uns Jayce. „Blane hat Logan als Prospect freigegeben. Ich habe gestern mit ihm geredet. Er ist interessiert. Ich werde ihn morgen zur Abstimmung stellen."

Ich wusste gar nicht, dass Logan sich mit Jayce in Verbindung gesetzt hat. Aber ich verstehe, warum meine Brüder mich nicht auf dem Laufenden gehalten haben. Entfremdete, durchgeknallte Mutter, die plötzlich stirbt und das Ganze.

„Ich stimme mit Ja. Wenn Blane ihn freigegeben hat, stimme ich sogar mit einem großen Ja", sagt Ben begeistert, während er die ersten Steaks auf den Grill legt. „Wir brauchen einen Prospect."

„Du meinst, ihr braucht jemanden, der euch bedient und sich um den Müll kümmert?" Brents Frage wird von einem Kichern begleitet, als er auf uns zugeht.

„Ich hasse es, den Müll rauszubringen", gibt Ben schamlos zu. „Ich hasse es."

„Ich habe nur einmal mit Logan gesprochen, aber ich habe ein gutes Gefühl bei ihm", sage ich.

„Ja, er ist ein guter Kerl", fügt Brent hinzu.

Wenn es eine Meinung gibt, die zählt, dann ist es seine. Er ist derjenige, der ihn seit einem Jahrzehnt kennt, und er kann Menschen normalerweise gut einschätzen, genau wie seine Tochter.

„Klingt, als hätten wir einen neuen Prospect, aber wir werden trotzdem alles ordnungsgemäß abwickeln", sagt Jayce. „Dann werden wir uns nach einem zweiten umsehen. Es ist an der Zeit, dass wir mehr Leute einstellen."

Jayce wollte den Club schon seit einer Weile vergrößern, aber zwischen den Spiders, Liams Ärger und Blanes Bemühungen, sein Mädchen am Leben zu halten, schien es nie einen guten Zeitpunkt gegeben zu haben, um über neue Mitglieder nachzudenken. Und selbst wenn wir die Zeit gehabt hätten, hätten wir besonders vorsichtig sein müssen, wen wir in den Club lassen. Das Letzte, was wir gebrauchen konnten, war, jemanden einzuschleusen, den wir nicht aufmerksam genug im Auge behalten konnten. Deshalb ist es auch gut, mit Logan anzufangen. Brent kennt ihn seit seiner Kindheit und bei seinem militärischen Hintergrund ist die Wahrscheinlichkeit größer, dass wir ihm vertrauen können.

„Außerdem müssen wir die Cobras noch eine Weile im Auge behalten", sage ich und spreche damit an, was mich in den letzten zwei Tagen beschäftigt hat.

„Du machst dir Sorgen um sie?" Nate runzelt die Stirn.

„Nicht besonders", beginne ich. „Jetzt, wo Jules tot ist, glaube ich nicht, dass Hawk den Plan, den sie hatten, weiterverfolgt. Ich hätte fast erwartet, ihm im Krankenhaus über den Weg zu laufen, aber entweder wusste er nichts von ihrer Überdosis oder es war ihm egal."

„Glaubst du, er könnte derjenige gewesen sein, der sie auf der Straße abgelegt hat, um sich vor den Cops zu drücken?" Ben spricht aus, was ich mich auch schon gefragt habe.

Jules wurde in der Seitengasse einer Bar gefunden. Die Polizisten sind dorthin gegangen, um zu überprüfen, ob jemand sie gesehen hat und mit wem sie zusammen war, aber es stellte sich heraus, dass sie nicht einmal einen Fuß in die Bar gesetzt hatte. Und da es keine Spuren eines Angriffs an Jules Körper gab, wurde ihr Tod schnell als eine banale Überdosis eingestuft.

„Möglich", sage ich. „Wie auch immer, es gibt keinen Grund, sich mit dem Kerl zusammenzusetzen, denn es sieht so aus, als ob er nie gewusst hat, dass wir über Jules Verbindung mit ihm informiert waren. Er scheint auch nicht zu wissen, dass wir für das Verschwinden seiner Prospects verantwortlich sind. Ich will damit nur sagen, dass wir für eine Weile die Augen offen halten müssen. Nur für den Fall."

Jayce nickt auf meinen Vorschlag hin. „Das werden wir. Ich denke auch, dass wir in dieser Sache nichts zu befürchten haben, aber Vorsicht ist besser als Nachsicht."

„Die ersten Steaks sind fertig, Brüder", sagt Ben und beendet damit unser Gespräch über Clubangelegenheiten.

„Lasst uns zuerst dafür sorgen, dass unsere Frauen satt werden," beschließt Brent.

„Ich gehe Chloe suchen und sage allen drinnen Bescheid, dass das Mittagessen fertig ist", informiere ich sie, laufe davon und betrete schließlich die Hütte.

Sie ist nicht sehr groß, also stehe ich bald in der Küche.

„Das Essen ist fertig, Mädels", sage ich zu Cam, Erin, Colleen und Chloe.

Mein Mädchen steht vor der Spüle und wäscht ab. Ihr Blick springt sofort zu mir und das süßeste Lächeln umspielt ihre rosigen Lippen.

Sie ist hinreißend. Ihr Haar ist offen, wilde goldene Wellen fallen frei um ihr ungeschminktes Gesicht, und das meergrüne Sommerkleid, das sie trägt, passt sich den leichten Kurven ihres Körpers auf die verführerischste Weise an.

„Ich bin so hungrig", sagt Colleen, als sie aufhört, einen Reissalat umzurühren.

„Vorsicht, du fängst an, wie dein Freund zu klingen", stichelt Cam und bringt uns zum Lachen.

Ich gehe zu meinem Mädchen und drücke ihr einen kurzen Kuss auf die Lippen.

„Gott, da könntest du recht haben", gibt Colleen mit einem entsetzten Gesichtsausdruck zu.

„Mach dir keine Sorgen, ich passe schon auf dich auf. Wenn du anfängst, deine Chips in Schokocreme zu tunken, komme ich dir zur Rettung", verspricht Cam.

„Ich wusste, dass ich mich auf dich verlassen kann", antwortet Colleen und legt dramatisch eine Hand auf ihr Herz.

Cam schüttelt den Kopf, als Erin von ihrem Stuhl aufsteht und sich eine große Schüssel mit Salat greift.

Sie stöhnt, sobald sie sich erhoben hat.

„Geht es dir gut, Süße?", frage ich sie.

Sie steht kurz vor ihrem Geburtstermin. Hoffentlich bekommt sie ihre Wehen nicht hier in dieser winzigen Küche. Wir sind zwar nicht am Ende der Welt, aber wer weiß, wo das nächste Krankenhaus ist.

„Oh, ja. Der Kleine wird so groß sein wie sein Vater, wenn man bedenkt, wie schwer er ist", sagt sie und reibt sich mit der Hand über den Bauch.

„Gib mir den Salat", fordert Cam sie auf.

„Warum? Salat wiegt nichts im Vergleich zu meinem Baby."

„Das ist mir egal. Unter meiner Aufsicht trägst du nichts. Und jetzt setz dich draußen hin und füttere dein Riesenbaby noch ein bisschen."

„Ja, Miss Jones." Erin reicht ihr die Schüssel und lacht über ihre eigene Nachahmung der Kinder, die Cam an der Schule unterrichtet.

Die drei verlassen die Küche mit den Salaten. Als ich mit meinem Mädchen allein bin, sehe ich zu, wie sie sich die Hände an einem Geschirrtuch abwischt, dann umschließe ich ihr Gesicht mit meinen eigenen Händen und küsse sie sanft und lange.

Als ich mich von ihren seidigen Lippen löse, flüstere ich: „Danke, dass du mir beistehst."

Ihre liebevollen Augen füllen sich mit Mitgefühl. „Natürlich. Max scheint es jetzt viel besser zu gehen. Ich habe ihn ein paar Mal da draußen lachen hören."

„Ich glaube wirklich, dass es ihm gut gehen wird. Er hat eine Menge Leute, die sich um ihn kümmern."

„Das hat er."

„Und nur damit du es weißt, er ist damit einverstanden, dass wir zusammen sind."

Sie lächelt. „Heißt das, wir haben die Menschen, die am schwersten zu gewinnen sind, auf unserer Seite? Max und mein Dad?"

„Sieht ganz so aus, Sonnenschein. Und ..." beginne ich und beuge mich vor, um leise zu murmeln. „Er hat auch nichts dagegen, dass wir heiraten." Ihre Augen weiten sich, was mir ein kleines Lachen entlockt. „Keine Sorge, ich werde warten, bis sich dein Vater daran gewöhnt hat, dass ich seine Tochter küsse, bevor ich es wage, ihr einen Ring an den Finger zu stecken. Aber ich werde dir einen Antrag machen, Sonnenschein. Das sollst du wissen."

„Und ich werde es zulassen", beteuert sie, ohne den Hauch eines Zögerns.

Die leichte Schüchternheit, die manchmal noch durchscheint, malt jetzt leichte rote Flecken auf ihre Wangen, was meinen Wunsch verstärkt, sie wieder zu küssen. Diesmal nehme ich mir die Zeit, ihre verlockende Zunge zu schmecken, und wünschte, wir wären allein und ich könnte Stunden damit verbringen, jeden anderen Teil von ihr zu kosten.

Kapitel 22

Chloe

S o laut und wild war die Stimmung im Club schon lange nicht mehr. Das liegt nicht daran, dass gerade eine Party mit einem der Charter des Clubs steigt. Heute ist eine andere Art von Feier angesagt. Statt der donnernden Musik in den Clubräumen ertönt das Geschrei und Lachen von Kindern, die sich auf dem Hof austoben. Es müssen etwa zwanzig von ihnen sein, die hier draußen herumlaufen, um Max' Geburtstag zu feiern. Sie scheinen sich gerade köstlich zu amüsieren, während sie mit den Wasserpistolen spielen, die Cody letzten Monat online bestellt hat.

„Du bist schon den ganzen Tag auf den Beinen, Sonnenschein. Komm wieder nach draußen und setz dich einen Moment hin."

So sanft Melvins Aufforderung auch ist, so stark sind seine Arme, die er um meine Taille legt.

„Ich bin fertig", sage ich, als seine Lippen meinen Nacken streifen. „Ich habe gerade noch etwas süßen Tee gemacht. Die Kinder werden bald durstig sein, bei all dem Laufen und Schreien."

„Du bist unglaublich", antwortet er.

Ich weiß nicht, was genau er an mir unglaublich findet, aber sein Kompliment lässt eine ganze Armee von Schmetterlingen in meinem Bauch aufsteigen.

„Ich weiß nicht. Aber mein süßer Tee ist gut. Nimmst du zwei Kannen?"

„Zu Befehl", neckt er.

Mit je zwei Krügen in der Hand verlassen wir die Küche, als Logan mit einem Tablett leerer Gläser hinter die Bar des Hauptraums tritt.

„Hey, soll ich mich darum kümmern, Knirps?", fragt er mich.

Ich drehe mich zu ihm um und sage: „Das schaffe ich schon. Ich denke, du hast heute schon genug zu tun. Wie ist es dir ergangen, nachdem du den ganzen Tag Aufträge erhalten hast?"

„Befehle entgegenzunehmen war im Grunde mein Job beim Militär. Es fällt mir leicht, das wieder zu tun. Es hilft mir aber zu wissen, dass es da draußen niemanden gibt, der es auf mich abgesehen hat", scherzt er.

„Sei vorsichtig, was du sagst", sagt Melvin und verlangsamt seine Schritte auf dem Weg zur Tür. „Du wirst uns noch Unglück bringen", sagt er scherzhaft, während er mir zuzwinkert.

„Er hat seinen ersten Besuch bei einer Wahrsagerin immer noch nicht überwunden", sage ich zu Logan, bevor ich Melvin nach draußen folge.

Gerade als ich den Fuß der Eingangstreppe erreiche, rennt ein großes Fellknäuel wie der Teufel auf uns zu.

„Oh mein Gott, Belzi!", kreischt Lana, als sie hinter ihrem großen Welpen herrennt. „Tut mir leid, Leute, er ist noch aufgeregter als die Kinder!", gibt sie zu, während sie ins Haus eilt.

Im Handumdrehen ist sie weg und ich lache, als ich Blane lässig in dieselbe Richtung schlendern sehe.

„Dieser Hund wird mich umbringen", grunzt er, als er an uns vorbeikommt. „Viel Glück", fügt er hinzu und sein Blick wandert zu Melvin.

Melvins Belustigung weicht so schnell aus seinem Gesicht, wie Belzi an uns vorbeigeschossen ist, und obwohl Max nirgends zu sehen ist, achtet er darauf, leise zu sprechen, als er sagt: „Ich werde mich heute Abend auf die Suche nach einem Trainer machen."

„Du brauchst keinen Trainer. Du musst nur Grenzen setzen. Außerdem darfst du nicht vergessen, dass jeder Hund anders ist."

„Grenzen", wiederholt er meine Worte, anscheinend ist ihm dieser Teil der Aussage besonders hängen geblieben. „Für Lana und Blane scheint das nicht so einfach zu sein, nicht wahr?"

Da hat er recht.

„Aber Max wird begeistert sein. Das ist doch, was zählt."

„Dann werde ich mich wohl besser darauf einstellen." Er schnaubt, aber auch er kann sein Lächeln nicht verbergen.

Max hat vor einer Stunde seine Geburtstagsgeschenke geöffnet. Seine Aufregung war ebenso offensichtlich wie seine Dankbarkeit. Dennoch bin ich mir ziemlich sicher, dass das nichts war im Vergleich zu dem, wie er wohl reagieren wird, wenn er das Geschenk von Cody und Lilly sieht. Sie haben ihm gesagt, dass sie es ihm geben würden, sobald alle gegangen sind. Er hat zugestimmt, ohne Fragen zu stellen. Er rechnet auf keinen Fall damit, einen

Welpen zu bekommen, und ich kann es kaum erwarten, seinen Gesichtsausdruck zu sehen, wenn er seinen neuen Freund kennenlernt. Es ist ein jugoslawischer Hirtenhund, genau wie der, den Lana sich ausgesucht hat. Ihr Hund ist schon fast drei Jahre alt, während der von Max erst ein Jahr alt ist, aber sie haben sich schon kennengelernt und scheinen sich gut zu verstehen.

Melvin hilft mir, süßen Tee in die Pappbecher der Kinder zu füllen. So haben sie immer eine Erfrischung parat, wenn sie eine Pause von ihrer Wasserschlacht einlegen wollen.

„Weißt du was?", sagt Ben, als Melvin und ich uns wieder an den Tisch setzen. „Wenn ich mir die Sauerei auf dem Tisch und im ganzen Hof ansehe, könnte ich uns glatt eine Trophäe spendieren, weil wir Logan eingestellt haben."

„Einen Prospect zu haben, heißt nicht, dass du nicht mithelfen kannst", tadelt Colleen ihn.

Er schnaubt. „Ähm … Klar heißt es das, Babe."

„Hoffnungsloser Fall."

Sie schnaubt ebenfalls verärgert, aber als er sie angrinst, bevor er sie küsst, lässt sie ihn gewähren.

Ein quietschendes Keuchen entweicht mir, als mich aus heiterem Himmel kaltes Wasser am Rücken trifft. Ich drehe mich ruckartig um und sehe, dass Max, mein Cousin Kenny und ein Junge aus Max' Fußballmannschaft beschlossen haben, mich und Melvin zu ihren neuen Zielen zu machen. Sie lachen hysterisch und Melvin grinst mich an, bevor er sich zwei volle Wasserpistolen schnappt, die in der Nähe auf dem Rasen liegen gelassen wurden.

Er reicht mir eine und ich rufe den aufgeregten Kindern zu: „Das bedeutet Krieg!"

„Wir kommen euch holen!", schreit Melvin, während wir uns dem Spaß anschließen.

***

Mehr als eine Stunde später sind Melvin und ich völlig durchnässt, als die letzten Gäste durch das Tor hinausgehen und Logan sofort anfängt, das Chaos im Hof zu beseitigen. Die meisten von uns werden ihm dabei helfen, aber erst in ein paar Minuten. In diesem Moment sind wir alle drinnen versammelt, während Cody mit Max' letztem Geschenk in den Händen die Treppe hinunterkommt.

„Das ist eine wirklich große Kiste", bemerkt Max mit großen Augen.

„Stimmt", gibt Cody zu und grinst bereits voller Vorfreude. „Es war nicht möglich, es einzupacken. Wir haben das Geschenk einfach hineingelegt. Du wirst gleich sehen, warum", sagt er, während er den Karton mit großer Sorgfalt zu Max' Füßen abstellt.

Ehrlich gesagt ist es ein kleines Wunder, dass der Welpe noch keinen Laut von sich gegeben oder sich im Karton bewegt hat. Das ist auch gut so, denn als Lilly Max auffordert, den Karton ganz vorsichtig zu öffnen, ist die Überraschung groß. Er kniet vor der Schachtel und erschrickt, als er die Klappe öffnet und ein kleines Köpfchen aus der Box hervorkommt. Aber der Schock ist nur von kurzer Dauer, und langsam kommt ein breites Lächeln auf seine Lippen. Dieses Lächeln bleibt nicht nur auf seinem

Gesicht haften, sondern unzählige kleine Funken bringen auch sofort seine Augen zum Leuchten.

„Ein Welpe!", quietscht er, aber nicht zu laut, um das kleine, graue Fellknäuel nicht zu erschrecken. „Ihr habt mir einen Welpen geschenkt?", fragt er, obwohl er seine Augen nicht von der Fellnase abwenden kann, und ich kann mich nur schwer beherrschen, nicht zu weinen angesichts der puren Freude, die er ausstrahlt. „Gehört er wirklich mir?"

„Ganz deiner, Kumpel. Es ist ein Junge", sagt Cody zu ihm. „Du kannst mit ihm spielen, aber du musst ihn auch füttern, mit ihm spazieren gehen und dich um ihn kümmern."

„Das werde ich tun", verspricht er, während er vorsichtig nach dem Welpen greift und ihn aus der Kiste hebt.

Der Welpe wehrt sich nicht und kaum hat Max ihn im Arm, streckt er seine Zunge heraus, um über das Gesicht seines neuen Besitzers zu lecken.

„Ich glaube, das bedeutet, dass er dich mag", sagt Alex zu ihm.

„Ich mag ihn auch", sagt Max und wendet seinen Blick endlich von seinem neuen Freund ab, um Cody und Lilly anzusehen. „Danke. Ich liebe ihn. Ich habe mir schon immer einen Hund gewünscht." Dann wendet er sich an Melvin. „Er kommt doch mit uns nach Hause, oder?"

„Ja, natürlich. Aber wie Cody schon sagte, du bist dafür verantwortlich, dass er gut versorgt wird."

„Das werde ich, ich verspreche es." Sein verschmitztes Lächeln ist einfach ansteckend. „Danke", sagt er noch einmal, als er es schafft, wieder aufzustehen, während der Welpe sich aufgeregt in seinen Armen windet.

Er umarmt sie, so gut er das mit dem zappeligen Wollknäuel zwischen ihnen kann. Lilly sieht genauso aufgeregt wie Max aus und auch ganz schön emotional.

„Gern geschehen", sagt sie. „Willst du dir die Sachen ansehen, die wir für ihn gekauft haben? Die sind oben. So kannst du dir trockene Klamotten anziehen und dann können wir mit ihm spazieren gehen. Er war den ganzen Tag drinnen."

„Ihr habt ihm Sachen gekauft?"

„Ja, natürlich", bestätigt Cody. „Eine Leine, Futter, einen Korb, ein flauschiges Bettchen und jede Menge Spielzeug. Komm, wir sehen uns alles an und versuchen, einen Namen für ihn zu finden."

„Okay! Kommst du mit uns nach draußen?", fragt er Melvin.

„Ja, aber Chloe und ich kommen dann zu euch nach. Wir müssen uns umziehen, denn ihr habt uns da draußen ordentlich erwischt."

„Haben wir." Er grinst stolz. „Los geht's", sagt er zu Lilly und Cody, bevor er mit dem Welpen auf dem Arm davonläuft.

„Danke", sagt Melvin zu den beiden, sobald Max weg ist.

„War uns ein Vergnügen", erwidert Cody und klopft Melvin fest auf die Schulter, bevor sie Max nach oben folgen.

Er und Lilly sind Max sehr ans Herz gewachsen, aber nicht nur ihn betrachten sie wie ihren eigenen Sohn. Melvin ebenfalls.

„Wenn ich du wäre, würde ich ein paar Tage warten, um zu sehen, ob du dich wirklich bei ihnen bedanken willst", murmelt Blane, aber seine Lippen kräuseln sich auf einer Seite, während er Lana neben sich anblinzelt.

„Ist schon okay, ich schicke sie beide zu Cody und Lilly, wenn die Lage unerträglich wird", scherzt Melvin, aber wir alle wissen, dass es ihm völlig egal ist, ob Max sich mit einem undisziplinierten Welpen herumschlagen muss, solange er glücklich ist. „Okay, Sonnenschein", sagt er und nimmt meine Hand. „Ziehen wir uns um, bevor wir mit einer Erkältung im Bett landen."

Er hat ja recht. Wir sind so nass, dass man meinen könnte, wir wären mit unseren Kleidern in einen Pool gesprungen. Ich bin froh, dass ich heute kein weißes Kleid angezogen habe. Es ist orange. Nicht gerade der dunkelste Farbton, den ich hätte wählen können, aber mein rosa BH und mein Höschen schimmern kaum durch den Stoff.

„Okay, gehen wir Logan zur Hand", beschließt Camryn.

„Ich bin gleich unten", sage ich ihr, während sich alle um sie herum versammeln.

„Mach dir keine Sorgen, lass dir Zeit", sagt sie, während Melvin mich ohne Umschweife die Treppe hinaufführt.

Ich habe in der letzten Woche einige Klamotten in sein Zimmer gebracht, zusammen mit ein paar Dingen wie meinem Haartrockner und meinem Make-up. Nicht, dass ich viel davon besäße. In letzter Zeit verbringe ich meine Nächte dort und ich liebe es.

Es ist kaum vorstellbar, dass Melvin in den vergangenen Wochen zu einem so wichtigen Teil meines Lebens geworden ist. Das Zusammensein mit ihm ist zu einer neuen Normalität geworden, und ich kann mir nicht vorstellen, dass es jemals wieder anders sein wird.

Sobald wir in seinem Zimmer sind, gehe ich zur Kommode und bleibe vor dem großen Spiegel stehen, um meine Halskette abzunehmen. Ich habe den Spiegel aus meinem eigenen Zimmer hier im Club mitgebracht und Melvin gesagt, dass es immer am besten ist, sich bei natürlichem Licht zu schminken. Er erwiderte, dass er davon keine Ahnung habe, aber eines wisse er: mit oder ohne Make-up, mit natürlichem oder künstlichem Licht, ich sei die schönste Frau, die er je gesehen habe.

Mein Mann ist wirklich ein Romantiker.

Mein Mann. Das ist immer noch ein seltsamer Gedanke, aber Gott, jedes Mal, wenn er mir in den Sinn kommt, flattert ein Haufen Schmetterlinge in meinem Bauch herum.

Der Federanhänger meiner Lieblingshalskette ist feucht und klebt an der Haut zwischen meinen Brüsten. Ich bin mir nicht sicher, ob er nicht ruiniert ist, aber ich werde wohl warten müssen, bis er getrocknet ist, um es herauszufinden. Ich öffne den Verschluss, um die Kette abzunehmen, und nachdem ich sie auf die Kommode gelegt habe, sehe ich auf und erblicke Melvin im Spiegel. Er steht hinter mir, jetzt ohne Hemd, und schaut mich mit glühendem Blick an.

„Warum glaube ich, dass wir mehr als nur ein paar Minuten brauchen, um uns trockene Kleidung anzuziehen?"

Ich habe wohl noch nie ein heißeres Grinsen gesehen als das, das jetzt auf seinen Lippen liegt. Es ist die Art von verführerischem Lächeln, die eine köstliche Hitze in meinem Bauch hervorruft. Die Art, die meine Frage ohne Worte beantwortet.

„Ich musste dich den ganzen Tag in diesem Kleid beobachten. Hast du eine Ahnung, wie sexy du darin aussiehst?"

Als er einen Schritt nach vorne macht, sodass sich unsere Körper berühren, gibt mir die Härte, die gegen meinen Hintern drückt, einen guten Eindruck davon, wie scharf er mich heute findet.

„Meinem Gefühl nach zu urteilen," beginne ich und drücke mich absichtlich gegen seine Erektion, „würde ich sagen, zumindest ein bisschen."

„So verdammt sexy", korrigiert er mich. „Ich habe den ganzen verfluchten Tag damit verbracht, einen Ständer zu bekämpfen, Baby. Dein Arsch ist ein Kunstwerk in diesem Kleid. Genau wie deine Brüste, Sonnenschein. Und jetzt, wo das Ding nass ist und an deiner Haut klebt? Scheiße, es ist eine Qual, dich anzusehen, wenn ich dich nicht anfassen kann."

Der Finger, mit dem er meinen Hals entlangfährt, verursacht eine Gänsehaut auf meiner Haut und lässt den Hitzeball in meinem Bauch anschwellen.

„Vor allem, weil ich dadurch einen kleinen Blick auf deinen BH darunter erhaschen kann. Ich kann allerdings nicht sagen, ob er rosa oder orange ist.

Lass es uns herausfinden", erklärt er mit leiser Stimme, während er gleichzeitig den Saum meines trägerlosen Kleides nach unten zieht. „Rosa."

Sein Finger wandert mein Dekolleté hinunter und folgt einer unsichtbaren Linie zwischen meinen Brüsten.

„Melvin ..." Sein Name kommt in einem Seufzer heraus, während ich instinktiv meine Brüste nach vorne drücke.

Ich kann nicht anders, als seine Berührung zu suchen, wenn er so nah ist. Das Bedürfnis, von ihm berührt zu werden, ist instinktiv. Natürlich. Ich habe das Gefühl, dass ich selbstbewusster geworden bin, wenn ich mit ihm intim werde. Ich bin weniger befangen, und ich habe gelernt, mich der Lust leichter hinzugeben. Mich ihm hinzugeben. Nicht, dass es sehr schwierig gewesen wäre, denn er hat es vom ersten Tag an geschafft, mich zu verzaubern.

Seine Berührungen sind immer eine Mischung aus sanft und überwältigend. Wenn seine Hände wie jetzt auf mir liegen und imaginäre Linien auf meiner Haut nachzeichnen, fühle ich mich schwach und stark zugleich. Schwach, weil es nichts gibt, was mich dazu bringen könnte, ihn zurückzuweisen, und stark, weil ich weiß, dass es mein Körper ist, der für die flammende Lust in seinen Augen verantwortlich ist. Die Augen, die mich jetzt im Spiegel betrachten. Sein brennender Blick steigert mein eigenes Verlangen ebenso wie seine Erektion, die gegen meinen Hintern pulsiert.

„Geduld, Sonnenschein", fordert er mich auf und strapaziert meine Selbstbeherrschung, während er sich Zeit lässt, mein Kleid weiter nach unten zu schieben.

Da es feucht ist, legt es sich leicht um meinen Unterbauch, als er seine Hände wieder zu meinen erregten Brustwarzen bewegt.

„Ich wette, diese Titten wollen ebenso sehr befreit werden, wie ich es will", fährt er fort, seine Stimme rau vor Verlangen, während er eine Brust über dem BH knetet, den ich unbedingt loswerden will.

Die einzige Antwort, die er bekommt, als er den Verschluss meines BHs öffnet, ist ein Stöhnen, das ich nicht unterdrücken kann. Innerhalb von Sekunden sind meine Brüste seinem lustvollen Blick ausgesetzt, und die Rauheit seiner Handflächen auf mir lässt meine Brustwarzen noch steifer werden, während mein Bedürfnis, seine Berührung überall zu spüren, ins Unermessliche steigt.

Aber viel zu schnell lässt er sie los, als er hinter mir in die Hocke geht und mein Kleid bis zu den Knöcheln herunterzieht. Dann stemmt er sich so langsam wie möglich wieder auf die Füße, seine Lippen streifen meine Haut, während sie sich einen Weg über meine Waden, die Rückseite meiner Oberschenkel, meinen mit einem Tanga bedeckten Hintern und schließlich meinen Rücken bahnen, bis sie meinen Hals erreichen. Es ist unmöglich, bei dem feuchten Gefühl, das seine Zunge auf meiner Haut auslöst, nicht zu erschauern.

„Ich sehne mich danach, deine Pussy zu schmecken, aber das hebe ich mir für heute Abend auf. Mein Schwanz muss jetzt spüren, wie du ihn umhüllst."

Er greift mit einer Hand in mein Haar, neigt damit sanft meinen Kopf zur Seite und saugt an einer empfindlichen Stelle an meinem Hals. Ich liebe es, wenn er das tut. Sein Mund dort löst immer ein Wimmern aus, was wahrscheinlich der Grund ist, warum er es so gerne macht.

Als sein heißer Blick wieder auf mich fällt, lobt er: „Du bist eine Schönheit, Sonnenschein. Und verdammt, du duftest so süß, wenn du mich willst."

„Oh ja, ich will dich", bestätige ich sofort, seltsam außer Atem, wenn man bedenkt, dass ich mich noch nicht einmal einen Zentimeter bewegt habe.

„Du wirst mich haben, Baby", versichert er mir, während er meine Haare loslässt und zu seiner Jeans greift.

Sobald seine Erektion frei ist, streicht er mit der Hand über meine Haut, von der Hüfte bis zwischen meine Beine, und schiebt sie in mein Höschen. Ich bin so empfindlich da unten, dass mir ein lautes Stöhnen entweicht, obwohl ich mich bemühe, leise zu sein.

„Du bist perfekt feucht für mich. Das macht mich wahnsinnig", sagt er und in seinen Augen flackert noch mehr Verlangen auf. Nachdem er kurz – viel zu kurz – mit meinem Kitzler gespielt hat, fährt er fort: „Ich will dich auf Händen und Knien auf dem Bett haben, Baby."

Seine Augen, dunkel vor Lust, lassen mich nicht los, als ich auf das Bett klettere und seiner Forderung nachkomme. Dann bin ich diejenige, die ihm über die Schulter zusieht, wie er seine Jeans und Boxershorts komplett auszieht und sie auf den Boden wirft. Mein Blick fällt auf seine Erektion, deren Dicke mich dazu bringt, mir auf die Lippen zu beißen, um ein Stöhnen zu unterdrücken. Ich lasse ihn nicht aus den Augen, auch nicht, als er auf das Bett klettert und mit seinen Händen meinen Hintern berührt, sobald er sich hinter mich kniet.

Er drückt entschlossen meine Arschbacken, während er spricht. „Ich liebe es, deinen sexy Po zu bewundern, während ich deine Pussy erobere. Fuck, ich will dich so sehr. Die ganze verdammte Zeit."

Die Pussy, nach der er süchtig zu sein scheint, krampft sich bei seinen Worten unkontrolliert zusammen, und die Nässe, die ich dort spüre, wird nur noch größer.

Als ich ihn zum ersten Mal so reden hörte, hatte ich Angst, dass ich vor Scham sterben würde. Aber das ist vorbei. Jetzt erregt mich sein Dirty Talk nur noch mehr. Sein heftiges Bedürfnis, mich nehmen zu wollen, erregt mich. Es treibt meine Lust bis zu einem Punkt, an dem ich Angst habe, dass ich vor Verlangen und nicht vor Verlegenheit sterbe, wenn er sich nicht um mich kümmert.

„Ich will dich auch. Bitte."

Mein leises Flehen ist kaum ausgesprochen, als ich einen überraschten Schrei ausstoße, weil Melvin meine rechte Hüfte packt und die Spitze mit einer festen Geste zerreißt. Dann macht er das Gleiche mit der linken Seite, bevor er die zerstörte Unterwäsche auf den Boden wirft, während ein Grinsen auf seinen Lippen tanzt.

„Ich besorge dir jederzeit neue, wann immer ich Lust habe, das, was zwischen mir und dieser wundervollen Pussy liegt, zu zerreißen."

„Das war wirklich sexy", gebe ich zu.

Er zwinkert mir zu, aber jede Verspieltheit ist vergessen, als er sich in mich hineinschiebt und mich so plötzlich dehnt, dass ich bei dem glückseligen Gefühl aufschreie.

Ich bin ausgefüllt. Unglaublich erfüllt. Dass er mich auf diese Weise ausfüllt, dass sich seine Härte tief in mich hineinschmiegt, löst eine Lust aus, die ich mir nie hätte vorstellen können. Ein Vergnügen, das mich nur noch mehr verlangen lässt. Genau wie er, will ich immer mehr. Und es ist reichlich, was ich bekomme, als er anfängt, sich in mich hinein und aus mir heraus zu bewegen. Er nimmt sich, was er will, und stößt in einem entschlossenen Rhythmus in mich.

„Wessen Pussy ist das, Sonnenschein?"

„Deine", antworte ich sofort, meine Stimme so angestrengt wie seine. „Es ist deine."

„Sie gehört mir", bestätigt er. „Sie wird immer mir gehören, Baby."

Mein Wimmern vermischt sich mit seinem Knurren, jedes Mal, wenn er in mich stößt, und wir beide steuern auf einen Orgasmus zu, nach dem wir uns schon den ganzen Tag sehnen. Denn er ist nicht der Einzige, der schon den ganzen Tag scharf war. Die Leidenschaft, die wir jetzt zum Ausdruck bringen, ist immer zum Greifen nah zwischen uns. Und es macht mich vielleicht wahnsinnig, wenn wir an einem Ort sind, an dem wir sie nicht ausleben können, gleichzeitig will ich auch nicht, dass sie vergeht. Ich will seine Hände auf meinen Brüsten, ich will seinen Mund auf meiner Pussy, und ich will seine Erektion in mir, wann immer ich die Gelegenheit dazu habe und so lange ich kann.

„Ja, ja, ja! Melvin!"

„Ja, Baby, komm für mich."

Heiser und keuchend vor Anstrengung stößt er jetzt noch härter in mich hinein und seine Stimme treibt mich noch näher an den Gipfel der Lust. Ich spüre meinen Orgasmus kommen, innerhalb weniger Sekunden katapultieren mich Melvins unerbittliche Stöße an einen anderen Ort voller heller Sterne und wahnsinniger Glückseligkeit. Ich zittere am ganzen Körper, kann mich nicht mehr beherrschen und ergebe mich dem Höhepunkt, der alle Gedanken hinfort spült.

„Fuuuuuuck …"

Melvins kehliger Fluch entweicht ihm mit einem Brüllen und durchdringt den Dunst, der meinen Verstand umhüllt, während sich seine Finger in meine Hüften graben und sein Sperma sich genauso perfekt in mich ergießt, wie seine Erektion mich ausfüllt.

Sekunden später lässt er sich nach vorne fallen, sein Körper drückt leicht auf meinen Rücken, während er darauf achtet, nicht zu viel Gewicht auf mich zu verlagern.

„Du gehörst zu mir", wiederholt er, und dann flüstert er mir Worte ins Ohr, die mein Herz so warm werden lassen, wie sich mein Bauch anfühlt, sobald er mich berührt. „Ich liebe dich, Sonnenschein."

Die Überraschung über sein Geständnis währt nur eine Sekunde, denn tief im Inneren wusste ich bereits, dass er mich liebt. Und ich grinse so breit, als ich mit denselben Worten antworte, dass ich wie eine Idiotin aussehen muss.

„Ich liebe dich auch."

Kapitel 23

Melvin

„Verdammt, kleiner Bruder! Ich glaube, ich lasse dich ein bisschen zu oft mit diesem Ding spielen."

Max lacht und reckt seine Faust siegessicher in die Luft, glücklich darüber, das elfte Rennen in Folge gewonnen zu haben. Oder ist es das Zwölfte? Ich habe inzwischen aufgehört zu zählen. Zugegeben, mein Auto überquert die Ziellinie nur sechs Sekunden später, aber selbst mit einem nahezu perfekten Rennen scheine ich den kleinen Scheißer links neben mir nicht schlagen zu können. Sein herzhaftes Lachen schallt immer noch durch unser Wohnzimmer, als ich nach rechts schaue, wo Chloe weiterhin ihren Controller malträtiert. Ihre Finger hämmern erbarmungslos auf die Knöpfe ein und ihre Augenbrauen ziehen eine tiefe Falte in die Stirn, während sie auf einer Mission zu sein scheint, ihr eigenes Auto bis zur Ziellinie zu bringen.

„Ich bin eine Niete in diesem Spiel", sagt sie, als sie das Rennen nach dreißig weiteren Sekunden endlich beendet hat.

Ich lächle darüber, wie erschöpft sie aussieht, als sie sich mit einem lauten Schnaufen auf der Couch zurücklehnt.

„Das liegt nur daran, dass du nicht genug spielst", beruhigt Max sie.

„Und du spielst zu viel", wiederhole ich.

„So viel auch wieder nicht", entgegnet er und bringt mich zum Schmunzeln, als ich sehe, wie in seinen braunen Augen Besorgnis aufsteigt.

Er betet wohl im Stillen, dass ich nicht daran denke, seine Videospielzeit zu kürzen.

„Mach dir keine Sorgen, Kumpel. Solange deine Noten so bleiben, wie sie sind, ist alles in Ordnung", verspreche ich und erlöse ihn schnell von seinem Elend.

„Okay, noch eine Runde?", fragt Chloe.

Oh Gott. Ich glaube, ich habe noch nie jemanden getroffen, der so schlecht Rennen fahren kann, aber gleichzeitig so hartnäckig ist. Wenn sie sich in den Kopf gesetzt hat, nicht aufzugeben, bevor sie nicht wenigstens einmal gewonnen hat, werden wir entweder die Nacht hier verbringen – wenn nicht sogar länger – oder ich werde Max zu verstehen geben, dass wir sie siegen lassen müssen.

„Ja!" Max stimmt ihrem Angebot etwas zu laut zu, so dass sein Welpe ein kleines Wuff neben ihm ausstößt, während er wieder anfängt herumzuhüpfen.

Kip – kurz für Kipper – springt aufgeregt umher und hält gelegentlich ein Nickerchen neben Max, seit wir uns vor etwa einer halben Stunde vor den Fernseher gesetzt haben. Der kleine Hund ist in der letzten Woche kaum von der Seite meines Bruders gewichen. Sie lieben sich gegenseitig und ich muss zugeben, dass es schön ist, den Welpen um sich zu haben.

„Und wenn du mich gewinnen lassen willst, hat mein Ego nichts dagegen", fügt mein Mädchen hinzu, wobei ich mir ziemlich sicher bin, dass sie es nur halb im Scherz meint.

„Das macht mir nichts aus," sage ich ihr. „Aber ich fürchte, es gibt nur einen Weg, wie wir das schaffen können, indem wir unsere Controller gar nicht erst benutzen."

Max lacht wieder, während Chloe einen Schmollmund zieht und in Richtung Fernseher gestikuliert. „Dann fang einfach an. Ich versuche bloß, meinen eigenen Rekord zu brechen."

Mein Bruder schnappt sich seinen Controller, aber er startet nicht das nächste Rennen. Stattdessen sagt er zu mir: „Da kommen zwei Biker die Einfahrt hoch, Melvin."

Ich schaue zum Fenster und stehe reflexartig auf.

„Scheiße. Nach oben, Max. Sofort. Geh mit ihm und versteck dich", sage ich zu Chloe, die genau wie Max eilig auf die Beine springt. „Jetzt!", befehle ich, als sie nicht reagieren, aber ich versuche, meine Anweisung so leise wie möglich zu geben.

Max gehorcht mir diesmal auf der Stelle und wirft Kip einen kläglichen Blick zu, als dieser unter die Couch krabbelt und Schutz sucht, weil er unsere plötzliche Unruhe spürt. Aber während mein Bruder schließlich die Treppe hinaufrennt, sieht Chloe hin- und hergerissen aus.

„Chloe, geh …" beginne ich und eile zur Anrichte, wo ich eine Waffe versteckt halte.

Aber ich kann meinen Satz nicht beenden, denn ein krachendes Geräusch hallt durch das Haus.

Was ich mir von Hawk erhofft hatte, als ich sein Gesicht durch das Fenster erkannte, ist nicht eingetreten. Er klopft nicht an die Haustür. Er muss auch gewusst haben, dass sie verschlossen war, denn er oder der Typ, der bei ihm ist, bricht sie weiß Gott wie und viel zu schnell auf, als dass ich Zeit hätte, meine Waffe zu zücken. Ich schaffe es gerade noch, die verdammte Schublade zu öffnen und eine Hand um die Waffe zu legen, bevor eine große Silhouette durch die Wohnzimmertür kommt.

„Was auch immer du da hast, lass es einfach dort liegen, wo es ist, und mach die Schublade zu oder das Gehirn deines Mädchens, das über die ganze Wand verteilt ist, wird deinem gemütlichen Wohnzimmer eine ganz neue Atmosphäre verleihen."

Als ich zu seinen bösartigen, dunklen Augen hinüberschaue, sehe ich, dass sie auf mich gerichtet sind, im Gegensatz zum Lauf seiner Waffe, der direkt auf Chloes Kopf zielt. Aus dem Augenwinkel erkenne ich, dass sie immer noch dort steht, wo ich sie verlassen habe, direkt vor der Couch im hinteren Teil des Zimmers, wie festgefroren.

In meinen Adern brennt das dringende Bedürfnis, meine Waffe zu heben und ihm eine Kugel in den Kopf zu jagen. Es besteht kein Zweifel, dass es mir gelingen würde, aber nicht, bevor seine Drohung wahr werden lässt. Und gleich, nachdem ich seinen Arsch in die Hölle geschickt hätte, würde ich ihm folgen, durch die Hand seines Bruders, der sich unserem kleinen Stelldichein angeschlossen hat und dessen eigene Knarre auf mich gerichtet ist. Am Ende würde dieser Wichser der letzte sein, der noch steht.

Verdammte Scheiße.

Mir bleibt nur eines übrig: Ich nehme die Hand von meiner Pistole und schließe die Schublade. Doch Stillhalten kommt für mich nicht in Frage. Ohne mich zu hastig zu bewegen, stelle ich mich vor Chloe.

„Was zum Teufel willst du?"

Weiß der Wichser, dass ich weiß, wer er ist? Rein logisch müsste er denken, dass wir gar nicht wissen, dass sein Club überhaupt existiert. Hat er irgendwie herausgefunden, dass wir für das Verschwinden der Dumpfbacken verantwortlich sind, die er als Prospects hatte? Weshalb auch immer die beiden hier sind, es muss entweder mit den Prospects oder mit Jules zu tun haben.

„Meinen Sohn."

Seine Antwort kommt in einem ruhigen Tonfall, aber es liegt eine unterschwellige Spannung in seiner Haltung und seinem Blick, die unübersehbar ist. Aber das ist es nicht, was meine Gedanken durcheinanderwirbelt. Seine Worte sind es, wenn auch nicht sehr lange.

„Oh mein Gott", flüstert Chloe hinter mir, Entsetzen dringt durch ihre zittrigen Worte.

Der Grund für Hawks Anwesenheit schießt ihr genauso schnell durch den Kopf wie mir.

Max.

Es fällt mir im Moment nicht leicht, zusammenhängende Gedanken zu bilden, aber gleichzeitig ergibt alles plötzlich so viel Sinn.

Jetzt ist auch die letzte unbeantwortete Frage, warum Hawk Jules geholfen hat, geklärt. Er wollte Max genauso sehr wie sie. Verdammt, selbst als mir der Gedanke durch den Kopf schießt, merke ich, dass alles noch viel schlimmer ist. Er wollte Max noch mehr als sie. Wenn ich darüber nachdenke, war sie es wahrscheinlich, die ihm geholfen hat, und nicht andersherum.

„Wenn du weißt, von wem ich spreche, dann kennst du sicher auch meinen Club. Ich habe mich schon gefragt, ob du es weißt, aber ich war mir nicht sicher. Man sagt, dass die Chaos Chasers keine ahnungslosen Idioten sind. Nach dem, was ich gehört habe, habt ihr eine Art Nerd, der alles ausfindig machen kann, was er will."

Stimmt – obwohl ich Blane nicht als Nerd bezeichnen würde. Aber das geht ihn ja nichts an, also nehme ich seine Bemerkung nicht einmal zur Kenntnis. Es scheint ihn auch nicht im Geringsten zu interessieren. Er plaudert einfach weiter und sieht fast schon angeberisch aus, als sich ein dunkles Grinsen auf seinen Lippen abzeichnet. Es ist zwar da, aber kaum sichtbar durch den Bart, der noch voller ist als auf dem Bild, das Blane uns von ihm und seiner Crew gezeigt hat.

„Zum Glück für mich konnte er nicht herausfinden, wer der Vater von Max ist. Falls er es überhaupt versucht hat."

Heißt das, er weiß nicht erst seit Kurzem, dass er einen Sohn hat? Wie lange ist es ihm schon klar? Scheiße, ist dieser Mist überhaupt wahr? Woher soll ich wissen, dass das, was er über die Vaterschaft von Max sagt, die Wahrheit ist? Andererseits fällt mir auch kein guter Grund ein, warum er lügen sollte. Warum sollte er?

„Du meinst, dass du die Vaterschaft nicht aner-
kannt hast und es deshalb keine Hinweise darauf
gab, dass du sein Samenspender bist?", frage ich,
um klarzustellen, dass Max, zwar das Blut dieses
Arschlochs teilt, deshalb aber noch lange nicht sein
Sohn ist. „Oder hat Jules dich nach ihrem Gefängnisaufenthalt aufgesucht und dir gesagt, dass du
einen Sohn hast? Vielleicht, weil sie Geld für Drogen brauchte? Vielleicht aus Langeweile? Du weißt,
dass sie tot ist, oder?", frage ich ihn.

„Wahrscheinlich ein bisschen von beidem", antwortet er auf meine rhetorische Frage. Er lacht ein
böses Lachen, das nicht lange anhält, aber er sagt
mir immer noch nicht, wie lange er schon von Max
wusste. „Aber lassen wir das Geplauder", fährt er
fort und geht auch nicht darauf ein, was ich über
Jules Tod gesagt habe. „Der Junge ist mein Sohn.
Er gehört zu mir. Verstehst du nicht, wie simpel die
Sache ist?"

Seine Verachtung geht mir allmählich auf die Nerven, aber ich muss vorsichtig vorgehen. Das arrogante Arschloch zu verärgern, wird mir nicht helfen,
Chloe und meinen Bruder in Sicherheit zu bringen.

„Wo ist er?", fragt Hawk ohne Umschweife, als ich
seine Frage ignoriere, offensichtlich fertig mit dem
Smalltalk.

„Nicht in der Stadt", knurre ich.

Zu lügen ist ein Risiko, das sich rächen könnte,
wenn Hawk schon da war, als wir heute Nachmittag
nach Hause kamen. Aber ich muss es trotzdem versuchen. Scheiße, ich hoffe, Max konnte sich gut

verstecken. Ich hoffe auch, dass er in der Lage war, das zu tun, was er tun sollte, falls Gefahr droht.

„Das ist wirklich praktisch", sagt Hawk mit ausgeprägtem Sarkasmus, aber er gibt mir keinen Hinweis darauf, ob er weiß, dass Max hier ist oder nicht. Er schnippt mit den Fingern über seine Schulter. „Sieh oben nach. In jedem verdammten Winkel dieses Hauses", knurrt er seinen Bruder an.

Ohne mit der Wimper zu zucken, kommt er Hawks Aufforderung nach und wirkt auf mich eher wie ein Diener, der hinter seinem Präsidenten wartet, ohne ein Wort zu sagen. Irgendwie schockierend, wenn man bedenkt, dass er das Abzeichen des Vizepräsidenten trägt.

Ich reagiere in keiner Weise auf seinen Befehl und bin froh, dass es auch Chloe gelingt, sich ruhig zu verhalten. Wenn sie sich nicht sicher sind, ob Max wirklich hier ist, ist es besser, wenn wir ihnen keinen Hinweis darauf geben.

Scheiße, ich wünschte, ich könnte dem Arschloch nach oben folgen und ihm das Genick brechen, bevor er an meinen Bruder rankommt. Aber der andere Wichser zielt immer noch mit einer Waffe auf mich, und ich werde Max keine Hilfe sein, wenn ich tot auf dem Boden liege.

Als sein Blick hinter mich zu Chloe wandert, muss ich mich zwingen, seine auf sie gehefteten Augen zu ignorieren. Dem Mistkerl damit zu drohen, dass ich ihm die Augen aus dem Kopf reiße, wenn er sich nicht von ihr abwendet, ist nicht der beste Weg, um mein Mädchen zu beschützen.

„Wie kannst du dir überhaupt sicher sein, dass mein Bruder dein Sohn ist?", frage ich, in der Hoffnung, seine Aufmerksamkeit wieder auf mich zu lenken. „Es tut mir leid, dir das sagen zu müssen, aber Jules hatte auch an ruhigen Tagen mehr als nur ein paar verschiedene Typen, die ihr Bett gewärmt haben."

„Ich weiß es, seit er geboren wurde, um ehrlich zu sein. Ich wollte mich nicht noch um ein weiteres Kind kümmern. Ich hatte schon einen Zehnjährigen zu Hause, das hat gereicht", erklärt er und tut so, als wäre Max' Geburt für ihn nichts weiter als eine Unannehmlichkeit gewesen.

„Und was jetzt? Du hast ein Gewissen gefunden und willst dich um dein Kind kümmern? Hast du Jules deshalb geholfen, als sie aus unerfindlichen Gründen beschloss, ihn zurückzuholen?"

„Jules wollte, dass wir die perfekte kleine Familie spielen." Er schnaubt über seine eigenen Worte. „Als sie sich letztes Jahr gemeldet hat, dachte ich, warum nicht ein bisschen Spaß haben? Aber ich war nicht daran interessiert, ihr zu helfen. Ich sagte ihr, ich würde es tun, aber sie war meistens high. Es fiel mir nicht schwer, ihr weiszumachen, ich täte etwas dafür, obwohl ich eigentlich gar nichts gemacht habe."

Verdammte Scheiße, dieser Typ ist ein kaltes, herzloses Monster. Daran besteht kein Zweifel.

„Aber mein Sohn ist vor ein paar Monaten gestorben", fährt er schnell fort. „Er sollte eines Tages die Leitung meines Clubs übernehmen. Aus offensichtlichen Gründen ist das nun nicht mehr der Fall.

Also habe ich beschlossen, Jules zu unterstützen, Max zurückzubekommen. Ihr wirklich helfen, meine ich." Ein hämisches Grinsen kommt und geht auf seinen Lippen. „Neun Jahre alt. Das perfekte Alter, um ihn zu einem der Cobras zu erziehen."

Als ich diese Worte höre, pulsiert mein Blut so stark durch meine Adern, dass mir die Sicht verschwimmt.

„Du wirst ihn niemals anfassen, du Mistkerl", knurre ich und mein dunkler Ton passt zu der düsteren Stimmung, die von dem psychotischen Wichser ausgeht.

Als die gleiche Wut, die mich überflutet, in seinen Augen auftaucht und er einen Schritt nach vorne macht, breite ich meine Arme aus, um Chloe zu schützen.

„Oben ist niemand, Prez."

Der andere Drecksack lenkt Hawks Aufmerksamkeit von uns ab, aber das ist nicht das Einzige, was mich innerlich aufseufzen lässt.

Er hat Max nicht gefunden.

Hawk ist sichtlich unzufrieden mit der erfolglosen Suche seines Vizepräsidenten und bellt. „Bring sie in den Keller!" Mit einem Blick zu mir fügt er hinzu: „Ich werde meinen Sohn zurückholen. Du wirst mir sagen, wo er ist, wenn ich mit dir fertig bin. Und falls du nicht schlau genug bist, das zu tun, was man dir sagt, dann werde ich mir hier mit Blondie ein bisschen Spaß gönnen."

Er wird sie nur dann in die Finger kriegen, wenn ich tot bin.

Verdammte Scheiße!

Ich bin machtlos. Verflucht noch mal völlig hilflos. Wäre es nur um mich gegangen, hätte ich schon vor ein paar Minuten etwas unternommen. Aber ich kann Chloes Leben nicht riskieren. Hoffentlich ist Hilfe auf dem Weg. Und, was noch wichtiger ist, hoffentlich bin ich derjenige, der diesem Wichser eine Kugel in den Kopf jagen kann. Denn er wird nicht in die Nähe meines kleinen Bruders kommen. Niemals.

Kapitel 24

Cody

Mit einem Kopfnicken bedanke ich mich bei Logan für den Bourbon, den er mir eingeschenkt hat. Ich gehe direkt zurück zu Jayce und Ben, die gerade eine Partie Billard beenden. Ich werde gegen den Gewinner antreten und wenn es keine unerwartete Wendung gibt, wird es wohl Ben sein.

„Bereit zu verlieren?", prahlt Ben und wendet sich an mich, während ich mich an die Wand lehne.

„Du bist immer so witzig", sage ich und sehe ihn grinsen.

Kaum zehn Sekunden später stößt Blane zu uns, sein eigenes Getränk in der Hand.

Mit Blick auf das Spiel sagt er: „Grants Kandidat sieht sauber aus. Der Kerl ist schon lange unterwegs, war ein paar Jahre lang Arzt und kommt aus einer ganz normalen Familie. Er hat keine Vorgeschichte mit den Bullen, anderen Bikerclubs oder irgendwelchen Gangs. Alles, was Grant über ihn weiß, ist wahr. Er hat seinen Job als Arzt in der Notaufnahme gekündigt, die Verlobung mit seiner Freundin nach fünf Jahren gelöst und sich einen Monat lang in einer neuen Wohnung eingerichtet, bevor er einem von Grants Männern über den Weg lief."

Jayce brummt anerkennend, als er sich aufrichtet, nachdem er einen Stoß ausgeführt hat, der Ben dem Sieg einen Schritt näher bringt.

Grants Mann klingt seriös. Wir vertrauen Grant, aber wir führen immer unsere eigenen Hintergrund-checks durch, egal was passiert.

Er hat sich gestern an Jayce gewandt und ihn ge-fragt, ob er daran interessiert wäre, einen der Pros-pects aufzunehmen, die seit ein paar Monaten bei ihnen sind.

„Was ist mit dem Großvater?", fragt Jayce Blane. „Stimmt das auch?"

„Ja. Er wohnt fünfzehn Minuten entfernt. Er erlitt vor einem Monat einen Herzinfarkt. Seitdem ist Alvarez dort und hilft auf seiner Farm."

Alvarez, der Prospect, bat Grant nur um einen vo-rübergehenden Gefallen, aber Grant kam auf die Idee, dass er den Club wechseln sollte, nachdem er sich die Situation genauer angesehen hatte.

„Wissen wir, warum er gekündigt hat?", fragt Ben.

„Er war wohl mit dem Gesundheitssystem nicht einverstanden. Wir können Alvarez nach Details fragen, wenn wir uns mit ihm treffen wollen."

„Klingt gut", sagt Jayce und gibt sein Okay für ein Treffen. „Ein Notarzt im Club kann nur ein Ge-winn sein. Ich rufe Grant morgen an."

Gerade als Ben endlich das Spiel gewinnt, summt mein Handy in meiner Tasche.

Sofort beschleicht mich ein ungutes Gefühl, als ich sehe, wer anruft. „Es ist Max, der von dem Notfall-telefon anruft, das Melvin in seinem Schlafzimmer aufbewahrt", informiere ich die Jungs in aller Eile, bevor ich abnehme. „Kumpel?"

Max schickt mir jeden Tag alle möglichen SMS, aber nur von Melvins Telefon aus. Melvin meint, dass er noch zu jung sei, um ein eigenes Handy zu haben, und ich glaube, er hat recht. Ich hoffe, dass er dieses Telefon nur benutzt, weil er nicht will, dass Melvin weiß, dass er noch nicht schläft, aber tief im Inneren ahne ich schon, dass Max das nicht tun würde. Meine kleine Hoffnung wird zerstört, als er ebenso leise wie schnell spricht.

„Cody, es sind zwei Männer im Haus", beginnt er und die Panik in seiner Stimme ist nicht zu überhören. Ich stelle mein Telefon auf Lautsprecher, während er weiterredet. „Melvin hat gesagt, wir sollen nach oben gehen und uns verstecken, aber Chloe ist mir nicht gefolgt."

„Scheiße", brummt Blane und hört aufmerksam zu, während Nate auf uns zugeht, gefolgt von Cam und Lilly, den einzigen Frauen in der Nähe.

Mein Blick trifft den von Lilly, als sie sich nähert, aber ich schaue weg, denn die Angst in ihren Augen zu sehen, hilft mir nicht, mich zusammenzureißen.

„Bist du in deinem Schlafzimmer?", frage ich ihn so ruhig wie möglich, um ihn nicht noch mehr in Angst und Schrecken zu versetzen.

„Ich bin auf dem Dach", antwortet er.

„Was zum Teufel?", murmelt Ben.

„Hey, Kumpel, ich bin's, Nate. Hörst du sie noch von da oben?"

„Nein, aber ich weiß, dass sie nicht weg sind. Ich hätte sie gesehen. Sie sind noch im Haus. Ich habe Angst, Cody."

„Wir fahren los, sofort!", bellt Jayce und wirft seinen Queue auf den Billardtisch. „Blane, Cody, ihr nehmt ein Auto und bleibt mit ihm am Telefon. Der Rest von uns nimmt die Motorräder, aber wir fahren nicht zu nah heran, damit wir sie nicht alarmieren. Logan, hol Liam von oben. Ihr zwei bleibt zurück bei den Frauen. Dann rufst du Brent an und gibst ihm einen Überblick. Er trifft uns dann bei Melvin. Los geht's!"

„Wird gemacht, Prez", bestätigt Logan Jayces Anweisung, während der Rest von uns sofort in Aktion tritt.

„Wir kriegen sie", verspreche ich Lilly leise.

„Los." Sie nickt, ich sprinte hinter die Bar und die Treppe hinunter in den Keller, ohne noch mehr Zeit zu verlieren.

„Wir sind auf dem Weg, Max. Glaubst du, sie wissen, dass du auf dem Dach bist?", frage ich ihn, während ich auf den Beifahrersitz eines der SUVs springe.

„Ich glaube nicht. Wir haben im Wohnzimmer Videospiele gespielt", erklärt er, während Blane den Wagen anschmeißt und wie ein Verrückter aus dem Lagerhaus und dem Club rast, die dunklen Augen sind konzentriert. „Ich habe sie durch das Fenster gesehen und Melvin gesagt, dass jemand hier ist. Es sind Biker. Ich hörte, wie sie die Tür aufbrachen, während ich die Treppe hinauflief. Ich denke nicht, dass sie mich gesehen haben." Die Panik in seiner

Stimme verdoppelt sich, als er noch leiser weiterredet. „Ich glaube, jemand hat gerade das Licht in meinem Zimmer angemacht. Ich weiß nicht, ob es Melvin ist."

„Geh nicht nachsehen, wer es ist, Max. Rühr dich nicht vom Fleck, okay?"

„In Ordnung", sagt er. „Ich werde mich nicht bewegen."

Ohne die Biker gesehen zu haben, weiß ich, zu welchem verdammten Club sie gehören. Die Cobras. Sie könnten dort sein, weil sie herausgefunden haben, dass wir ihre Prospects getötet haben. Das würde Sinn ergeben. Etwas anderes fällt mir im Moment sowieso nicht ein. Ich kann mich aber auch auf nichts anderes konzentrieren, als zu hoffen, dass wir rechtzeitig ankommen.

„Siehst du jemanden am Haus?", frage ich Max.

„Nein", flüstert er. „Aber ich kann von hier aus nicht die ganze Einfahrt sehen. Vielleicht, wenn ich näher rankomme …"

„Auf keinen Fall, du bewegst dich nicht", wiederhole ich. „Du bleibst so versteckt und so ruhig wie möglich, hörst du mich? Wir sind in einer Viertelstunde da."

Es dauert eigentlich fünfundzwanzig Minuten bis zu ihrem Haus, allerdings nicht, wenn Blane so schnell fährt.

„Okay, ich werde mich nicht bewegen. Ich habe Angst, Cody. Ich will nicht, dass sie Melvin oder Chloe etwas antun."

Hinter seinen Worten verbirgt sich eine Bitte an mich, ihm zu helfen, und es bricht mir das Herz, genauso wie die Angst in Lillys Gesicht, als ich aus dem Club gestürmt bin. Diese Frau ist die Liebe meines Lebens, und als ich sie nach fünfundzwanzig verdammten Jahren zurückbekam, schwor ich mir und ihr, dass ich den Rest meiner Tage damit verbringen würde, dafür zu sorgen, dass sie ein Lächeln auf den Lippen und Freude in ihren Augen hat. Genau wie ich liebt sie diesen Jungen, als ob er ihr eigener wäre. Er und sein Bruder sind die Söhne, die Lilly und ich nie haben durften. Keiner von uns kann den Gedanken ertragen, sie zu verlieren. Wer auch immer diese Mistkerle sind, wenn sie ihnen oder Chloe auch nur ein Haar krümmen, werden sie schreckliche Qualen erleiden.

Kapitel 25

E s sind noch keine zehn Minuten vergangen, seit diese Typen in das Haus eingebrochen sind, aber es scheinen unzählige Stunden verstrichen zu sein.

Ich würde alles dafür geben, auf der anderen Seite des Kellerraums zu sein. Zwar würde ich auch dort darauf achten, dass meine nackten Beine nicht mit den eiskalten Fliesen in Berührung kommen, aber wenigstens wäre ich dann bei Melvin. Doch ich sitze hier fest, ein Handgelenk mit einem Kabelbinder an einem schmalen Rohr festgebunden, während Melvin einige Meter von mir entfernt auf die gleiche Weise gefesselt ist.

Ich zittere vor Angst und aufgrund der kalten Luft im Keller. Ich habe so schreckliche Angst. Ich bin wie gelähmt. Ich wünschte, Melvin würde mich wieder ansehen, so wie vor einer Minute, als der Typ mit dem Vizepräsidenten-Aufnäher mein Handgelenk so fest umklammert hat, dass ich keine Chance hatte, mich zu befreien. Seine sanften Augen fanden meine und in ihnen lag das Versprechen, dass alles gut werden würde. Ich habe noch genug Verstand in mir, um zu wissen, dass man so ein Versprechen nicht geben kann, aber ich wünschte, er würde mich trotzdem mit diesem tröstenden Blick ansehen.

Doch er sieht mich nicht an und jede Spur von Sanftheit ist aus seinen Augen verschwunden, während er beobachtet, wie der Präsident der Demented Cobras – jedenfalls nach seiner Kutte zu urteilen – etwas zu seinem Bruder sagt. Das ist also Hawk, Jules Freund – oder was auch immer er für sie war. Melvin erzählte mir, dass seine Mutter anscheinend die Old Lady des Präsidenten der Cobras war.

Aus irgendeinem masochistischen Grund wünschte ich, ich könnte hören, was er zu seinem Vizepräsidenten sagt, aber er spricht zu leise, als dass ich seine Worte verstehen könnte. Der andere Biker grunzt ein *Okay* und joggt zurück nach oben, sobald sein Präsident zu Ende geredet hat. Seltsamerweise kommt in mir der Wunsch auf, er würde hierbleiben. Nicht, weil ich es mag, zwei gefährliche Männer um mich herum zu haben, sondern weil ich Angst habe, dass er wieder nach Max suchen wird. Ich habe keine Ahnung, wo er sich versteckt hat, aber vielleicht finden sie ihn, wenn sie sich nur genug Mühe geben.

Mein panischer Gedankengang wird unterbrochen, als Hawk spricht.

„Der Junge gehört mir und ich werde ihn zurückholen. Wie unschön die Sache wird, hängt von dir ab."

„Ihn zurückholen?" Melvin stößt ein bitteres Lachen aus, nachdem er seine Worte wiederholt hat. „Um ihn zurückzubekommen, müsstest du ihn schon vorher gehabt haben. Ich kann mich nicht erinnern, deine Fresse in neun Jahren auch nur einmal gesehen zu haben. Nicht, als ich dafür gesorgt habe, dass mein Bruder etwas zu essen hatte und zur Schule ging, nicht, als Jules verhaftet wurde und er in einer Pflegefamilie landete, und auch nicht, als ich ihn zurückgeholt habe. Ich bin sicher, dass du Jules auch keinen Unterhalt gezahlt hast. Es sei denn, sie hat das Geld für Drogen ausgegeben, was zugegebenermaßen gut möglich ist. Trotzdem kann man nichts zurückfordern, was man gar nicht erst hatte."

„Auslegungssache."

Dieses eine Wort ist die einzige Antwort, die er auf all das gibt, was Melvin gesagt hat, und in seinem Tonfall liegt nicht ein Hauch von Reue wegen seiner Abwesenheit. Ehrlich gesagt, ist es offensichtlich, dass Max ohne diese Art von Vaterfigur besser dran war. Sein emotionsloser Tonfall ist der Beweis dafür. Das Herz dieses Mannes ist so kalt wie seine dunklen Augen. Allein bei dem Gedanken, dass Max bei ihm leben müsste, stellen sich die Haare auf meinen Armen vor Entsetzen noch mehr auf.

„Fick dich doch", knurrt Melvin zurück. „Ist das auch Auslegungssache?"

Im Handumdrehen ist *Angst* nicht mehr das richtige Wort, um das Gefühl zu beschreiben, das mein Herz in einen wilden, unberechenbaren Strudel stürzt. Als der bärtige, bullige Biker auf Melvin zustürmt und seine Augen wie von einer mörderischen Wolke verdunkelt erscheinen, beginnt mein Herz in meiner Brust zu hämmern. Nur wenige Sekunden später wird das Trommeln so heftig, dass ich den Schrei kaum noch hören kann, der aus meinem

Mund dringt, als der Verrückte Melvin einen Schlag ins Gesicht verpasst.

„Nein! Bitte!"

Rational gesehen weiß ich, dass es nichts als Zeitverschwendung ist, einen herzlosen Mann um Gnade zu bitten. Wenn überhaupt, wird es ihn nur dazu bringen, noch rücksichtsloser zuzuschlagen. Aber ich kann mir nicht helfen. Die Tränen, die ich so tapfer zurückgehalten habe, laufen mir schließlich über die Wangen. Ich habe seit Beginn dieses Albtraums so gut wie möglich dagegen angekämpft, aber das Geräusch von Knochen, die immer wieder auf Knochen treffen, ist der Tropfen, der das Fass zum Überlaufen bringt. Das zu sehen, treibt mir die Tränen in die Augen, und mir entweichen leise Schluchzer bei jedem schmerzerfüllten Aufstöhnen, das Melvin von sich gibt.

Ich will das nicht mit ansehen. Ich will nicht sehen, wie er bei jedem unbarmherzigen Faustschlag gegen verschiedene Teile seines Gesichts zusammenzuckt, bevor Hawk dazu übergeht, auf seine Rippen einzuprügeln. Aber ich kann auch nicht wegschauen.

„Stopp! Stopp!", schreie ich, als ich es nicht mehr aushalte, in der Hoffnung, die wilde Raserei zu durchbrechen, in der sich Männer wie er verlieren, wenn die Gewalt von ihnen Besitz ergreift. „Hör auf!"

Er hält tatsächlich inne, doch nur, um mit der Hand in seinen linken Stiefel zu greifen und ein Messer herauszuziehen. Ich weiß, dass er nicht meinetwegen eine Pause von seinem Angriff gemacht hat. Der Anblick der scharfen, tödlichen Klinge lässt meinen instinktiven Schrei in meiner Kehle verstummen. Ich kann nicht mehr atmen. Jedoch nur, bis der Wahnsinnige neben Melvin in die Hocke geht, mit einer langsamen Bewegung, die mich an einen Jäger erinnert, der um seine gefangene Beute schleicht.

„Nein, nein, nein … Bitte, nein … Bitte …"

Ich habe immer noch keinen Zweifel daran, dass das Flehen, das ich durch mein Schluchzen hindurch zustande bringe, völlig sinnlos ist. Aber solange ich noch irgendetwas tun kann, muss ich es versuchen.

„Es wird alles gut, Baby. Schau weg, es wird alles gut."

Melvins sieht mich kurz an, während er in einem sanften, tröstlichen Ton spricht, obwohl mir die Situation vollkommen ausweglos erscheint. Wie könnte es auch anders sein, während der grausame Biker seine scharfe Waffe näher an Melvin heranführt? Sein böses Lachen hallt von den Wänden wider, als er mit dem Messer Melvins Hemd in zwei Hälften schneidet und seinen Oberkörper entblößt. Als er die Klinge an Melvins Seite entlangführt, ist jegliche Hoffnung endgültig dahin. Unkontrollierbare Schluchzer brechen aus mir heraus, nachdem ich schließlich die Augen zusammenkneife, unfähig, den Anblick des Blutes, das an Melvins Körper herunterläuft, und seines vor Schmerz verzerrten Gesichts zu ertragen, während er sich bemüht, einen Schrei zu unterdrücken. Er krümmt sich lediglich vor Schmerz, aber ich weiß, dass er das nur mir zuliebe tut. Oder vielleicht liegt es auch daran, dass er nicht will, dass sein Peiniger sein Leiden noch mehr genießt, als er es ohnehin schon tut.

„Lass ihn in Ruhe!", schreie ich erneut, als ich meine Augen wieder öffne und sehe, wie Hawk sein Messer zu Melvins anderer Seite bewegt.

Dieses Mal ignoriert mich der unheimliche Biker nicht. Stattdessen schenkt er mir zum ersten Mal etwas Aufmerksamkeit, seit er uns hier herunter gezwungen hat. Ich weiß nicht, wieso er als Erstes ein amüsiertes Kichern in meine Richtung loslässt und es ist mir auch egal. Das Einzige, worauf ich achte, ist die lange Schnittwunde an Melvins Seite, die er geschlitzt hat. Sie scheint nicht allzu stark zu bluten, aber die Art, wie er schwer durch die Nase atmet, zeugt von seinen Schmerzen.

„Weißt du, sie ist ein echtes Juwel", sagt er zu Melvin, aber ich spüre, dass er mich immer noch ansieht, noch bevor ich aufschaue und sehe, wie er näherkommt.

Langsam geht er auf mich zu, allerdings ist seine Nähe noch lange nicht so furchteinflößend wie sein anzüglicher Blick, mit dem er meinen Körper mustert. Ich wünschte, ich wäre nicht im Schlafanzug, denn die seidigen Shorts und das Top, die ich trage, bedecken nicht genug Haut.

Ein Knurren, das wie das eines Tieres klingt, donnert aus Melvins Brust, doch diesmal ist nicht der Schmerz dafür verantwortlich.

„Wag es nicht, sie anzuschauen, verdammt!"

Er brüllt seine Forderung, aber es ist, als hätte er gar nicht erst gesprochen. Hawk ignoriert ihn und redet weiter, zweifellos mit der Absicht, Melvin zu provozieren.

„Nicht nur, dass dieses Gesicht und dieser Körper gutes Fickmaterial sind, sie ist auch noch jung genug, dass man ihr beibringen kann, wie man den Mund hält. Mein alter Herr hat immer gesagt, dass eine Frau gesehen, aber nicht gehört werden soll. Es sei denn, sie schreit deinen Namen, während dein Schwanz in ihrer Pussy steckt. Und natürlich dürfen sie auch den Mund aufmachen, um dir einen zu blasen", fügt er mit einem süffisanten Grinsen hinzu, während sein Blick fest auf meine Lippen gerichtet ist.

Dieser Typ ist ekelhaft. Mehr als widerlich, er ist furchterregend, wie er diese vulgären Worte ausspricht, bevor er sich über die Lippen leckt. Was wie eine unverhohlene Drohung klingt, die an mich gerichtet ist, lässt meine Angst derart übermächtig werden, dass ich nicht sicher bin, ob ich nicht ohnmächtig werde.

„Ich werde dich in Stücke reißen, wenn du sie anfasst, du Mistkerl!", brüllt Melvin mit finsterer Heftigkeit, denn er hat seine Drohung offensichtlich genauso gut verstanden wie ich. „Fass sie nicht an!"

Noch mehr Angst macht sich in mir breit, denn ich bin mir hundertprozentig sicher, dass Melvin sich soeben einen neuen Hieb auf den Oberkörper oder einen neuen Schlag ins Gesicht eingehandelt hat. Aber der allmächtige Präsident der Demented Cobras blinzelt nicht einmal bei seinen Worten. Er hat andere Pläne: Er will noch ein bisschen mit Melvins Nerven spielen. Statt ihm irgendeine Art von Beachtung zu schenken, hockt er sich vor mir hin. Er tut dies auf dieselbe langsame, einschüchternde Art, auf die er alles angeht, weshalb ich wohl auch nicht auf die Schnelligkeit vorbereitet bin, mit der er mir plötzlich einen Schlag auf die Wange verpasst.

„Ich bringe dich um!"

Melvins donnernde Drohung holt mich aus der Schockstarre. Der Schlag hat mich so unvermittelt erwischt, dass ich nicht die geringste Zeit hatte, mich zu wappnen. Als ich begreife, was passiert ist, entweicht mir bereits ein Keuchen und mein Kopf fliegt zur Seite. Mein Wangenknochen beginnt sofort zu pochen, die Tränen fließen in Strömen, während sich jeder Muskel in meinem Körper auf einen weiteren heftigen Angriff einstellt, und ich mich zwinge, die Augen offen zu halten.

Aber es folgt kein weiterer Schlag.

Stattdessen steht Hawk wieder auf, mit einer Selbstbeherrschung, von der ich nun weiß, dass sie sich mit einem Wimpernschlag verflüchtigen kann und ein verächtliches Grinsen umspielt seine Lippen. Ich schwöre, dieser Typ muss eine gespaltene Persönlichkeit haben.

„Es ist wirklich lustig, dass du das sagst, denn ob ich mich von dem kleinen Juwel, das du gefunden hast, fernhalte, hängt einzig und allein von dir ab", sagt er zu Melvin, der wie ein wütendes Tier schnaubt. „Es ist Zeit, mit den Spielchen aufzuhören."

Ich wusste nicht, dass das überhaupt möglich ist, aber ich spüre förmlich, wie ich blass werde, als er wieder seine Pistole zückt und sie direkt auf meinen

Kopf richtet. Genau wie zuvor oben, erstarre ich. Meine Muskeln, mein Blick, mein Atem ... Alles in meinem Körper scheint auf einmal zu versagen, sodass ich kaum noch die Todesdrohungen hören kann, die Melvin ihm erneut entgegen brüllt. Ich verliere völlig die Kontrolle. Ich kann mich nicht einmal mehr an so elementare Dinge erinnern wie die Tatsache, dass man Luft in die Lungen bekommen muss, um zu überleben.

Ein Anflug von Panik löst meine Hände aus dieser Starre und sie beginnen wieder zu zittern. Ich wünschte, ich könnte etwas tun, aber ich kann nur abwarten und zusehen, wie Hawk reagieren wird.

„Ich hoffe dir ist klar, dass ich dir einen Scheißdreck erzählen werde, wenn du abdrückst?", mahnt Melvin, wobei sich Panik in seine Stimme schleicht, obwohl er versucht, sie zu verbergen.

Aber er hat recht. Wenn Hawk mich tötet, verliert er das einzige Druckmittel, das er gegen ihn hat. Das sollte mich hoffen lassen, aber ich habe einfach nur Angst. Der Mann ist unberechenbar und ich habe keine Ahnung, wozu er fähig ist.

Aber egal, was er als Nächstes vorhat, ob er den Abzug drücken oder Melvin mit weiteren Drohungen dazu zwingen will, seinen eigenen kleinen Bruder zu verraten, Hawk hat keine Zeit mehr zu handeln. Die Kellertür schwingt auf und er dreht sich um, ohne mich und Melvin weiter zu beachten, obwohl seine Waffe noch auf meinen Kopf gerichtet ist. Genau wie ich hat er wahrscheinlich erwartet, dass sein Bruder zurück ist, wo auch immer er vorher hin verschwunden ist, und ist daher überzeugt, nicht auf der Hut sein zu müssen. Als ein Schuss durch den Raum hallt, hat er nicht einmal die Zeit, sich zu bewegen.

Vor drei Sekunden überragte mich Hawk noch, seine fast schwarzen Augen tanzten vor dunklem Verlangen, und jetzt liegt er mit dem Gesicht nach unten auf den kalten, gräulichen Fliesen, regungslos, während Blut aus seinem Kopf rinnt. Wenn ich seine Augen sehen könnte, würde ich dort nur noch den Tod erblicken. Der Mann ist gerade vor meinen Augen gestorben und das einzige Gefühl, das mich überkommt, ist eine Erleichterung, die fast schwindelerregend ist, als ich Nates Gesicht sehe.

Er stürmt die Treppe hinunter, die Waffe in der Hand immer noch sorgsam vor sich gerichtet.

„Gott sei Dank", stößt Melvin einen langen Seufzer der Erleichterung aus.

„Verdammt, Bruder. Geht's dir einigermaßen gut?", fragt Nate ihn, als er auf ihn zugeht.

„Ja. Hilf erst mal Chloe", bittet er. „Geht's dir gut, Sonnenschein? Sprich mit mir", fordert er mich dann auf.

„Mir geht's gut. Max ist irgendwo oben", sage ich zu Nate und mache mir viel mehr Sorgen um ihn als um die Tatsache, dass ich gefesselt bin.

Das kann warten.

„Max ist in Sicherheit, Mäuschen. Cody ist bei ihm."

Ich schaue auf und sehe, wie mein Dad und der Rest der Jungs nach und nach in den Keller stürmen.

„Verdammt zum Glück." Melvins Körper erschlafft vor Erleichterung und mein Dad eilt auf mich zu.

Er kommt Nate zuvor und befreit mich, während ich Blane dabei zusehe, wie er sich um Melvins Fesseln kümmert.

„Mir geht's gut, Dad", versichere ich ihm und unterbreche damit seine Begutachtung meines Wangenknochens, der sicher schon ziemlich rot geworden ist. „Aber er hat Melvin verletzt", füge ich hinzu, als meine Hände frei sind.

Erneut bin ich gefangen, aber dieses Mal in der engen Umarmung meines Vaters.

Ich erwidere seine Umarmung kurz, dann aber befreie ich mich aus seinem Griff und krabble zu Melvin, so gut ich kann, wenn man bedenkt, dass ich am ganzen Leib zittere. Immer noch auf dem Boden liegend, legt er einen Arm um mich, sobald ich in Reichweite bin.

„Es ist vorbei, Sonnenschein. Es ist alles in Ordnung. Atme tief durch", beruhigt er mich, während ich mein Gesicht an seinen Hals schmiege und dabei vorsichtig auf seine Wunde achte. „Kann ihr jemand wärmere Kleidung besorgen, mir ein saube-res Hemd und einen Kapuzenpulli? Ich will nicht, dass Max das Blut sieht."

„Bin schon unterwegs ", antwortet Ben, bevor wir seine Stiefel die Treppe hochpoltern hören.

„Da war noch ein Biker", sage ich plötzlich. Mein Kopf zuckt nach oben und ich frage mich erst jetzt, wo er abgeblieben sein könnte. „Hast du …"

„Es wurde sich um ihn gekümmert, Süße", mischt sich Jayce ein, um mich zu beruhigen.

Dann finden Melvins Lippen meine Schläfe. Er muss schon begriffen haben, dass der andere Biker kein Thema mehr ist, denn nachdem er mich sanft geküsst hat, wiederholt er flüsternd: „Es ist vorbei."

Ich nicke, während ich ausatme und beginne, mich langsam zu beruhigen.

„Wir müssen den Scheiß hier aufräumen", sagt Jayce und wendet sich wieder dem im Moment wichtigsten Thema zu. „Brent, du und Cody bringt sie zurück in den Club. Der Rest von uns bleibt hier und kümmert sich um die Sache."

Mein Vater nickt ihm schnell zu, aber er mustert mich weiterhin. Er lässt mich nicht aus den Augen, bis Ben mit einem Arm voller sauberer Kleidung wiederauftaucht, und innerhalb einer Minute bin ich in eine rote Yogahose, ein weißes T-Shirt und einen schwarzen Pullover gekleidet, Melvin hat die blutige Wunde an seiner Seite mit einem schwarzen Shirt und einem dunklen Hoodie bedeckt.

Er legt seinen Arm wieder um meine Schultern, zieht mich fest an seine unverletzte Seite und lässt mich erst wieder los, als wir im Wohnzimmer sind und er Max auf sich zurasen sieht. Melvin spannt sich leicht an, um sich auf den Aufprall vorzubereiten, aber der Schmerz, der von der Umarmung ausgeht, muss erträglich sein, denn er zuckt kaum und kann seine Gesichtszüge entspannen, als Max sich zurückzieht und zu ihm aufsieht.

Er erschrickt beim Anblick der blauen Flecken im Gesicht seines großen Bruders.

„Es ist nichts", sagt Melvin sofort. „Geht es dir gut?", fragt er ihn und legt ihm beide Hände auf die Schultern.

Er öffnet den Mund, schließt ihn aber schnell wieder, als ein lautes Wuff die Aufmerksamkeit aller auf das kleine Fellknäuel lenkt, das auf uns zu gerannt kommt. Kip läuft direkt auf Max zu und stellt sich auf die Hinterbeine, während er seine vorderen Pfoten auf seine Oberschenkel legt.

Max beugt sich vor und hebt den aufgeregten Welpen hoch.

„Ich dachte schon, er würde nie wieder unter dem Sofa hervorkommen", sagt Max und lässt sich von dem Hund das Gesicht ablecken. „Er war verängstigt. Ich hatte auch Angst", fügt er leise hinzu und es bricht mir das Herz. „Aber ich habe Cody vom Dach aus angerufen."

Vom Dach? Da hat er sich versteckt? Mein Gott ... Und er hat Cody angerufen? Von wo aus? Ich habe keine Zeit zu fragen, denn Melvin spricht, nachdem er wissend genickt hat, als würde es ihn nicht im Geringsten überraschen, dass Max Cody vom verdammten Dach aus angerufen hat.

„Ich weiß, dass du Angst hattest, aber das hast du gut gemacht", sagt er ihm. „Chloe und mir geht es gut, dank dir, und diese Typen kommen nie wieder zurück. Jetzt fahren wir in den Club, okay? Wir bleiben eine Weile dort. Du packst zusammen, was du mitnehmen willst, und ich kümmere mich um alles, nachdem ich meine und Chloes Sachen zusammengeräumt habe."

„Ich helfe dir", sagt Cody zu Max. „Wir müssen auch noch Kips Sachen packen."

„Gib mir den kleinen Tornado", sagt Ben zu Max und streckt seine Arme aus, damit Max ihm Kip überreichen kann.

Max lächelt über Bens Spitznamen für den Welpen und sobald er die Hände frei hat, sprintet er los und die Treppe hinauf, sichtlich genauso erpicht darauf, von hier zu verschwinden, wie ich es bin.

Kapitel 26

Melvin

Sowohl Lilly als auch Fiona warten direkt hinter der Eingangstür, als wir eintreten. Sie sehen nervös aus, als wären sie hier drinnen wie eingesperrte Tiere auf und ab gegangen. Ich wette, sie sind nur deshalb drinnen geblieben, weil ihre Männer sie dazu gedrängt haben.

Während Fiona Chloe in eine Umarmung zieht, eilt Max zu der völlig aufgelösten Lilly, um sie ebenfalls zu umarmen. Sie kommt ihm glücklich entgegen, und verdammt, ich bin ihr jetzt mehr denn je dankbar dafür.

Bis heute Abend wusste ich nicht, wer der Vater von Max ist. Um ehrlich zu sein, hatte ich mich das schon lange nicht mehr gefragt. Eigentlich habe ich immer angezweifelt, dass Jules selbst weiß, wer sie geschwängert hat. Hätte ich raten müssen, hätte ich auf einen ihrer Junkie-Freunde als Samenspender getippt. Sie kamen und gingen ständig. Einige blieben ein paar Wochen lang und ernährten sich von dem, was ich in den Kühlschrank stellte, andere blieben kaum länger als ein paar Tage. Nicht in einer Million Jahren hätte ich gedacht, dass der Mann der Präsident eines Bikerclubs sein könnte. Wenn man sagt, die Welt sei klein, dann trifft das schon zu.

Jetzt sind beide Elternteile von Max tot. Nicht, dass das irgendetwas ändern würde. Wenn man ihn so sieht, wie er sich in Lillys Armen einkuschelt, fehlt es ihm ganz sicher an nichts. Im Gegenteil. Lilly ist wie eine Mutter für ihn. Sie hat ihn nicht auf die Welt gebracht, aber sie ist seine Mutter in all den Bereichen, in denen Jules versagt hat. In all den Punkten, die wichtig sind. Wenn ich sie zusammen sehe, weiß ich eines. Mein Bruder hat die Familie, die er immer verdient hat.

„Geht es dir gut?", fragt mich Camryn.

Sie zögert, mich zu umarmen, und beschließt wohl, dass es besser ist, wenn sie es nicht tut, denn sie legt nur eine Hand auf meinen Arm. Sie sieht mir ins Gesicht und zuckt zusammen, als würde sie um mich trauern.

„Mir geht's gut, Liebes."

„Oh Gott", haucht Lilly aus, als sie die blauen Flecken in meinem Gesicht begutachtet, bevor sie mich ebenso wie Max umarmt. „Wie geht es dir? Wie fühlst du dich?"

„Mir geht es gut", versichere ich ihr, obwohl ich ein Zusammenzucken unterdrücken muss. Offensichtlich weiß sie nichts von der Schnittwunde, die dieser Wichser mir mit Vergnügen in die Seite geritzt hat. „Ich kann laufen, also kann es nicht so schlimm sein, oder?", scherze ich, als sie sich zurückzieht.

Mein Humor bringt sie nicht zum Lächeln.

„Ich sehe ihn mir mal an."

Erin steht hinter Lilly auf und ihre Stimme ist sanft, aber entschlossen. Sie geht so schnell wie möglich auf uns zu, wenn man ihren dicken Bauch bedenkt, Liam steht direkt neben ihr und hält den Erste-Hilfe-Kasten in der Hand.

„Du solltest im Bett liegen, Süße", schimpfe ich mit ihr.

„Ich habe ihr gesagt, dass sie in deinem Zimmer nach dir sehen kann", sagt Liam.

„Mein Gott, ich kann immer noch ein paar Stufen hinunterlaufen." Sie schnaubt. „Außerdem stresst es mich nicht, wenn ich mich um dich kümmere, Melvin. Gar nichts zu tun allerdings schon." Sie lächelt. „Alex hat Nachtschicht, also bin ich deine einzige Option."

„Sagst du mir, wenn es ihm nicht gut geht?", fragt Max sie. „Ich weiß, dass er das nicht tun wird."

Ja, mein Bruder ist ein kluger Junge.

„Ich verspreche, das werde ich", versichert sie ihm. „Aber wie er gesagt hat: Er kann laufen und das ist ein wirklich gutes Zeichen."

Er nickt und nimmt sie beim Wort. Er hat Erin immer vertraut.

„Was wollten sie?", fragt er mich dann und überrumpelt mich damit.

Er hat heute Nacht vielleicht nichts gesehen – und dafür bin ich verdammt dankbar –, aber was er durchgemacht hat, war mindestens erschreckend, wenn nicht sogar traumatisierend. Er hat jedes Recht, Fragen zu stellen.

Während ich vor ihm in die Hocke gehe, sucht mein Gehirn aktiv nach etwas, das ihn beruhigt, ohne dass ich ihm die ganze Wahrheit sagen muss. Auf keinen Fall werde ich ihm sagen, dass sein Vater der Verrückte ist, der heute Nacht in unser Haus eingebrochen ist.

„Diese Typen waren Freunde von Jules", beginne ich und beobachte, wie sich seine Augen bei der Erwähnung des Namens unserer Mutter verengen. „Sie wollten Geld, das sie ihnen schuldete. Ich habe es ihnen gegeben, damit sie nicht wiederkommen."

„Bist du sicher?"

„Ich bin mir sicher", erwidere ich fest. „Als sie merkten, dass ich zu einem Motorradclub gehöre, sind sie in Panik geraten und sofort abgehauen. Hätten sie das von Anfang an gewusst, wären sie gar nicht erst gekommen."

Okay, ich erzähle ihm ein paar mehr Lügen, als ich vorhatte, aber er muss wissen, dass sie uns nie wieder belästigen werden.

„Angsthasen", murmelt er und lächelt, als ich kichere.

„Okay, wie wäre es, wenn wir uns frisch machen und uns um Kip kümmern?", bietet Lilly an, als ich wieder aufstehe. „Ich bin sicher, wir können heute eine Ausnahme machen und ein bisschen fernsehen, wenn du nicht sofort schlafen kannst. Aber du musst dich ausruhen, denn ich weiß genau, dass dieser kleine Kerl hier dich im Morgengrauen wecken wird, um sein Geschäft zu erledigen." Sie wirft einen Blick auf Kip, der ruhig zu Max Füßen sitzt.

„Okay", stimmt er fröhlich zu, bevor er nach vorne tritt und mich umarmt. „Du und Chloe, ihr fahrt nicht zurück nach Hause?"

„Wir gehen nirgendwo hin", verspreche ich und drücke ihn so fest an mich, wie es meine Wunde zulässt. „Ich liebe dich, kleiner Bruder."

„Ich liebe dich auch", sagt er, bevor er sich von mir löst und zu Chloe geht, um Fi dazu zu bringen, ihre Tochter loszulassen.

„Gute Nacht, Max", sagt sie und umarmt ihn zurück.

Als Max Kip in den Arm nimmt, gibt Chloe ihm einen Kuss und wünscht ihm ebenfalls eine gute Nacht. Sie kichert, als sie versucht, seinen Kopf zu kraulen und er sich stattdessen an ihre Hand schmiegt, um an ihrer Handfläche zu lecken.

„Sie gehört mir, Kleiner. Versuch es gar nicht erst." Ich grinse, als Max lacht. „Jetzt geht schon, ihr Lieben. Ich bin hier unten oder in meinem Zimmer, wenn ihr mich braucht, okay?"

„Mhm-hm."

Nachdem er allen Gute Nacht gesagt hat, geht er mit Lilly davon.

„Ich gehe mit ihnen", sagt Cody. „Ich bin gleich wieder unten, wenn die Jungs zurück sind. Kommst du klar?"

„Mir geht's gut. Danke, Cody."

Er gibt mir einen leichten Klaps auf den Arm und nickt, bevor er ihnen die Treppe hinauf folgt. Ich lasse mich sofort auf die nächstgelegene Couch plumpsen.

„Wie fühlst du dich?", fragt mich Erin und setzt sich neben mich.

„Ich werde es überleben. Kannst du zuerst nach Chloe sehen?"

„Was?", platzt Chloe heraus, die sich auf die andere Seite von mir setzt. „Ich muss nicht untersucht werden. Er hat eine lange Schnittwunde an der Seite", informiert sie Erin, bevor sie mich wieder ansieht und fordert: „Zieh deinen Kapuzenpullover und dein Shirt aus. Ich bin zwar keine Krankenschwester, aber selbst ich weiß, dass sich die Wunde infizieren wird, wenn sie nicht richtig gereinigt wird. Wer weiß schon, wo er sein Messer sonst noch gehabt hat ..."

Sie stockt und holt tief Luft, während ihr Gesicht etwas blasser wird.

„Okay, Baby. Entspann dich einfach", bitte ich sie, bevor ich meinen Kapuzenpulli und mein Oberteil in einem Rutsch ausziehe.

„Ich mache euch jetzt einen Tee", sagt Fiona und eilt davon, während Brent sich hinter Chloe stellt.

Erin zuckt genauso zusammen wie ich, als sie die Wunde an meiner Seite begutachtet. Der Schnitt nässt immer noch ein wenig und es brennt ganz gewaltig.

„Du musst genäht werden", erklärt sie fast augenblicklich.

Das ist keine Überraschung, aber ich gebe zu, dass ich gehofft hatte, mich getäuscht zu haben.

„Bitte sag mir, dass du das selbst machen kannst."

„Das kann ich, aber ich fürchte, ich habe nicht das richtige Mittel, um dich zu betäuben. Ich kann die Wunde säubern, und wenn du willst, ruft jemand Doc für die Stiche."

„Nein, das ist schon in Ordnung. Mach einfach weiter."

Es ist fast dreiundzwanzig Uhr, und obwohl der Arzt, den wir auf unserer Gehaltsliste haben, sofort kommen würde, ist es überflüssig, ihn zu bemühen, wenn ich einfach die Zähne zusammenbeißen kann.

Sie macht sich sofort an die Arbeit. Eine zehn Zentimeter lange Schnittwunde ohne Betäubung nähen zu lassen, ist nicht gerade ein Spaziergang, aber ich schaffe es. Vielleicht, weil der Griff, mit dem Chloe meine Hand umklammert, fast noch schmerzhafter ist.

„Erledigt", sagt Erin nach schier endlosen Minuten. „Jetzt musst du es mir nachtun und versuchen, dich ein paar Tage lang nicht zu viel zu bewegen. Es macht keinen Spaß, sich die ganze Zeit auszuruhen, aber gib dir Mühe", rät sie mir lächelnd. Doch schon bald kehrt Ernsthaftigkeit in ihre Gesichtszüge zurück. „Und wenn du auch nur ein bisschen Fieber hast, bitten wir den Doc um ein Antibiotikum, ja?"

„Verstanden, Chefin." Ich zwinge mich zu einem spielerischen Grinsen, trotz der anhaltenden Schmerzen, die mir immer noch Schweißperlen auf die Stirn treiben.

Das ist definitiv kein Zuckerschlecken, diese Scheiße.

„Danke, Liebes."

„Gern geschehen."

„Ich kümmere mich darum, Babe", sagt Liam zu ihr, während er ihr das ganze blutige Verbandszeug aus den Händen nimmt. „Dann bringe ich dich zurück ins Bett."

„Du solltest dich auch etwas ausruhen", sagt Chloe.

„Seid ihr alle gerade in der Stimmung, Befehle zu erteilen?", frage ich die Mädchen im Scherz.

„Absolut", antwortet sie. „Hoffentlich seid ihr auch in der Stimmung, sie zu befolgen."

„Ich werde mich frisch machen und es ruhig angehen lassen, das verspreche ich. Aber ich muss noch mit den Jungs reden, wenn sie zurück sind. Bist du sicher …"

„Es ist nur ein Bluterguss", unterbricht sie mich, als sie sieht, wie ich den großen, roten Fleck auf ihrem Wangenknochen betrachte. „Ich will nur duschen und diesen Abend hinter uns lassen."

„Okay, Sonnenschein", stimme ich leise zu. „Dann lass uns das tun."

„Nehmt euren Tee mit nach oben", schlägt Fiona vor, als sie mit einem kleinen Tablett mit zwei dampfenden Tassen zu uns zurückkommt. „Lasst ihn noch ein paar Minuten ziehen. Er wird euch beim Einschlafen helfen."

Ich verkneife es mir, ihr zu sagen, dass mir noch nie eine Pflanze geholfen hat, mich zu entspannen, geschweige denn zu schlafen. Aber ich habe irgendwo gehört, dass man der Frau, die eines Tages seine Schwiegermutter sein wird, am besten nie widersprechen sollte. Also bedanke ich mich stattdessen bei ihr.

Nachdem ich mich bei Erin ebenfalls bedankt und ihre Eltern umarmt habe, führt mich Chloe nach oben und weigert sich, mir die Tees zu überlassen. Ich schließe die Tür hinter uns und beobachte, wie sie das Tablett auf der Kommode abstellt, bevor sie nach Wechselkleidung für uns beide sucht.

Ich habe mich gerade auf mein Bett gesetzt, als sie sich umdreht, mir in die Augen schaut und mir befiehlt: „Bleib sitzen. Ich bin gleich wieder da. Zieh deine Sachen aus."

„Jetzt wird es interessant", scherze ich, aber sie wirft mir nur den Hauch eines Lächelns über die Schulter zu, bevor sie im Bad verschwindet.

Sie dreht den Wasserhahn auf, während ich mich ausziehe und nur meine Shorts anbehalte, höre ich, wie sie im Bad herumhantiert, bevor sie den Wasserhahn zudreht. Als sie wieder ins Zimmer kommt, hat sie einen Waschlappen und ein Handtuch in der Hand.

„Du darfst deine Wunde nicht nass werden lassen, also muss das hier reichen."

Sie verschwendet keine Zeit und macht sich an die Arbeit, wobei sie mich mit einer solchen Fürsorge behandelt, dass ich sie am liebsten küssen würde.

„Das ist das zweite Mal, dass du dich so um mich kümmerst."

Die Tatsache trifft mich plötzlich. Ich weiß nicht, warum, aber es ist so.

„Das ist es. Nicht, dass es mir etwas ausmachen würde, aber es wäre mir lieber, wenn du es nicht zur Gewohnheit machst, verprügelt zu werden", sagt sie, wobei ihre Bitte eher wie eine Forderung klingt, während sie traurig lächelt.

„Abgemacht", verspreche ich sanft, während sie mit dem Waschlappen über meine Wunde streicht und beginnt, das Blut zu entfernen.

tot ist, aber ich hoffe, dass diese Scheiße nicht auf den Club zurückfallen wird. Wie auch immer", seufze ich und schüttle diese Gedanken ab, denn das ist etwas, das ich mit meinen Brüdern besprechen muss. „Das ist ein Thema für später. Wie geht es dir nach dem, was passiert ist?"

Als sie nicht sofort antwortet, lege ich meine Hände auf ihre, um sie dazu zu bewegen, eine Pause vom Waschen einzulegen. Dann hebe ich ihr Kinn an und sehe ihr dabei in die Augen.

Sie liest meinen Blick perfekt und weiß, dass ich eine Antwort brauche. Die kommt schnell, aber ihr Geständnis ist leise.

„Ich bin froh, dass er tot ist. Ich bin froh, dass sie beide tot sind, und ich bin froh, dass die Typen, die mich angegriffen haben, ebenfalls erledigt sind. Ich sollte nicht erfreut über den Tod von jemandem sein, aber ich bin es. Es ist eine Erleichterung zu wissen, dass sie weg sind und uns nichts mehr anhaben können."

„Und das ist alles, was du fühlen solltest. Freude. Ein Gefühl der Erleichterung, in Sicherheit zu sein. Du brauchst keine Schuldgefühle wegen dieser Wichser zu haben. Sie waren rücksichtslose Männer. Herzlos. Keiner von ihnen hat etwas anderes als deine Gleichgültigkeit verdient." Ich fahre die Umrisse des Blutergusses nach, der ihre schöne Haut rötet, und seufze. „Es war eine Qual, nicht an dich herankommen zu können. Dich zu beschützen. Dich vor diesem Monster abzuschirmen. Ich habe mich noch nie so verdammt hilflos gefühlt."

„Wie du gesagt hast, jetzt ist es vorbei", wiederholt sie die Worte, die ich ihr in diesem verfluchten Keller gesagt habe.

Sicher, Hawk wird kein Thema mehr sein, und was heute Abend passiert ist, ist vorbei. Das liegt hinter uns. Aber leider bedeutet das nicht, dass alles vorüber ist. Das Letzte, was ich will, ist, dass der Club in einen Krieg gegen die Cobras verwickelt wird, aber dazu könnte es kommen.

„Ja", sage ich, um das Thema zu beenden. „Wenn du damit fertig bist, Krankenschwester für mich zu spielen, muss ich die Jungs noch darüber aufklären, warum Hawk uns angegriffen hat. Ich weiß nicht, wo sie sich gerade aufhalten. Es könnte eine Weile dauern, bis ich ins Bett komme."

„Okay. Ich bin fast fertig", antwortet sie, während sie sich weiter auf meinen Körper konzentriert.

Als ich vollständig sauber und trocken bin, sagt sie mir: „In der Küche müssten Tabletten sein. Du solltest welche nehmen, denn es könnte sein, dass in der Nacht die Schmerzen anfangen."

Ich beuge mich vor und küsse ihre Nasenspitze. „Ich nehme eine, bevor ich zurückkomme. Zufrieden?"

„Frag mich das, wenn ich sicher bin, dass du nicht wegen einer fiesen Infektion im Krankenhaus landest."

„Mir geht's gut, Chloe."

„Wir werden sehen", brummt sie, und ich kichere, während ich aufstehe und mir eine Jogginghose und ein Shirt hole.

Das Oberteil könnte auf der Naht reiben, aber ich will nicht, dass Max die Wunde sieht, falls er aus irgendeinem Grund die Treppe herunterkommt.

Als ich angezogen bin, treffe ich mein Mädchen im Badezimmer, wo sie gerade den schmutzigen Waschlappen und das Handtuch weglegt.

„Ich liebe dich", sage ich ihr und lehne mich gegen den Türrahmen.

Die Sorge in ihren Augen wird von Zärtlichkeit verdrängt. „Ich liebe dich auch. Also, keine Schlägereien mehr", fordert sie erneut.

„Nie wieder." Ich schmunzle über ihre ernste Miene.

Verdammt, ich liebe dieses Mädchen.

***

Ich bin schon seit einer halben Stunde unten und sitze mit Cody, Brent und Liam zusammen, als meine Brüder aus dem Lager kommen und einer nach dem anderen durch die Tür hinter der Bar treten. Logan hält ein paar Drinks für sie bereit und sie nehmen sich gerne einen auf dem Weg zu uns. Jayce sagt Logan, dass er Feierabend machen kann, unser Prospect versteht den Wink mit dem Zaunpfahl und joggt die Treppe hinauf.

„Gibt es ein Problem?", frage ich sie und richte mich auf der Couch auf, die ich mit Cody teile.

„Nein", antwortet Ben, während er sich einen Stuhl in der Nähe nimmt und ihn heranzieht. „Die Wichser sind immer noch tot und euer Keller ist blutfrei", fasst er zusammen, während er sich setzt.

„Sag mir, dass ich ihm keine Kugel in den Kopf gejagt habe, bevor wir herausfinden konnten, was zum Teufel hier los ist?" Nate stöhnt. „Ich hatte keine Wahl, da seine Waffe auf Chloe gerichtet war, aber ich hoffe, du hast etwas erfahren."

Ich lasse mich müde auf die Couch zurücksinken.

„Hawk war Max Vater", verkünde ich geradeheraus, was ich Cody, Brent und Liam bereits erzählt habe, und senke meine Stimme, für den Fall, dass Max auftaucht.

Der Rest meiner Brüder sieht mich an, als wäre ich im Delirium.

„Im Grunde hat er mir gesagt, dass er ihn zurückhaben will, weil der Sohn, den er eigentlich großgezogen hat, gestorben ist und er offensichtlich nicht in der Lage sein wird, eines Tages die Leitung des Clubs zu übernehmen. Sein beschissener Plan war es, Max darauf vorzubereiten, sein Erbe anzutreten oder so einen Quatsch."

„Was soll der Scheiß", knurrt Ben.

„Das habe ich nicht kommen sehen", platzt Jayce heraus.

„Ich auch nicht," gebe ich zu.

„Jetzt bin ich froh, dass ich den Mistkerl ausgeschaltet habe", erwidert Nate, dessen Gesichtsausdruck von Abscheu gezeichnet ist.

„Max wäre wahrscheinlich schon verschwunden, wenn er sich nicht auf dem Dach versteckt hätte", faucht Cody und ballt die Fäuste, als würde er den Bastard am liebsten von den Toten auferstehen lassen, um ihn mit seinen bloßen Händen noch einmal zu erschlagen. „Verdammter Wichser."

Er schäumt schon seit einer halben Stunde vor Wut. Er hat recht; das Versteck auf dem Dach hat ihn wahrscheinlich gerettet. Die Ironie des Ganzen ist, dass unsere Kindheit und das gelegentliche Bedürfnis, Jules Anwesenheit zu entfliehen, der Grund dafür sind, dass er überhaupt daran gedacht hat, da hochzugehen.

„Hat er noch etwas gesagt?", fragt Jayce. „Warum ist er nur mit einem seiner Männer als Verstärkung gekommen?"

„Ja, ungewöhnliche Entscheidung", räumt Ben ein. „Erinnert mich an diese hirnlosen Prospects, die das Gleiche getan haben, weil niemand sonst von ihrem genialen Plan wusste."

„Ich wünschte, ich wüsste es, aber du bist ziemlich schnell aufgetaucht. Außer mich wissen zu lassen, wer er ist, mich als seinen persönlichen Sandsack zu benutzen und Chloe zu bedrohen, blieb nicht viel Zeit zum Plaudern. Ich habe ihm gesagt, dass Max nicht in der Stadt sei. Ich bin mir nicht sicher, ob er mir geglaubt hat, denn er hat seinen Vizepräsidenten zweimal auf die Suche durch das Haus geschickt."

„Wir müssen uns sowieso vor den Cobras in Acht nehmen", erklärt Jayce. „Wie Ben schon sagte, ist es verdammt seltsam, dass der Präsident und der Vizepräsident allein auftauchen, aber das heißt nicht, dass der Rest von ihnen uns nicht angreifen wird. Es könnte auch bedeuten, dass ihre Leute nichts von diesem Besuch wussten. Wenn das der Fall ist, sind wir in Sicherheit, genauso wie bei den Prospects. Wenn es sein muss, werden wir um ein Treffen bitten und ihrem Schwachsinn ein für alle Mal auf den Grund gehen."

Wir nicken alle zustimmend.

„Wirst du es Max sagen?", fragt mich Cody, als es still wird.

Meine Antwort kommt sofort. „Auf keinen Fall. Wenn er erwachsen ist, werde ich ihm alles erzählen. Oder vielleicht, wenn er in ein paar Jahren anfängt, Fragen über seinen Vater zu stellen. Ich werde sehen, wann der richtige Zeitpunkt gekommen ist. Ich werde ihm jetzt nicht erzählen, dass sein Vater ein psychotischer Mistkerl war, der ihn nur als Ersatz für den toten Sohn haben wollte, den er eigentlich großgezogen hatte. Max hat sich sein ganzes Leben lang ungewollt genug gefühlt. Ein abwesender Vater, eine Junkie-Mutter ... ich denke, das ist genug. Zu wissen, dass der Mann, der mich und Chloe hätte töten können, sein eigener verdammter Vater war, wird ihn nur noch mehr durcheinanderbringen."

„Ja, da bin ich ganz deiner Meinung", stimmt Nate meiner Entscheidung zu.

„Wenn es sonst nichts mehr gibt, werde ich nach ihm und Lilly sehen", sagt Cody und schaut Jayce an.

„Geh du ruhig", sagt er ihm.

„Ja, ich mache auch Schluss für heute", sage ich zu meinen Brüdern. „Ich nehme noch ein paar Schmerztabletten und schaue noch nach Max, bevor ich ins Bett gehe."

„Wie kommt Chloe zurecht?", fragt mich Brent.

„Sie macht sich Sorgen wegen meiner Wunde, aber sonst scheint es ihr gut zu gehen."

Er nickt und steht zur gleichen Zeit wie ich auf. „Ich werde kurz nach meinem Töchterchen sehen und dann zu meiner Frau gehen."

Mit meinem Mädchen unter die Decke zu schlüpfen, ist auch alles, was ich will. Nachdem ich also die Schmerzmittel geschluckt habe, wie ich es ihr versprochen habe, gehe ich zurück zu ihr. Wahrscheinlich werde ich heute Nacht nicht so leicht einschlafen können, aber Chloe ein paar Stunden im Arm zu halten und ihr beim Schlafen zuzusehen, ist trotz einer bevorstehenden, schlaflosen Nacht eine himmlische Vorstellung.

Kapitel 27

Chloe

Ich werde von Fingern, die über meine Schulter streichen, aus dem Schlaf geholt und rühre mich ein wenig. Selbst mit geschlossenen Augen kann ich erkennen, dass die Sonne bereits durch das Fenster scheint.

„Wir haben gestern Abend vergessen, die Vorhänge zu schließen." Meine Stimme ist nicht mehr als ein verschlafenes Flüstern.

„Vielleicht sollten wir sie jede Nacht vergessen", schlägt Melvin vor und seine raue Stimme verrät mir, dass auch er gerade aufgewacht sein muss. „Dann haben wir noch Zeit für etwas Vergnügen, bevor wir aufstehen."

Als ich mich endlich überwinden kann, die Augen zu öffnen, sehe ich sein umwerfendes Grinsen. Seine Grübchen rauben mir immer für ein paar Sekunden die Sprache. So süß sind sie.

„Was schwebt dir vor?", frage ich ihn, obwohl ich genau weiß, was er denkt, vor allem, als er mit dem Zeigefinger langsam an mir hinabgleitet.

Wir verfolgen beide seinen Weg über meine Brust, bis er an einer Brustwarze Halt macht und dort Kreise um die sich schnell vor Erregung versteifende Haut zieht. Der Seufzer, der mir entschlüpft, ist leise, aber Melvin scheint es zu gefallen, wenn man dem Knurren in seiner Kehle Glauben schenken darf.

„Ich sollte vielleicht wirklich jede Nacht vergessen, die Vorhänge zu schließen. Vor allem, wenn du nackt schläfst."

Nackt zu schlafen, scheint in den letzten Tagen zur Gewohnheit geworden zu sein. Seit dem Vorfall in seinem Haus sind wir jede Nacht und jeden Morgen übereinander hergefallen – und bei jeder Gelegenheit, die sich uns dazwischen bot. Manchmal bin ich einfach zu erschöpft, um mir vor dem Einschlafen noch ein Shirt anzuziehen.

Kaum ist er mit dem Reden fertig, löst sein Mund seinen Finger ab. Er reizt mich nicht erst lange, sondern verwöhnt meine Nippel. Es ist diese Mischung aus hungrigen Lippen und forschender Zunge, die immer wieder heiße Lust in mir aufsteigen lässt und eine brennende Wärme in meinem Bauch erzeugt.

„Ich liebe es, wenn du nackt schläfst." Er macht eine Pause von seinen Streicheleinheiten an meiner Brustwarze und seine Lippen wandern meinen Bauch hinunter, bis sie mein erregtes Zentrum erreichen. „Ich liebe es, wenn alles so leicht zugänglich ist."

Er verstummt wieder, als seine Zunge wieder zum Vorschein kommt und meinen Kitzler leckt, während ich nicht anders kann, als meine Finger in das Laken zu krallen.

„Oh Gott …"

Er hat eine Hand an meiner Hüfte, die andere liegt auf meinem Bauch, er hält mich fest und kostet mich. Ab und zu stöhnt er und antwortet damit auf mein ununterdrückbares Aufstöhnen. Dieses Mal reizt er mich. Er verwöhnt mich auf langsame, quälende Weise, während die Haarstoppeln, die seinen Kiefer bedecken, an meinen Schenkeln reiben. Meine Haut brennt mit demselben Feuer, das tief in meinem Bauch lodert, hungrig nach Melvins Berührung.

Seit er zum ersten Mal mit mir geschlafen hat, ist das Bedürfnis, seine Nähe zu spüren, nur noch größer geworden. Ich brauche ihn ständig. Ich brauche ihn die ganze Zeit. Aber seit dieser schrecklichen Nacht vor ein paar Tagen scheint das Verlangen noch gewachsen zu sein.

Wir hatten Glück. Hätte Max nicht so reagiert, wie er es getan hat, wäre dieser Abend auf eine Art und Weise zu Ende gegangen, die ich mir nicht einmal ausmalen möchte. Melvin und ich wären bestenfalls schmerzlos, schlimmstenfalls qualvoll gestorben, und Max wäre nicht mehr da. *Was wäre, wenn* sind die schlimmsten Gedanken, aber nur die Zeit wird mich von ihnen lösen können. Bis dahin sind Melvins köstliche Streicheleinheiten eine hervorragende Möglichkeit, meinen Kopf von unnötigen Ängsten zu befreien.

Mein Orgasmus baut sich schnell auf, aber bevor ich mich darin verlieren kann, entzieht Melvin meinem Kitzler gnadenlos seinen geübten Mund.

„Warum ... Du solltest besser beenden, was du angefangen hast", brumme ich gereizt, als er seine Lippen über meinen Bauch gleiten lässt.

Das Glucksen, das er zwischen meinen Brüsten ausstößt, überzieht meine Haut mit einer solchen

Gänsehaut, dass ich fast vergesse, wie sehr ich diesen Höhepunkt brauche.

„Willst du kommen, Sonnenschein?", fragt er mich gegen meinen Mund, während er über mir verweilt.

„Ja, ich will ..."

Mein Gehirn setzt mitten im Satz aus, ich bin plötzlich nicht mehr in der Lage, etwas anderes zu fordern, sondern will nur noch spüren, wie Melvins Härte mit einem einzigen tiefen Stoß in mich eindringt. Ich verstumme genauso wie er und konzentriere mich darauf, wie er sich in mich hinein- und wieder herausbewegt, auf dieselbe langsame Art, mit der er mich entjungfert hat. Seine Stöße sind lang und tief, jeder einzelne vereinnahmt mich und in seinen Augen sehe ich Liebe glitzern. Sein intensiver Blick verliert sich in meinem, er nimmt ihn nicht von mir, bis er uns beide geradewegs in ein Universum aus herrlicher Glückseligkeit und schillernden Sternen katapultiert.

***

„Oh, hallo, Schatz", begrüßt mich meine Mutter eine Stunde später, als ich auf der Suche nach einem möglichst starken Kaffee die Küche betrete.

Es ist zwar schon acht, aber zwischen den letzten schlaflosen Nächten und meinen stressigen Arbeitstagen bin ich wie ein Zombie herumgelaufen. Ohne den wunderbaren Menschen, der das Make-up erfunden hat – wer auch immer das war – würde ich auch wie einer aussehen. Aber heute ist Sonntag, und meine Pläne sehen nichts anderes vor, als in der

Sonne zu faulenzen, ein Buch in der Hand und eine frische Limonade in Reichweite.

„Morgen", begrüße ich sie, Colleen und Laura.

„Wo ist dein Mann?", fragt mich Colleen vom Herd aus, wo sie anscheinend damit beschäftigt ist, French Toasts zu machen und die noch brutzelnden Rühreier im Auge zu behalten.

„Hey, Chloe."

Ich winke einer lächelnden Laura zu, die gerade dabei ist, Speck zu braten. Es riecht absolut köstlich.

„Er duscht gerade", antworte ich auf Colleens Frage. „Und kommt gleich runter. Womit kann ich euch helfen?"

„Wir haben alles im Griff", sagt sie und lehnt mein Angebot ab. „Wir sind fast fertig, keine Sorge."

„Warum nimmst du dir nicht einen Kaffee und setzt dich hin? Das Essen ist gleich fertig", schlägt meine Mutter vor, während sie mir schon einen einschenkt.

„Könntest du bitte aufhören, so zu tun, als stünde ich kurz vor einem Zusammenbruch?", flehe ich mit einem Seufzer. „Mir geht's gut."

Sie wacht schon seit Tagen über mich und taucht sogar in der Werkstatt mit der lahmen Ausrede auf, dass sie sich langweilen würde. Als ob. Meine Mutter langweilt sich nie. Sie hat zwar keinen Job, aber soweit ich mich zurückerinnern kann, habe ich sie immer nur beschäftigt gesehen. Kochen, Backen, Aufräumen, Gartenarbeit, mich und Jo herumfahren, Sport treiben, malen, stricken … Sie hat sich noch nie länger als zwanzig Minuten Zeit genommen, es sei denn, um abends mit Papa einen Film zu schauen.

Da sie nicht überzeugt aussieht, als sie mir den Kaffee reicht, fahre ich fort. „Ich verspreche es, Mama. Ich habe keine Albträume und es würde mir nichts ausmachen, zum Bäcker zu laufen oder allein auszugehen, wenn Dad und Melvin sich ein bisschen entspannen würden."

„Sie werden sich entspannen, wenn sie hundertprozentig sicher sind, dass es keine Bedrohung mehr gibt", erinnert sie mich fast schon tadelnd.

„Ich weiß, aber ich weiß auch, dass es mir gut geht."

Sie seufzt. „Okay, aber ich bin hier, wenn du reden willst."

„Ich bin froh, dass du für mich da bist."

Sie war immer für mich da, und ich weiß, dass sie das auch immer sein wird, egal wie alt ich werde.

„Okay", lenkt sie ein. „Aber wir brauchen hier trotzdem keine Hilfe. Genieß du deinen Kaffee und deinen freien Tag."

Sie küsst mich auf die Wange und ich schenke ihr ein Lächeln, bevor ich die Küche verlasse.

Der Hauptraum ist noch leer, aber die Ruhe wird nur von kurzer Dauer sein. In ein paar Minuten werden sich alle zum Frühstück versammeln.

Gerade als ich mich auf einer Couch niederlasse, poltern die ersten Schritte auf der Treppe, und Sekunden später erscheint mein gutaussehender Freund am Ende der Stufen. Er sieht mich sofort, sein warmes Lächeln ist so sexy wie die abgewetzte schwarze Jeans und das weiße Shirt, das er trägt.

Und er ist so heiß wie sein Gang, mit dem er auf mich zukommt.

„Dir scheint zu gefallen, was du siehst, Sonnenschein."

„Das tut es. Und ich fühle mich mit meinen Leggings und meinem übergroßen Pullover wie eine Pennerin."

Er bleibt direkt vor mir stehen und lässt seinen glühenden Blick ganz langsam und bedächtig an meinem Körper hinunterwandern.

„Eine sehr scharfe Pennerin. Aber wenn du deine Klamotten wirklich so wenig magst, kann ich dir gerne beim Umziehen helfen. Ich würde dir sogar beim Ausziehen zur Hand gehen."

Er kommt näher, beugt sich vor und küsst mich innig auf den Mund. Mit einem Kuss, der erregend genug ist, um zu beweisen, wie ernst sein Angebot war. Er umfasst meinen Hinterkopf und hält mich mit der Hand fest, während seine Lippen und seine Zunge meinen Mund erobern. Heiß und liebevoll zugleich, genügt sein Kuss, um zu spüren, wie sich meine Brustwarzen gegen meinen BH spannen und wie ich meine Schenkel zusammenpresse, um vergeblich zu versuchen, das Ziehen in meiner Mitte zu stillen.

Als er sich zurückzieht, damit wir Luft holen können, murmle ich: „Warum habe ich das Gefühl, dass wir heute nicht viel mehr außerhalb deines Schlafzimmers sehen werden als in den letzten Tagen?"

Ein Grinsen umspielt seine glänzenden Lippen. „Weil mein Mädchen mich wieder in sich spüren will?"

Das trägt ganz und gar nicht dazu bei, dass sich das verlangende Ziehen beruhigt.

Kurz bevor ich antworten kann, dass ich nichts dagegen habe, ihn wieder in mir zu fühlen, räuspert sich jemand in der Nähe.

Wir erwachen beide aus unserem lustvollen Bann und sehen Blane auf uns zukommen.

„Tut mir leid, dass ich störe", sagt er, bevor er sich auf die Couch mir gegenübersetzt. „Ich wollte nur kurz mit dir reden."

„Hast du die Ergebnisse?", fragt Melvin ihn sofort, als er sich neben mich setzt.

Die DNA-Ergebnisse. Melvin fiel zwar kein Motiv ein, das Hawk dazu gebracht hätte, vorzutäuschen, er sei Max' Vater, aber er wollte einen Beweis haben. Blane hat sich darum gekümmert. Nun, er hat sich mit dem Arzt in Verbindung gesetzt, der den medizinischen Teil übernommen hat.

„Hawk hat die Wahrheit gesagt", verrät Blane unumwunden. „Max ist sein Sohn. Aber da ist noch etwas anderes."

Instinktiv greife ich nach Melvins Hand, als in Blanes Augen Besorgnis aufblitzt. Was auch immer er zu sagen hat, es klingt nicht gut.

„Ich habe den Doc gebeten, einen zweiten Test zu machen", sagt er.

Melvin versteift sich neben mir. Er muss direkt an das gedacht haben, woran auch ich denke. Offenbar hat Blane das auch bemerkt, denn er erzählt ihm geradeheraus seine Neuigkeiten.

„Er war auch dein Vater."

Ich kann mir gar nicht vorstellen, was Melvin in diesem Moment durch den Kopf gehen muss. Mit seinen fast zweiundzwanzig Jahren erfährt er nicht nur, wer sein Vater ist, sondern muss sich auch mit der Tatsache abfinden, dass er derselbe Mann ist, der uns bedroht hat. Er ist derjenige, der ihn geschlagen hat. Er ist derjenige, der ihm mit einem Messer die Haut aufgeschlitzt hat, nur weil er ihm wehtun wollte. Möglicherweise ist es das, was Melvin durch den Kopf geht, während der Schock ihn für einen Augenblick sprachlos macht.

Ich drücke seine Hand, denn es gibt nicht viel, was ich tun kann, außer für ihn da zu sein.

„Ist das wahr? Ich meine, wie zuverlässig ist der Test?"

„Positiv", bekräftigt Blane. „Eine 99,9-prozentige Übereinstimmung. Er war dein Vater."

„Scheiße", murmelt er. Er kratzt sich an seinem Dreitagebart und schüttelt den Kopf. „Jules hatte zwei Kinder im Abstand von dreizehn Jahren mit demselben Mann? Ich … Scheiße, ich verstehe ja, dass der Test nicht lügt, aber wie ich sie kenne, ist das … Das ist einfach nur seltsam. Klingt wie ein Wunder, wenn man bedenkt, mit wie vielen Idioten sie ihr Bett geteilt hat. Ich kann diese Scheiße einfach nicht begreifen."

Blane lehnt sich auf der Couch zurück. „Hawk war erst einundvierzig. Er und Jules waren ungefähr im selben Alter, als sie mit dir schwanger wurde. Nicht einmal zwei Jahre später heiratete Hawk seine mittlerweile verstorbene Frau und bekam ein paar Monate später ein zweites Kind mit ihr. Die Frau starb nur wenige Monate, bevor Jules mit Max schwanger wurde", erklärt er, offenbar hat er sich den Zeitablauf genau angeschaut.

Es ist ganz einfach, aber gleichzeitig ist es eine Menge zu verarbeiten. Vor allem für Melvin.

„Sie bekommt Hawks Kind, dann heiratet er eine andere und sie holt sich einen Nachschlag, als die Frau stirbt?", fragt er sich laut.

Blane nickt. „Vermutlich. Es ist auch möglich, dass sie mit der Schwangerschaft versucht hat, Hawk eine Falle zu stellen. Vielleicht war er damals schon mit seiner zukünftigen Frau zusammen. Dann dachte sie eventuell, wenn die Frau aus dem Weg ist, warum es nicht noch einmal versuchen? Oder vielleicht war er ihre erste Liebe oder so was und sie haben in Erinnerungen geschwelgt, als sie Max bekam. Wer weiß das schon?"

„Keiner wird es je erfahren," antwortet Melvin zu Recht. „Und ehrlich gesagt, ist es auch egal. Sie waren beide völlig durchgeknallt. Das ist alles, was man wissen muss. Hoffen wir nur, dass ihre Scheiße nicht die restlichen Cobras auf den Plan ruft."

„Das wird nicht passieren." Blane klingt zuversichtlich in seiner Aussage und das lässt mich aufhorchen. „Jayce wird später ein Treffen einberufen, aber die Cobras sollten kein Problem sein. Es hat sich herausgestellt, dass der Vizepräsident des ehemaligen Präsidenten, der vor zehn Jahren den Präsidentenstuhl übernehmen sollte, gestern Abend Jayce kontaktiert hat. Sagen wir, dass sich im letzten Jahr Loyalitäten gebildet haben, insbesondere nach dem Krieg, in dem Hawks Sohn starb. Die meisten im

Club wollten mit diesem Krieg nichts zu tun haben. Als sie merkten, dass Hawk vermisst wurde, übertrug man Speed, dem ehemaligen Vizepräsidenten, die Verantwortung. Er hat erst gestern erfahren, dass er letzte Woche auf dich losgegangen ist. Eines der jüngeren Mitglieder, das immer noch auf Hawks Seite stand, erzählte ihm schließlich, was er und sein VP vorhatten. Er dachte, dass Speed in ihrem Namen Vergeltung üben würde."

„Das wird er nicht?", fragt Melvin zweifelnd.

Ich bin mir zu mindestens neunzig Prozent sicher, dass ich das nicht hören sollte, aber gleichzeitig hat das, was Blane gesagt hat, so viel Hoffnung in mir geweckt, dass ich es nicht eilig habe, mich zu verdrücken. Ich werde es tun, wenn sie mich bitten, aber solange sie mir erlauben, hier zu sein, werde ich nirgendwo hingehen.

„Nicht nach dem, was er Jayce erzählt hat. Er sagte, dass Hawk hinter dem Rücken seines eigenen Clubs gehandelt hat, weil er wusste, dass die meisten mit seinem Plan, ein Kind zu entführen, kaum einverstanden gewesen wären. Sie hätten bei dieser Scheiße nicht mitmachen wollen. Natürlich hat Jayce Speed nicht verraten, was in jener Nacht passiert ist. Er hat nicht mal zugegeben, dass Hawk hinter dir her war. Jayce glaubt aber nicht, dass er deshalb angerufen hat. Er glaubt, dass Speed jeglichen Ärger zwischen unseren Clubs vermeiden und außerdem klarstellen wollte, wie er zu Hawk steht. Er ließ ihn auch wissen, dass er die Cobras umstrukturieren wird. Nach dem, was er gesagt hat, werden sie so schnell wie möglich zu einem legalen Geschäft zurückkehren. Genau wie es vor Hawks Machtübernahme im Club der Fall war."

„Glaubt ihr ihm?"

„Es ergibt Sinn," antwortet Blane und erklärt ihm seine Meinung. „Nachdem Hawk zum Präsidenten gewählt worden war, wurde Speed fast aus dem Club geworfen. Der Kerl hat zehn Jahre lang zugesehen, wie ein Psychopath den Club leitet, den der Mann, der für ihn ein Vater war, aufgebaut hatte. Den Club, in dem er aufgewachsen ist. Wenn du mich fragst, hat er in den letzten zehn Jahren nur auf den Moment gewartet, in dem er den Club wieder zu dem machen konnte, was er war. Wir werden die Details mit den Jungs besprechen, aber ja, ich glaube ihm."

Melvin nickt langsam und stößt einen langen Seufzer aus. „Das klingt nach verdammt guten Neuigkeiten."

„Hört sich an, als wäre es vorbei, Bruder", stimmt er zu.

Es ist vorbei. Es sind erst ein paar Wochen vergangen, seit Jules zum ersten Mal im Club aufgetaucht ist, aber dieser Tag kommt mir wie eine Ewigkeit entfernt vor. Vor allem jetzt, wo ich weiß, dass das alles der Vergangenheit angehört. Es ist vorbei. Melvin und Max sind in Sicherheit, genauso wie ich und der Rest des Clubs. Ich hatte Glück, dass ich nach dieser Nacht keine Albträume hatte, aber heute werde ich noch viel besser schlafen können.

„Ich werde mir einen Kaffee holen", sagt Blane, als er aufsteht.

„Danke, Bruder."

Er nickt nur und schenkt mir ein kleines Lächeln, bevor er weggeht.

„Verdammt, Sonnenschein", sagt er und sieht mir in die Augen. „Es ist vorbei."

Ich lächle sanft. „Das ist es. Aber ist es okay für dich, dass Hawk dein Vater war?"

Er schnaubt. „Ehrlich gesagt, war das ein Schock. Aber die Sache ist die, wenn es eines gibt, dessen ich mir immer sicher war, dann ist es, dass mein Vater höchstwahrscheinlich ein Verlierer war. Stattdessen war er ein Soziopath. Ich hatte schon lange aufgehört zu hoffen, dass ein wundervoller Vater auftauchen und alles zum Guten wenden würde, Sonnenschein. Ich glaube, dass sowohl Max als auch ich ohne diesen Mann in unserem Leben besser dran waren."

„Das wart ihr", stimme ich sofort zu.

„Du und Max seid jetzt in Sicherheit. Das ist alles, was für mich zählt, Chloe. Jetzt kann ich mich auf mein wunderschönes Mädchen konzentrieren und darauf, wie ich sie bitten werde, bei mir einzuziehen. Oder vielleicht habe ich das gerade getan." Er zuckt mit den Schultern, während er mir seine süßen Grübchen zeigt, denen ich nicht widerstehen kann.

Doch sie sind wohl nicht der Grund, weswegen mein Herz einen Schlag aussetzt. „Du willst, dass ich bei dir einziehe?"

„Das habe ich doch gesagt." Er grinst weiter. „Ich weiß, du wolltest dir eine eigene Wohnung suchen und so weiter, aber seien wir ehrlich, du würdest sowieso jede Nacht in meinem Bett liegen. Also, wozu das Ganze? Was denkst du?"

Ich lächle so sehr, dass mir die Wangen schmerzen, als ich antworte: „Ich kann mich nicht einmal mehr daran erinnern, warum es vor ein paar Wochen eine gute Idee zu sein schien, mir eine eigene Wohnung zu suchen."

Ein Quietschen entweicht mir, als er mich auf seinen Schoß zieht. „Ist das ein Ja, Sonnenschein?"

„Das ist ein Ja", bestätige ich mit Tränen in den Augen und kaum sind die Worte aus meinem Mund, küsst er mich und drückt mich so fest an sich, dass ich kein bisschen an meiner Entscheidung zweifle.

Es fühlt sich einfach richtig an, wie alles zwischen Melvin und mir.

Epilog

Melvin

Zwei Monate später

Mein Mädchen beugt sich über einen großen Karton, als ich sie in einem der vier Schlafzimmer unseres nagelneuen Hauses finde. Wir nutzen dieses Zimmer im Moment als Abstellraum. Auf der einen Seite stapeln sich ein paar Dutzend ungeöffnete Kartons, auf der anderen Seite ein paar Möbelstücke, die noch zusammengebaut werden müssen.

„Hab ich dich."

Offensichtlich hat sie mich nicht kommen hören, denn sie erschrickt leicht beim Klang meiner Stimme. Sie entspannt sich sofort, als ich ihre Hüften über ihrem blassgrünen Kleid umfasse, das mit zahlreichen winzigen, weißen Gänseblümchen bedruckt ist. Ihr fantastischer Hintern streift meinen Schritt, als sie sich aufrichtet, und durch die Bewegung weht mir der Vanilleduft ihres Shampoos in die Nase.

„Ich suche ein Tablett", sagt sie, als ich einen Arm um ihre Taille lege. „Ich kann es in der Küche nicht finden. Es muss noch in einer der Kisten sein. Ich weiß aber nicht mehr, in welcher."

Ich streiche ihr Haar zur Seite, um an ihren Hals heranzukommen, und streife mit meinen Lippen die helle Haut dort.

„Eine Unterhaltung über ein fehlendes Tablett ist aber nicht deine oberste Priorität, oder?"

„Du bist so viel reizvoller als ein Tablett, Sonnenschein."

„Freut mich zu hören."

Das Grinsen in ihrer Stimme bringt mich zum Lächeln, aber es hält mich nicht davon ab, zu ihrer glatten, süßen Haut zurückzukehren und sie fester an mich zu ziehen. Verdammt, jedes Mal, wenn ich sie berühre, scheint ein Zauber über mich zu kommen. Dann gibt es nichts mehr außer ihr und wie sie auf mich reagiert.

„Hör auf damit, Melvin. Max ist in der Nähe", erinnert sie mich in einem schimpfenden Ton, während sie sich in meinen Armen umdreht.

„Er ist draußen, um Kip mit dem Ball zu beschäftigen. Außerdem sind es doch nur ein paar Küsse."

„Es fängt immer erst mit Küssen an", sagt sie und zieht eine niedliche Augenbraue in die Höhe.

Ja, da hat sie nicht unrecht.

Schmunzelnd drücke ich ihr einen letzten Kuss auf die Nase und beschließe, mich zu benehmen.

„Ich liebe es, mit dir zusammenzuleben."

Ihr Lächeln wird bei meinen Worten noch strahlender. „Ich liebe es auch, mit dir zu zusammenzuleben."

Es ist erst eine Woche her, dass wir in dieses zweistöckige Haus eingezogen sind, aber wir drei haben uns in kürzester Zeit an unseren neuen Alltag gewöhnt. Wir lieben es hier. Cody fand heraus, dass das Haus zum Verkauf stand, als er vor etwa einem Monat auf dem Heimweg war. Es ist nicht einmal zwei Kilometer von seinem und Lillys Haus entfernt. Wir haben es besichtigt, bevor wir Lilly etwas davon erzählt haben, nur für den Fall, dass es nicht klappen würde. Als Chloe und Max mir grünes Licht gegeben haben und wir die Schlüssel in der Hand hatten, haben wir es ihr verraten. Natürlich war sie genauso begeistert davon, dass wir in ihrer Nähe wohnen, wie Max es war.

So fühlt es sich also an, wenn man seine eigene Familie hat. Ich hätte mir kein besseres Leben wünschen können als das, das wir gerade begonnen haben. Zwei Monate nach Hawks Tod habe ich meinen Frieden mit der Vergangenheit gemacht. Wie genau war die Beziehung zwischen ihm und Jules? Kannten sie sich schon, als sie noch Kinder waren? Hat er seine zukünftige Frau mit ihr betrogen und sich vor seiner Verantwortung gedrückt, als sie schwanger wurde? Wurde sie mit Absicht schwanger? Zweimal? Ich will nicht behaupten, dass mir diese Fragen nicht durch den Kopf gegangen wären, aber letzten Endes ist es egal. Jules hat sich einen Dreck um ihre Söhne geschert, aus welchem Grund auch immer. Weder sie noch Hawk haben es verdient, dass ich noch mehr Zeit damit verbringe, mir über etwas den Kopf zu zerbrechen, auf das ich nie eine Antwort bekommen werde. Die einzigen Menschen, die meine Aufmerksamkeit verdienen, sind meine Familie. Angefangen bei der Schönheit, die vor mir steht.

„Abgesehen davon dachte ich, dass der Vorteil des Zusammenlebens mit meiner wunderschönen

Freundin darin besteht, dass ich sie jederzeit vernaschen kann, wenn ich Lust darauf habe."

„Wenn ich mich recht erinnere, konntest du letzte Nacht ein paar Stunden lang deine Hände nicht von mir lassen, daher die Augenringe", klärt sie mich auf, während sie auf ihr makelloses Gesicht deutet. „Und ebenfalls vor einigen Stunden."

„Hmmm ja, der Quickie in der Waschküche. Das war heiß", erinnere ich mich und meine Stimme senkt sich bei der feurigen Erinnerung daran.

Für mehr als einen Quickie hat die Zeit nicht gereicht. Max war mit Lilly in den Laden gegangen, um ein paar Erdnüsse und andere Kleinigkeiten zu besorgen, und wir wussten, dass sie nicht ewig brauchen würden.

„Es war heiß", bestätigt sie. „Aber es war auch etwas schmutzig, sodass ich mich hinterher umziehen musste. Dafür habe ich nicht noch einmal Zeit. Ich bin ohnehin schon spät dran. Sie werden bald alle hier sein, und ich habe immer noch nicht das verdammte Tablett gefunden."

„Okay, okay. Lass uns …"

Chloes Augen weiten sich, als es an der Tür klingelt und ich dadurch zum Schweigen gebracht werde.

„Oh mein Gott! Jetzt bin ich wirklich zu spät dran!"

Ich kichere über die übertriebene Aufregung, die sie plötzlich befällt, aber das war nicht der beste Schachzug, merke ich, als sie ihre Augen verengt. Sie ist ein bisschen nervös, weil wir unser erstes Barbecue veranstalten.

„Du bist nicht zu spät, Babe", beruhige ich sie. „Du öffnest jetzt die Tür und ich hole das Tablett. Wie sieht es denn aus?"

Sie ist schon aus dem Zimmer geeilt, als sie ruft: „Groß, quadratisch, silbern!"

Groß, quadratisch, silbern. Das sollte nicht allzu schwierig werden.

Das Glück ist erfreulicherweise auf meiner Seite. Nachdem ich die dritte Kiste geöffnet habe, finde ich mehrere Tabletts. Anstatt nur das größte zu nehmen, schnappe ich mir alle und mache mich auf den Weg zurück in die Küche. Dort werden sie sowieso landen, wenn wir erst einmal auspacken, was noch übrig ist. Nachdem ich sie auf der Arbeitsplatte abgelegt habe, mache ich mich auf die Suche nach Chloe und den anderen, die gerade angekommen sind. Ich finde sie mit Erin und dem kleinen Easton auf der Veranda hinter dem Haus. Liam ist im Garten und amüsiert sich mit Max und Kip.

„Hey, frischgebackene Mama. Wie geht's dir?"

„Nicht schlecht. Nur ein bisschen müde", sagt sie ehrlich.

„Das glaube ich. Hallo, kleiner Mann", begrüße ich das Baby als nächstes.

Der kleine Kerl hat das helle Haar und die grünen Augen von seiner Mama geerbt. Er sitzt hellwach in seinem Autositz. Als ich ihm einen sanften Stups gebe, kräuseln sich seine Lippen leicht, als wäre er sich nicht ganz sicher, ob er mich anlächeln soll oder nicht.

„Ich bringe die Getränke und alles andere", sagt Chloe, bevor sie sich wieder auf den Weg macht.

„Ich bin gleich da", rufe ich, als Liam auf die Terrasse tritt.

„Ich mach das schon!", ruft sie zurück.

„Hey, Bruder. Wie sind die Nächte so?", frage ich ihn schmunzelnd.

„Nicht so schlimm wie in den ersten drei Wochen. Denn verdammt, die waren grausam."

„Mein Gott, hör auf mit den Flüchen. Wenn das sein erstes Wort wird, schläfst du einen Monat lang auf der Couch", droht Erin ihm, und verdammt, sie scheint es ernst zu meinen.

„Sorry, Baby. Ich muss mich daran gewöhnen, dass verd...", beginnt er und stoppt sich gerade noch rechtzeitig. „Ich muss mich erst daran gewöhnen. Aber mein großartiger Sohn hier hat vor einer Woche angefangen, nachts sechs Stunden zu schlafen."

„Wir hoffen, dass das nicht nur vorübergehend ist, weißt du?", fügt Erin hinzu, und es klingt, als bete sie zu jedem verfügbaren Gott, dass er ihr diesen einfachen, überaus verständlichen Wunsch erfüllen möge.

Easton wurde vor sechs Wochen geboren, und obwohl die beiden den kleinen Kerl über alles lieben, wette ich, dass sie sich nach Schlaf sehnen wie nie zuvor.

„Das ist es sicher nicht. Nicht wahr, kleiner Mann?", frage ich Easton selbst.

Doch die einzige Antwort, die ich bekomme, ist ein gelangweilter Blick.

„Hi, Erin!", ruft Max, als er sich zu uns gesellt, Kip dicht auf den Fersen.

Der Welpe weicht seinem besten Freund nie von der Seite. Als er Max das erste Mal dabei erwischt hat, wie er den Club ohne ihn verlassen hat, hat er eine ganze Stunde lang gejault. Zum Glück hat er sich seitdem daran gewöhnt.

„Hey, Max. Hey, Kip."

Trotz ihrer Erschöpfung lächelt sie meinen Bruder liebevoll an.

„Willst du später ein paar Spiele spielen? Easton kann uns zusehen", fragt er sie hoffnungsvoll.

Als Erin das erste Mal in den Club kam, noch bevor sie und Liam zusammen waren, mochte Max sie sofort. Und als sie dann in den Club einzog, nachdem Liam letztes Jahr in große Schwierigkeiten geraten war, haben sie und Max jeden zweiten Tag Brettspiele gespielt. Bis vor ein paar Wochen, als sie Easton zur Welt gebracht hat.

„Auf jeden Fall", antwortet sie und klingt wirklich begeistert. „Es ist viel zu lange her. Dieses kleine Monster hat mich ganz schön auf Trab gehalten."

„Welches kleine Monster?" Wir alle wenden uns Alex und ihrer vorgetäuschten Empörung zu, als sie und Jayce auf der Veranda auftauchen. „Mein Lieblingsneffe ist kein Monster", fügt sie hinzu und macht sich auf den Weg zu Easton. Nachdem sie ihn auf die Stirn geküsst hat, schwärmt sie: „Nein, nein, nein, er ist kein Monster. Er ist ein hübscher kleiner Kerl. Wann kann Tante Alex auf den kleinen Süßen aufpassen?"

„Samstag", antwortet Liam wie aus der Pistole geschossen. „Ich möchte mit meinem Mädchen einen Ausflug machen, sie dann zum Mittagessen einladen und danach mit ihr einkaufen gehen. Was denkst du, meine Schöne?"

„Ich denke, es hört sich fantastisch an, vorausgesetzt, ich bin in der Lage, meinen Jungen für ein paar Stunden zu verlassen."

„Irgendwann wirst du ihn allein lassen müssen und ich verspreche dir, dass ich ihn niemals aus den Augen verlieren werde", schwört Alex und versucht, Erins Ängste zu zerstreuen.

„Oh, darüber mache ich mir keine Sorgen", beteuert sie.

„Ich weiß. Ich weiß, dass es nicht leicht ist."

„Außerdem können wir so üben", sagt Jayce und zwinkert Alex zu. „Wir haben beschlossen, so schnell wie möglich unser eigenes kleines Monster zu bekommen", sagt er dann.

„Das sind tolle Neuigkeiten, Prez", erwidere ich.

„Ehe wir uns versehen, wird ein halbes Dutzend kleiner Bälger im Club herumlaufen", sagt Karl, als er seinerseits auf die Terrasse tritt und Lauras Hand hält.

„Klingt ganz danach", stimmt Jayce zu, als auch Colleen und Ben zu uns stoßen.

Cam hat uns vor ein paar Tagen erzählt, dass sie und Nate ihr erstes Baby erwarten, und Ben erinnert uns bei jeder Gelegenheit daran, dass er auch eifrig versucht, seine Freundin zu schwängern. Es hört sich also so an, als hätte Karl recht damit, dass bald eine Handvoll kleiner Monster im Club herumrennen wird. Irgendwann wird auch Chloe Mutter werden und wir werden ein paar Kinder zu der Runde beisteuern.

Alle anderen treffen der Reihe nach ein, während ich meinem Mädchen endlich bei den Getränken helfen kann. Fünfzehn Minuten später haben wir alle einen Drink in der Hand und Cody ergreift das Wort und hebt sein Bier.

„Auf Melvin und Chloe und ihr neues, gemeinsames Leben. Natürlich auch auf Max und Kipper!" Grinsend zerzaust er Max' Haare. „Auf ihr neues Leben hier!"

Ich hebe wie alle anderen mein Bier und schaue mich um, während mein Mädchen auf meinem Schoß sitzt.

Vor vier Jahren war Max alles, was ich hatte. Und als er in eine Pflegefamilie kam, fühlte es sich an, als hätte ich nichts und niemanden mehr. Jetzt haben er und ich eine Familie, die größer ist, als wir es uns je hätten träumen lassen. Und Chloe ist der Mittelpunkt meines neuen Lebens. Wenn ich höre, wie sie über einen von Karls Witzen lacht, weiß ich, was für ein Glück ich habe, dass sie mich liebt. Ich habe mich schon lange danach gesehnt, dass sie mich eines Tages so ansieht, als könne ich ihr die Sterne vom Himmel holen, und eines steht fest: Ich werde dafür sorgen, dass sie mich jeden Tag für den Rest unseres Lebens so anschaut.

Ende

Autorin

Die Autorin C.M. Marin schreibt romantische Motorcycle Club-Liebesromane mit Krimi-Faktor sowie zeitgenössische Liebesromane. Sie ist durch und durch ein Kleinstadtmädchen. Ruhe und Natur sind alles, was sie wirklich braucht ... solange dort auch eine Kiste voller Bücher sowie eine große Auswahl an Teesorten in Reichweite sind!

Sie hat ihr eigenes Glück noch nicht gefunden, aber sie liebt es, über das Verlieben und die dauerhafte Liebe zu schreiben. Mit einem Hauch Spannung, genau der richtigen Portion Sexappeal und ganz viel Liebe, schreibt sie ihre Romane für jeden Fan von Liebesgeschichten auf der ganzen Welt.

Facebook: www.facebook.com/AuthorC.M.Marin

Weitere Teile der Chaos Chasers MC-Reihe:

Teil 1: Nate
Teil 2: Jayce
Teil 3 Ben
Teil 4: Liam
Teil 5: Blane

Milton Keynes UK
Ingram Content Group UK Ltd.
UKHW011949010124
435297UK00004B/291